JN041741

主権者のいない国

白井聡
Satoshi Shirai

講談社

主権者のいない国＊目次

ブックデザイン　鈴木成一デザイン室

序章　未来のために想起せよ

破滅の淵を想起する

本書が店頭に並ぶ頃、あの3・11からちょうど一〇回目の春を私たちは迎える。この一〇年は、私個人にとっても、日本という国にとっても激動の歳月であった。本来政治思想史の研究者である私は、3・11をきっかけとして『永続敗戦論――戦後日本の核心』（二〇一三年、太田出版／二〇一六年に講談社＋α文庫に収録）を書き、それ以降、現代日本政治に関する時事的な発言に踏み込むことになった。それは、研究者・文筆家として思いがけない成り行きであったが、私を駆り立てたのは、「何とかしてこの国の崩壊を止めなければならない」という思いだった。

一〇年前、日本を襲ったのは、文字通りの激震だった。巨大津波による被害だけでも筆舌に尽くしがたいものがあるが、経験したことのない種類の惨禍をもたらしたのは福島第一原子力発電所の過酷事故だった。

当時の不安な気持ちを思い起こすだけでも胸苦しさすら感じるが、それでもやはり振り返っておくべきだろう。私たちが東日本壊滅という事態を避けることができたのは、ひとえに《運がよかった》からであった。

多くの危険きわまる事象のうち最も危険であったのは、4号機の核燃料プールの件だった。そこには一三三一体の使用済み核燃料が納められ、うち五四八体はつい四ヵ月前に原子炉内から引き抜かれたばかりの、高温の崩壊熱を放つものだった。そのプールに注水できなくなった。注水できなければ当然、プールのなかの水は核燃料の崩壊熱によって蒸発し、燃料がむき出しになる。アメリカは懸念を深め、原子力規制委員会のグレゴリー・ヤツコ委員長は「プールの水は空だ」と発言した。

使用済み核燃料は、劇物中の劇物である。もしそれがむき出しの裸の状態で置かれていたら、周りの人間は即死するほどの高線量を放つ。ゆえに、4号機の核燃料プールの水が空になり、むき出しになった使用済み核燃料が溶け出すということは、誰も福島第一原発に近づけなくなるということ、したがって、メルトダウンの事故処理も全くできなくなること、を意味した。だから、当時の菅直人政権は、最悪のシナリオとして、首都圏を含む東日本全体の壊滅を想定したというが、それは何ら大袈裟なものではなかった。この事態は、東日本壊滅というよりも、日本壊滅と考えたほうが適切であろう。また、日本にとどまらず、世界全体の自然環境に対する影響の観点からすれば、文明の終焉すらもたらしかねない事態だった。

この危機を救ったものは、《偶然》だった。三月一六日の夕刻、4号機上空を飛んだヘリコプターからの撮影により、核燃料プールに水があることが確認される。なぜ、ないはずの水があったのか？

それは、核燃料プールに隣接する「原子炉ウェル」という部分に張ってあった水と、原子炉ウェルにつながる「ドライヤー・セパレーター・ピット」という部分の水が、プールに流入したためだった。原子炉ウェルとプールの間には仕切り板があるのだが、地震の振動などにより仕切り板がずれて流入したとみられる。そして、われわれがとりわけ「幸運だった」というのは、原子炉ウェルは、通常水が満たされる場所ではないからだ。なぜそこに水があったのか？

　事故前年の末に、4号機では原子炉の「シュラウド」と呼ばれる部分の付け替え工事が始まっていた。このシュラウドは、長年の使用により放射化しているために、それを通過させる原子炉ウェルには水が張られていた。しかも、その水は、二〇一一年三月七日に抜き取られるはずだった。そうならなかったのは、シュラウドを切断する際に使用する治具に設計ミスが発見され、そのために付け替え工事の工期が延びていたためであった。

　もしもシュラウド交換工事が二〇一一年三月一一日に重ならなければ、そして工期延長がなければ、あの最悪のシナリオが招き寄せられたのである。私たちは、文字通りの破滅の間際にいた。このことは、どれほど強調してもし足りない。

　かつ恐るべきことに、この状況の深刻さをその当事者たる東京電力の上層部は、全く理解していなかった。三月一三日昼過ぎの時点で原子炉に注入する淡水がなくなり、吉田昌郎福島第一原発所長は、海水を注入するほかないと報告した。その直後の東電本社と現場とのテレビ会議の模様が後に報道されるが、そこで東電幹部から発せられた言葉は耳を疑わせるものだった。

「いきなり海水っていうのはそのまま材料が腐っちゃったりしてもったいないので、なるべくねばって真水を待つという選択肢もあるというふうに理解して良いでしょうか」

この幹部が懸念したのは、海水を注入された原子炉が使用不能になることだった。吉田所長は「理解してはいけなくて、（中略）今から真水というのはないんです。時間が遅れます、また」と即座に返しているが、この会話は狂人と正常人のやり取りに聞こえる。メルトダウンはもう間近に迫っていた。そんな原子炉を二度と使えるはずがない。

そして何よりも、この瞬間は、日本が破滅するかどうかの瀬戸際にあったのだった。東電幹部の言葉からは、そのような認識と切迫感が一切感じられない。「原子炉が使えなくなると我が社に何百億円も損が出る」という懸念があるだけだ。要するに、この人物は、「日本が終了してしまうこと」と「東京電力という会社が何百億円か損失を出すこと」とを天秤に掛けてどちらが重大であるのかを判断できなかった。否、東電の損失すら考えていなかったかもしれない。大失態を犯してしまった原子力部門に属する自分の出世の困難を思っていたのかもしれない。かかる人物を形容するにあたり、「狂人」以外に適切な言葉を私は知らない。

危機を適切に認知できない人々には、同時に責任感もモラルもない。ただひたすら空っぽである人たちからなる集団が、この国の「選良」として君臨してきた挙句に、あの事故を起こした。なぜ、日本はこんな国でしかないのか、こんな社会でしかないのか。

その根源を見定めようとするならば、「あの戦争（第二次世界大戦）の未処理」という問題にまで遡らなければならないという確信に基づいて、私は『永続敗戦論』を書いた。あの事故における東電幹部や経産省関係者（原子力安全・保安院）、さらには「原子力ムラ」の御用学者たちの姿は、丸山眞男が昭和のファッショ体制を指して述べた「無責任の体系」そのものであったからだった。

だから、福島第一原発の事故は、未曾有の経験であったのと同時に、見慣れたものでもあった。つまるところ、3・11が暴いたのは、「戦後日本はあの戦争への後悔と反省に立って築かれてきた」という公式史観の虚偽性だった。私たちの社会が本当に後悔・反省しているのなら、「無責任の体系」は克服されていなければならない。しかし現実には、それは社会のど真ん中で生き延びてきたことを3・11は明らかにした。ならば、なぜかくも無反省でいられるのか。その根源的な理由は、日本人があの戦争で敗北したことを本当は認めていないというところにあることを私は『永続敗戦論』で主張し、かかる歴史意識を「敗戦の否認」と名づけた。

歴史観や歴史意識は、その社会の質に関わり、ひいては私たちの生き死にに関わる。3・11が突きつけたのは、私たちの社会は解体的な出直しを必要としているという事実にほかならなかった。最近やたらと増えている分断批判業者の連中は認めたがらないようだが、この時以来、日本社会は真っ二つに分裂した。それは、この事実を受け止める人々と何としてでも受け止めない（否認する）人々との分裂である。

どちらが多数派であるかは言うまでもない。ちょうど『永続敗戦論』の原稿を書いていた二〇一二年一二月の総選挙で第二次安倍晋三政権が成立し、そこで出来上がった権力構造が現在にまで続いていることとは、まさにこの「敗戦の否認」という歴史意識から日本人全般が脱していないばかりか、そのなかにさらに深くはまり込んでいることの証明である。というのも、安倍晋三こそ、政治の世界で「敗戦の否認」の情念を代表する人物にほかならないからだ。

ゆえに、この期間が日本史上の汚点と目すべき無惨な時代となったのは、あまりにも当然の事柄である。虚しい歴史意識は、社会を劣化させ、究極的にはその社会を殺し、場合によってはそこに生きる人間を物理的に殺す。

3・11の反復としての新型コロナ危機

そして、まさにそのような「場合」にいま私たちは立ち会っている。言うまでもなく、新型コロナウイルスによる危機のことである。

この一年間展開してきた光景は、一〇年前の光景の再上演のようなものだ。すべてが後手後手であり遅い。根拠なき楽観主義による事態の過小評価。政治に忖度する専門家という名の御用学者。懸命に踏ん張る現場と無能な司令官。「新型コロナウイルス感染症を克服した証としての東京五輪開催」（菅義偉《すがよしひで》首相）とやらは、福島第一原発の事故後に原子力ムラがぶち上げた「世界一安全な日本の原発」を世界中に輸出するという空理空論の反復である。無論、これらの末期症状は、破滅の瀬戸際に追い詰められてもそれをも否認してきた私たちが必然的に招き寄せたものにほかならない。

グローバルな感染拡大の始まりから約一年を経て知見と経験が蓄積したいま、何をしなければならないか、何をしてはならないか、かなりはっきりしてきている。新型コロナウイルスの性格上、ＰＣＲ検査を中核とする検査体制を大幅に拡充し、出来るだけ多くの感染者を捕捉し、隔離しなければならない。しかも、検査における偽陰性や偽陽性の問題をクリアするために、また医療や介護の関係者といったリスクの高い人々のためには、頻回検査が必要である。これを実行するためには、大々的な検査・隔離体制の確立と運用が絶対的に必要である。そしてそのためには、保健所だけでなく民間のＰＣＲ検査機関、大学等を有機的に組み合わせた体制を構築せねばならない。

しかるに、いまだにこの体制ができておらず、国家による体制構築の決断さえなされていない。初期に定められた検査抑制の方針が今日でも亡霊のように漂っている。日本で新型コロナ感染がはじまったとき、ＰＣＲ検査体制の不備を理由に厚労省が検査抑制の政策を採ったことには一応の合理性があったのかもしれない。だが、いまとなっては大規模検査体制の構築ができていないのは、恥ずべきことだ。とりわけ、ほかならぬ日本のメーカー（ＰＳＳ社）が開発した全自動のＰＣＲ検査機器が外国で使われ同社が感謝状を受けている一方で、国内では導入が遅々として進まず、「手作業」（！）による検査が続いているという光景は、一体何なのか。

帰責されるべきは、政権与党や政府首脳のみではない。思えば、二〇二〇年五月四日には、安倍首相もＰＣＲ検査の実施体制が意図した通りに拡大していない現実に言及して、「目詰まりがある」と不満を述べていた。

そこで興味深いのは、新型コロナ対応・民間臨時調査会（コロナ民間臨調）がまとめて二〇二〇年一〇月に公刊されたレポート、『調査・検証報告書』に収録された厚労省の内部資料、「（補足）不安解消のために、希望者に広く検査を受けられるようにすべきとの主張について」である。この資料は、政権中枢へのレクチャーのために作成されたのではないかと推せられるが、PCR検査における偽陰性・偽陽性の問題を強調して、検査の拡大が医療崩壊やさらなる感染拡大を招くと主張し、「従って、医師や保健所によって、必要と認められる者に対して検査を実施することが必要」と結論づけている。これはすなわち、厚労省の内部の人間が政権中枢に働きかけてPCR検査体制の拡充を阻止してきたことの証拠である。

これが「目詰まり」の本体ではないのか。厚労省、とりわけその医系技官たちの保健所に対する権益維持の意図が、保健所によるPCR検査と情報の独占（したがって、検査拡大の拒否）を動機づけているとの見解を医師の上昌広が述べているが、この指摘には説得力がある。

いずれにせよ、「目詰まり」は実在し、それを取り除くのが政治の仕事だ。問題はPCR検査体制の拡充だけではない。すでに何ヵ月も前から、新型コロナ治療を行なう病院の集約化（コロナ病棟専門化）の必要が訴えられているが、これも進んでいない。水際対策もいまだ不徹底である。政府の新型コロナ対策のうちおおむね上手く機能していると評価できるのは、雇用調整助成金のみではないだろうか。

菅は、これらの当然の仕事から逃避し、「先手先手」、「全力で対応」、「安心と希望を届ける」等々の陳腐で抽象的なフレーズを繰り返すのみで、国民の絶望感を醸成している。その一方で、入院を拒否する感染者を逮捕し懲役を科するなどと言い出す。入院したいのにできない感染者が激増するなかで、である。政権はコロナ対策を諦め、面白いブラックジョークをつくることに専念し始めたかのようだ。

そして、結局のところ新型コロナを制圧できるのは、行動抑制である。この政策の困難は、必要となる補償の大きさもあるが、それ以上の本質的困難は、国民の政府への信頼が必要であることにあり、まさにこれこそが、現在の日本政府が日々刻々と失い続けているものである。また、これまでの無為無策・無能に鑑みれば何ら驚くべきことではなく当然のことだが、切り札の期待がかかるワクチンの供給・接種も到底速やかにはいきそうにない。

かくして、いまや諸国の新型コロナ対策ははっきりと明暗が分かれつつあり、対策が奏功した国々では、日常生活が通常の状態に近いものに戻りつつあり、経済停滞も回復しつつある。そのなかで、日本の状況はアジア太平洋地域で最低の水準にある。本格的なコロナ対策の体制がいまだ構築されていないことはすでに述べた通りだが、しかもアクセルとブレーキを同時に踏むような政策を延々と続け、その誤りを認める気配さえない。このままでは、近い将来、世界の多くの国と地域がコロナ危機から脱するなかで、日本は脱出できないという状況すら想定できるだろう。

そうした情けない立ち位置、嘆かわしい状況は、まさに日本社会の質が招き寄せたものにほかならない。例えば、本書でも取り上げる、ここ一〇年ほどのあいだ顕著になった、日本社会の反知性主義的傾向は、新型コロナ対策の失敗においても如実に現れている。専門知の軽視、優れた専門家ではなく、政治に阿《おもね》る専門家の登用、検査抑制をめぐる議論では、「権威主義的性格」の持ち主が一見もっともらしい「知識」をひけらかして世論を混乱させたその悪影響は甚大なものだった。これらすべては、莫大な予算が投じられた「対策」を無効化し、本来避けられたはずの犠牲を増やし続けている。

しかしながら、それはやはり不可避でもあったのだ。われわれは、あの一〇年前の破滅の淵から何も学ばなかったことの結果を引き受けさせられているのにすぎないのだから。

本書の構成

本書は、「統治の崩壊」と言うべき段階にまで陥った日本の政治、そしてそれを必然化した日本社会について、折に触れて私が書いた分析・考察の文章をまとめたものである。二〇一三年の『永続敗戦論』以来、『「戦後」の墓碑銘』（二〇一五年、金曜日／増補版が二〇一八年、角川ソフィア文庫）、『「戦後政治を終わらせる——永続敗戦の、その先へ』（二〇一六年、NHK出版新書）、『国体論——菊と星条旗』（二〇一八年、集英社新書）などを世に問うて、危機の分析を続けてきた。本書はその最新版である。

第一章には、昨年九月に退陣した第二次安倍晋三政権とその後継たる菅義偉政権に関する論考を集めた。『永続敗戦論』と『国体論』で分析してきたように、二〇一二年の総選挙以来継続してきた自公連立長期政権は、日本の「戦後」という時代がその土台喪失にもかかわらず無理矢理に維持されてきた、その矛盾の爆発的な露呈の表現であり産物である。本章では、その矛盾の本質を提示し、矛盾がいよいよその最終的な自己破壊の過程に入り込んでいる様を分析する。

第二章は、新自由主義社会批判を主題としている。第一章で示唆されるように、悲惨な政治を支えてきた基盤は、結局のところ現代日本社会それ自体の悲惨さであり、日本人自身の悲惨さである。ではなぜ、社会は劣化してしまったのか。私は、二〇二〇年に『武器としての「資本論」』（東洋経済新報社）を刊行したが、同書はマルクス『資本論』のガイドであると同時に、新自由主義批判を企図している。同書に含まれる重要な主張は、新自由主義は、単に政策を支えるイデオロギーではないということだ。今日それは、一種の文明の原理と化し、したがって人々の魂のなかに入り込んでいる。その諸相を、新自由主義の同伴者たる反知性主義に対する分析とともに、本章は提示する。

第三章には、『国体論――菊と星条旗』に深く関連する論考を集めた。『国体論』刊行の約一年後に、平成から令和への改元が行なわれた。改元の過程で際立っていたのは、安倍政権による改元・元号の「私物化」だった。この恐れを知らぬ振る舞いが平成の天皇（現上皇）の思慮深い言動と著しい対照を成すなかで、平成時代は終わった。他方、世論は天皇自身の異例の意思表示による生前退位（譲位）という事件の意味を深く受け止めることもなしに、改元をやり過ごしたにすぎなかった。そこにも社会の劣化の一端が現れているが、それは明治日本が創作した近代天皇制の一帰結にほかならない。現代日本の閉塞を形づくる一つ目の文脈としての新自由主義化の諸相を明らかにするのが第二章だとすれば、もう一つの文脈としての特殊日本的事情＝近代天皇制を分析するのが第三章である。

第四章では沖縄と日韓・日朝関係を取り上げる。戦後日本の「平和と繁栄」のバックヤードが沖縄と朝鮮戦争（およびその帰結としての南北分断の固定化）であった。したがって、戦後レジームの破綻・崩壊は、本土と沖縄との関係、日韓・日朝関係の不安定化や緊迫において劇的に表れる。その緊迫の諸相を考察することは、戦後の本質に対する私たちの理解に資するところ大であるはずだ。

第五章は、「歴史のなかの人間」と題した。ここで「歴史」を口にするのは、そこに私たちの「再生」が懸かっていると私が考えるからだ。私たちはいかにして今日の苦境を脱け出し、より良き未来への希望を懐けるのか。キーワードとなるのは「歴史」と「記憶」だと私は思う。

現在の権力は、最悪のかたちで記憶を利用している。「東京五輪２０２０」と「大阪万博２０２５」というのがそれだ。戦後の終わり、戦後レジームの崩壊的解体の混迷に対する処方箋として戦後の発展の栄光の記憶を持ち出すことにより、さらなる「否認」の泥沼のなかで人々を眠り込ませようとする一方で、その内実はイベントにかこつけた公金の分捕り合戦にすぎない。この現実は、現代日本における良き未来への想像力の枯渇を示して余りない。

私たちの想像力を豊かにするような歴史と記憶の想起はいかにして可能か。ごく近い現代史から戦中の時代に至るまで素材を求めて試みた論考が本章に収められている。

なお、各論考は本書収録にあたって、加筆修正を受けている。

二〇二一年二月　京都にて

第一章

「戦後の国体」は新型コロナに出会った

一　日本史上の汚点としての安倍政権

(1) 安倍政権が壊したもの

安倍政権の七年余りとは、何であったか。それは日本史上の汚点である。この長期政権が執り行なってきた経済政策・社会政策・外交政策等についての総括的分析は、それぞれの専門家にひとまず任せよう。本稿で私は、第二次安倍政権が二〇一二年一二月に発足し二〇二〇年九月一六日に至るまで続いたその間にずっと感じ続けてきた、自分の足許が崩れ落ちるような感覚、深い喪失感とその理由について書きたいと思う。こんな政権が成立してしまったこと、そしてよりによってそれが日本の憲政史上最長の政権になってしまったこと、この事実が喚起する恥辱と悲しみの感覚である。

この政権が継続することができたのは、選挙で勝ち続けたためである。安倍の辞意表明直前の世論調査が示す支持率は三〇%を超えており、この数字は極端に低いものではない。これを大幅に下回る支持率をマークした政権は片手では数え切れないほどあった。要するに、多くの日本人が安倍政権を支持してきたのである。

この事実は、私にとって耐え難い苦痛であった。なぜなら、この支持者たちは私と同じ日本人、同胞なのだ。こうした感覚は、ほかの政権の執政時にはついぞ感じたことのなかったものだ。時々の政権に対して不満を感じ、「私は不支持だ」と感じていた時も、その支持者たちに対して嫌悪感を持つことはなかった。この七年余りの間に味わった感覚は全く異なっている。

数知れない隣人たちが安倍政権を支持しているという事実、私からすれば、単に政治的に支持できないのではなく、己の価値観と倫理の基準からして絶対に許容できないものを多くの隣人が支持しているという事実は、低温火傷のようにジリジリと高まる不快感を与え続けた。隣人（少なくともその三〇％）に対して敬意を持って暮らすことができないということがいかに不幸であるか、このことをこの七年余りで私は嫌というほど思い知らされた。

「公正」「正義」の破壊

安倍政権がなぜ許容できないのか、許容してはならない権力なのか。あれこれの政策が問題なのではない。政策が時に奏功しないことは致し方のないことである。

無論、あちこちで指摘されてきたように、どの領域においても安倍政権は長期安定政権にもかかわらずロクな成果を出せず、ほとんどの政策が失敗に終わった。だが、真の問題は、失政を続けているにもかかわらず、それが成功しているかのような外観を無理矢理つくり出したこと、すなわち嘘の上に嘘を重ねることがこの政権の本業となり、その結果、「公正」や「正義」といった社会の健全性を保つために不可欠な理念をズタズタにしたことにほかならない。したがって、この政権の存在そのものが人間性に対する侮辱であった。

その象徴と目すべき事件が、伊藤詩織氏に対する元TBS社員の山口敬之のレイプとそのもみ消しである。失政を重ね、それを糊塗しなければならないからこそ、山口のごとき提灯持ちの似非ジャーナリストが安倍晋三にとっては大変貴重な人材となった。この事件は、犯行そのもの、逮捕の撤回、明るみに出た際の安倍支持者による被害者への誹謗《ひぼう》中傷、もみ消し当事者の中村格《いたる》警視庁刑事部長（当時）のその後の出世（現在、警察庁次長、すなわち次期警察庁長官の最有力候補である）という経緯のすべてが腐りきっている。このような事件を起こした政権を合法的に継続させているという一事だけでも、現在の日本国民の悲惨な道徳的水準を十分に物語っている。

こうして腐敗は底なしになった。森友学園事件、加計《かけ》学園事件、桜を見る会の問題などはその典型であるが、安倍政権は己の腐りきった本質をさらけ出した。不正をはたらき、それを隠すために嘘をつき、その嘘を誤魔化《ごまか》すためにさらなる嘘をつくという悪循環。それはついに、一人の真面目な公務員（財務省近畿財務局の赤木俊夫氏）を死に追い込んだ。高い倫理観を持つ者が罰せられ、阿諛追従《あゆついしょう》して嘘に加担する者が立身出世を果たす。もはやこの国は法治国家ではない。

そして、公正と正義に目もくれない安倍政権がその代わりとする原理は「私物化」である。私物化されたのはあれこれの国有財産や公金のみではない。若い女性の性や真面目な官吏の命までもが私物化された。だから結局、目論まれたのは国土や国民全体の私物化なのだ。

例えば、新元号の発表と改元の時の政権の振る舞いを思い出してみれば、それは明白だ。先の天皇（現上皇）の譲位の意思に対しては執拗《しつよう》な抵抗を試みたくせに、新元号の発表となれば、安倍は前面にしゃしゃり出て、「令和」に込めた自分の「思い」を滔々《とうとう》と語った。国民主権の原則に立つ現行憲法下における元号は、「天皇と国民の時間」を意味するはずである。したがって、その発表に際しては、国民の一時的な代表にすぎない為政者の振る舞いは抑制的であるべきだという発想は、そこには一切見て取れなかった。むしろ反対に、安倍晋三こそが「令和」の産みの親であるというアピールが盛んにされたのである。それは国家の象徴的次元における「私物化」にほかならなかった。

より実体的な領域を挙げるならば、大学入試改革の問題を見てみればよい。十分に機能してきた制度（大学入試センター試験）をわざわざ潰して民間業者を導入する主たる動機は、安倍の忠実な従僕たちの利権漁《あさ》りである。安倍自身の知性に対する憎悪がそれを後押しした。もちろん、次世代の学力などは完全にどうでもよい。ある世代が丸ごと私物化されようとしたのであり、それは言い換えれば、この国の未来を犠牲にして利権に引き換えようとしたということにほかならない。

かくして、モラルは崩壊し、政治の場、国家機構そのものが、政官財学メディアで跋扈する背広を着た強盗どもによる公金のぶん捕り合戦の空間と化してきた。新型コロナ対応のための補助金支給業務においても、この腐敗は鮮やかに現れた。私物化の原則は権力の頂点から発し、恥を知る者を除く万人を私物化競争へと誘い出して行ったのである。

日本を取り戻す

一体何から私たちは始めなければならないか。相も変わらず、テレビのワイドショーは、「スシロー」こと田﨑史郎といった面々を毎日起用して、次期総理は誰だ、小泉進次郎がどうのこうの、といった愚にもつかない政局談義を垂れ流している。おそらくテレビ局は、自分たち自身と視聴者がどこまでの愚物になり果てることができるのか、人間の限界に挑戦しているのであろう。

日本の再生は、こうしたジャンクな光景を一掃することなしにはあり得ない。そしてそれに代わって、安倍政権下で失われたもの、すなわち公正と正義をめぐる議論が提起され、それが実行に移されなければならない。

安倍晋三の健康問題に関してはその扱い方をめぐってさまざまなことが言われているが、体調不良とこれまでの政権運営における責任の問題は、完全に無関係である。健康問題のために、この七年余りに犯してきた罪に対する追及がうやむやになることは、絶対に避けられなければならない。仮に、健康問題が深刻化してその最も極端な事態、すなわち当人の死亡という事態が起こったとしても、すでに行なった悪行が消えるわけでは全くないのだ。

なお、安倍晋三は難病の潰瘍性大腸炎を病んでいるとされているが、今回の辞任にあたって医師の診断書は提示されていない。ちなみに、前回二〇〇七年の辞任に際しても、医師団が発表した病名は過労とストレスによる「機能性胃腸障害」であり、潰瘍性大腸炎であるとは翌二〇〇八年一月発売の『文藝春秋』誌上で自らが明かしたことである。安倍は、今回の辞意表明前の二ヵ月の間、フランス料理店やステーキ店で会食を重ねており、また辞任後もすぐに各種の会食に参加している。この間、一度も医師による診断書の公表はなく、本人が潰瘍性大腸炎であると述べているのみだ、という事実を指摘しておきたい。

私たちの再出発は、公正と正義の理念の復活なくしてあり得ず、その復活のためには、総理自身の違法・脱法行為の究明が絶対的に必須である。少なくとも、山口敬之レイプ事件、森友学園事件、加計学園事件、桜を見る会、河井克行・案里夫妻の選挙違反事件の計五件の事件については、徹底的な究明がなされなければならない。そして当然、究明に引き続いて、安倍のみならず関与した他の者の訴追と処罰もなされなければならない。

この過程を検察に任せきりにするのではなく、国会内に真相解明の特別委員会のような機関が設置されることが望ましいと私は思う。赤木俊夫氏の妻、雅子氏は、総理辞意表明を受けて、「次に総理大臣になる方は、夫がなぜ自死に追い込まれたのかについて、有識者によって構成される第三者委員会を立ち上げ、公正中立な調査を実施していただきたいと思います」とコメントしているが、私は心から同意する。この異常な七年余りの間に法治国家の原則が崩れ落ちたことに対する深い危機感を持つ議員は、与党内にもいるはずである。

それにしても、安倍政権におけるこうしたスキャンダルを列挙すると、それぞれの件の矮小《わいしょう》性にあらためて驚かされる。かつて戦後日本政治を揺るがしたスキャンダル、すなわちロッキード事件やリクルート事件は、それぞれ時代を画するものであった。ロッキード事件については、国際的な謀略の存在がささやかれ続けているし、戦後保守政界の裏舞台で重大な役割を果たした児玉誉士夫など、超大物が関係していた。アメリカの側ではヘンリー・キッシンジャー（当時の国務長官）が関与していたという説も有力である。あるいは、リクルート事件は、製造業から情報産業へという資本主義経済における中心産業の転換を背景として発生したものであり、その意味で時代を象徴するものだった。

これに対して、安倍晋三がらみの事件の実質は、山口敬之レイプ事件＝性犯罪とそのもみ消し、森友学園事件＝昭恵夫人の暴走・国有地の叩き売り、加計学園事件＝単なる身びいき・公金の横流し、桜を見る会＝有権者の買収、河井夫妻の事件＝私憤と子分への肩入れの行き過ぎ、であるにすぎない。どの事件にも、その背後で進行する社会構造の大変化などを感じさせるものは何もなく、ただひたすら凡庸でケチ臭い。それは、安倍晋三という人間のパーソナリティの身の丈にまさに合致しているとも言えるのだが。

しかし、このことは、これらの事件の社会的有害性の小ささを意味するものではない。まさにこうしたスケールの小さい悪事の積み重ね、その隠蔽《いんぺい》、嘘に次ぐ嘘といった事柄が、公正と正義を破壊し、官僚組織はもちろんのこと、社会全体を蝕んできたのである。その総仕上げが、黒川《くろかわ》弘務《ひろむ》を検事総長に就任させようという策動であったが、これが国民の反発の爆発的な噴出（ツイッターデモ）によって阻止されたことの意義は巨大であると言えよう。公正と正義が完全に葬り去られ凡庸な悪による独裁が完成する事態が、民衆の力によって差し止められたのである。

安倍の辞任は、病気を原因とすると称してはいるが、支持率の低下と民衆からの批判によるストレスがそこには介在しており、その意味で民衆の力によって追い込まれたという側面を確実に持つ。そして、辞意が表明されるや否や始まったお馴染みの面々（麻生だの菅だの）による跡目争いは、そうした力の作用に対する否定にほかならない。「一般大衆の意図など無意味だ。実際に事柄を差配するのはわれわれだけだ」と。安倍を補佐する共犯者であった彼らが、失われた公正と正義を回復する意図など持っているはずがない。彼らは、安倍が手放した腐った力を拾い上げ、それを自分の手で振り回そうとしているにすぎない。

繰り返して強調するが、後継者が誰になろうが（仮に政権交代が起こったとしても）、安倍時代の不正の追及が正面から行なわれない限り、本質は何も変わらない。第二・第三の安倍がまたぞろ現れて、日本社会の腐敗を一層促進するだけのことになる。

だが、安倍晋三によって私物化された日本を取り戻すという民衆のプロジェクトは、いま確かにひとつの成果をあげたのである。私たちは、選挙はもちろんのこと、デモ、ＳＮＳ等、あらゆる手段を通じて声を発し、公正と正義の実現に向けてさらなる努力を重ねる必要がある。安倍政権とは、腐食してしまった戦後日本の産物であり、その腐食を促進加速させる動力ともなった。安倍腐食から破滅に向かうのか、それとも急カーブを描いて上昇気流を掴むことができるのか。私たちはいまその瀬戸際に立っているのである。

（2）共犯者としてのマスメディア

メディアの退却

安倍政権、この無惨なるものを支えてきた制度・機関の筆頭としてマスメディアを挙げなければならない。数年前、とあるシンポジウムで大谷昭宏氏（元「読売新聞」社会部記者）と同席したことがあったが、その時大谷氏は次のように語った。

「安倍政権が言論統制していると言われているが、ナンセンスだ。権力がメディアに圧力をかけるのは当たり前のことで、安倍政権のやり方は大変に露骨で稚拙だ。こんな程度の低い抑圧を弾圧だの統制だのと言ってしまったら、もっと巧妙な抑圧と戦ってきた先輩たちに、草葉の陰から笑われてしまう」と。

その通りだと思う。この七年余りの間、報道への圧力は高まったが、そのやり方はあまりにもあからさまなものであり、それだけに跳ね返すことは困難ではないはずだった。圧力を受けている事実を率直に報道すればよかったのである。

しかし実際のところ、メディアは後退に後退を重ねた。「クローズアップ現代」（ＮＨＫ）の国谷裕子氏は降板させられ番組は模様替え、「報道ステーション」（テレビ朝日）も古舘伊知郎氏が降板となり熟練スタッフは総解雇された。ＮＨＫの「ニュース７」に至っては、ほとんどフィクションに近くなり、総理の国会での明らかに崩壊している答弁をあたかもまともな答弁をしたかのように見せかける編集技術は、達人の妙技と呼ぶべき域に達した。

帰責されるべき層は二つあると考えられる。ひとつには、メディア機関の経営幹部層である。本来彼らは、権力側からの圧力から現場を守る役割を負っている。しかし、安倍から会食に誘われた回数を競い合うようになった幹部連中に、そのような役割の自覚などあるはずがなかった。ジャーナリストとしての矜持などとうの昔に失い（あるいは最初から持っていなかったのか）、大層な肩書のみを追い求めて長年ヒラメ生活をしてきたサラリーマン・メディア人の成れの果ての姿がそこにはある。海外のジャーナリストからこのような日本のメディア人の行動に対して驚きの声が寄せられても馬耳東風。トップの座に就いても習い性となったヒラメ行為はやめられないのである。

そして、経営トップの権力との癒着・忖度《そんたく》は、その下で働く者たちの層へトリクルダウンする。ヒラメがヒラメをヒラメし、ヒラメがヒラメからヒラメされる。ヒラメがヒラメを引き上げ、ヒラメがヒラメから引き上げられる。大マスコミ各社は、さながらヒラメの養殖場と化したかのようだ。

この現象が集約されたのが、各社の政治部である。事前に通達された質問に対し、これまた事前に準備された回答を読み上げるだけの総理記者会見は、『「台本」営発表』と揶揄《やゆ》され、官邸詰めの記者たちは「劇団記者クラブ」と蔑称されるまでに至った。公人から本音を聞き出すために、公人と接近して情報を取るという日本独特のメディア人と権力者の「親密さ」は、安倍政権の七年余りの間に権力とその監視者との間にあるべき緊張感を完全に失い、政治部は政府の公式見解の伝動ベルトへと堕してきた。

南彰氏（「朝日新聞」記者、前新聞労連委員長）は、この惨状のなかで味わってきた苦悩を率直に綴り、どのような自己変革がメディアに求められているかを真摯に考察している。彼は、次のように書いている。

迷っていた時、政治記者の大先輩から言われたことを思い起こした。

「君、大丈夫なのか。〝まともな政治記者〟として出世できなくなるよ。変えるためには権力を取らないといけないんだから」

心配はうれしかったが、「まともな政治記者」という言葉で迷いが断ち切れた。

——南彰『政治部不信—権力とメディアの関係を問い直す』朝日新書、二〇二〇年

自分の持っている「まともさ」の基準が狂っていることにいまだに気づけないメディア人が、おそらくは多数派なのである。「権力を取って変える」といった李登輝気取りの言辞が、今日どれだけアホらしい戯言に聞こえるか、想像もつかないのであろう。メディアの退却は、大手報道機関に蔓延《はびこ》るこうした空気によるものであった。

「体調不良による辞任」の演出、共犯者としてのメディア

右に述べてきた退却、堕落の延長線上に、安倍首相辞意表明の過程においてメディアが果たした役割の問題性がある。安倍が健康を害してきており、政権を投げ出すのではないかという観測が広がり始めたのは、二〇二〇年七月ごろであっただろうか。確かに、安倍の表情からは生気が失われ、足取りは重く、いかにも体調が思わしくない様子が見て取れるようになった。

そして、八月半ば過ぎから局面は一気に動き始める。八月一六日に、盟友甘利明が「数日でもいいから強制的に休ませなければならない」と発言し、その翌日には安倍が慶應病院で検査を受ける。同日夜には、麻生太郎が「一四七日間休まず働いたら、普通だったら体調としては、おかしくなるんじゃないの」と発言して、首相の健康問題を「アピール」した。そして、二四日、慶應病院での「再検査」に際してはわざわざマスコミに情報を事前に流し、安倍を乗せた車の車列が慶應病院に入って行く画を大々的に撮らせた。安倍の病状の詳細を伝える報道（おそらくはリークに基づく）も、週刊誌では相次いだ。

強調せねばならないのは、国家のトップの健康不安がこのように大々的に報道されるのはきわめて異例であることだ。民主国家であれ独裁国家であれ、権力者とりわけその頂点にいる者の健康状態は、最高の国家機密のひとつだ。対外的にも対内的にも、弱みを見せるわけにはいかないからである。だから、権力者は、健康を害した際には、秘密裏に検査や治療を受けるのが通例である。

しかるに、安倍は関係の近い有力政治家と呼吸を合わせて、自分の病気を故意にアピールした。非常識の極みである。そして、八月二八日の記者会見は、持病の再発により志半ばで職を辞さなければならないことになったという趣旨を、「神妙な」面持ちで語る場となった。

だが、辞意表明に至る経緯の実態は何なのか。持病は再発したのかもしれない。あるいは、別の深刻な病気（癌など）が検査により発見されたとの噂も流れた。だがしかし、病状が悪化しようがしまいが、安倍晋三はかつてないかたちで追い込まれていた。

黒川弘務を無理矢理に定年延長させて検事総長の職に就かせようとした策動が、広範な国民からの激烈な批判を受けて頓挫し、さらに賭け麻雀問題で黒川は完全に失墜。これで検察への抑えは利かなくなってきた。そうしたなかで河井夫妻の審理は進行しており、安倍自身に刑事責任の追及が及ぶ事態は現実味を帯びてきた。他方、アベノマスクをはじめとして、政権の打ち出す新型コロナ対策はことごとく失望と怒りを買い、支持率の低下が止まらない。臨時国会を開こうにも開けない——それは憲法違反にほかならないのだが——状況に立ち至っていた。かつ、二〇二一年に延期された東京五輪の開催はもはや風前の灯であり、ホスト国の元首という晴れがましい役割を果たすチャンスも消えかかってきた。

そのような情勢下で、安倍晋三にとっての火急の課題は、「いかにして身の安全を確保して政権を投げ出すか」というところに必然的に定まる。ここで下手を打てば、国民の批判は自民党本体にも及んで政権を失うかもしれない。あるいは、影響力を及ぼせない人物が総理総裁に就任するかもしれない。いずれの場合でも司直の手が自らの身に及ぶ可能性が高まる。

ゆえに、このタイミングでの持病の悪化は、大変な好材料として機能する。大衆の感情のモードを「もう引っ込め、馬鹿野郎」から「色々あったけれど、病気は気の毒だ。長い間、お疲れ様でした」へと転換させること、これが安倍の自己保身のために決定的に重要な事柄となったのである。

案の定と言うべきか、辞意表明後の世論調査（共同通信）によれば、政権支持率は二〇ポイントも上昇し、安倍の仕掛けは成功を収めた。

「民意に追い込まれた退陣」を否認する工作

そしてまさに、この転換の片棒を担ぐ、というか転換を実現する主体となっているのがマスメディアである。ここまでくれば、日本の大手報道機関は民主主義の敵であると言っても過言ではない。なぜなら、この転換によって実現されるのは、「民意に押されての退陣」から「体調不良による余儀のない、また同情に値する退陣」への意味づけの大転換であるからだ。

要するに、この半月ほどの健康不安をめぐる演出は、「民意によって追い込まれての退陣」という現実を誤魔化し否認するための手の込んだ工作にほかならなかった。この工作は、安倍個人の自己保身という次元をはるかに超えて、深刻に罪深いものだ。というのは、そこに懸けられているのは、民衆の力を否認し、民衆に自らを無力だと感じ続けさせることにほかならないからである。

そして、民衆が自らの力を自覚してしまうことを、安倍政権がどれほど恐れてきたことか。思い起こされるのは、二〇一五年八〜九月の新安保法制をめぐる政治攻防が頂点にあったとき、私も国会前でのデモ等の反対運動に参加していたが、その際、警備・デモ規制体制は日々強化されていったことだ。警察は、交通安全の確保を名目として、デモ参加者を歩道に閉じ込めようとした。しかし、八月三〇日のような日には、膨れ上がった人波のために歩道と車道を仕切る線（警察の置いた障害物による）が決壊し、車道に人がなだれ込んで車道が解放された。その翌日には、警備・規制の体制は著しく強化された。

その動機を推察するならば、国会前の道路が民衆によって埋め尽くされている絵柄を映像・画像に撮られて拡散されることを、国家権力は極度に嫌がっている、ということだ。私もその場に居合わせたからわかるが、車道に人がなだれ込んでせいぜい数時間そこが解放されることになど、実質的には大した意味はない。しかし、その光景は、民衆の力、民衆が本当は何をなし得るかということの象徴となりうるのだ。だからこのちっぽけな出来事を権力は恐れているのである。その恐れの真剣さが、警備・規制体制の強化からは如実に伝わってきたのだった。

メディアの堕落の真犯人

「権力を取って変える」などといった言葉を口にするメディア人は、自らを民主主義の守護者か何かだと思っているようだが、勘違いも甚だしい。彼らが実際にやっていることは、民意の無力化に血道をあげることにほかならない。

そんな彼らの現実の姿が遺憾なく暴露されたのが、二〇二〇年八月二八日の総理辞任表明記者会見での質疑応答の場面だった。フリーランス以外の記者で権力の私物化の問題に切り込んだのは、「東京新聞」と「西日本新聞」の記者のみ。しかも、一記者一問に制限されているから、安倍が「私物化していない」という自らの主張を一方的にまくし立てて終わった。記者間の連携も取れていないから、別の記者がさらに突っ込んだ質問を続けて追及することもなかった。ただの一人も、安倍晋三が訴追される可能性について言及しなかった。政治部記者の実像をあらためて見せつけられて、新聞の購読を中止する読者が多数出たとしても全く不思議ではない。

会見が終わるとテレビ各局は、「総理辞任表明に対する街の反応」といった映像を流し始め、マイクを向けられた街ゆく人々が、異口同音に「病気で大変だったんですね、お疲れ様でした」といった類《たぐい》の言葉を発する様を延々と流した。街頭でのインタビューには、当然別様の、もっと厳しい反応もあったはずだ。まともな政治意識の持ち主ならば、「お疲れ様でした」で済ますはずがない。

あたかも官邸の意図を汲むかのように、テレビは「同情する人々」を映し続けた。ウンザリしてテレビのスイッチを切った者も多かっただろう。ここでも問題は、安倍が逃げ切りに成功するか否かのみではない。これらの放送は、同胞に対して絶望することを促している（意図的にであるかどうかは知らぬが）のである。民主制は同胞への信頼なくして成り立たない。だからそれは、民主制に対する根本的な否定なのである。

けれども、ここまで厳しい批判を書き連ねてきたマスメディアに対して、同情する気持ちもあることを書いておきたい。この七年余りの間に多くの報道関係者と会い、話をしてきた。親しい友人もいる。だからわかるのだが、権力を監視し適切に批判することがメディアの務めだということを理解していない報道人などほとんどいない、ということもまた事実なのである。

ならばなぜ、彼らは安倍政権に屈服して、卑屈な阿りにまで転落し、唯々諾々と後退を続けてきたのか。その根本の理由は、権力批判の言説を生産することに、報道人の多くが自信を持てなくなってしまった、というところにあるのだと思う。権力を批判することには当然リスクが伴う。怖いことだ。その恐怖を乗り越えられるのも、批判に対して多くの支持が寄せられるだろうと思えればこそである。逆に、支持なき批判は孤立を招く。この七年余りの間に報道人が失ったのは、「私が放つ批判の言葉は世の中に届くはずだ」という確信ではなかったか。徒労感、孤立への恐怖。これらが、報道人の姿勢を内側から崩していったのではなかったか。

そうだとすれば、私は、「空気に屈するな」とは思うが、同時に同情の念を禁じ得ない。確かに、「安倍的なるもの」が覇権を握ることにメディアは加担してしまったのだとしても、「安倍的なるもの」をメディア自身がつくり出したわけではないのである。だから、安倍長期政権をもたらした「メディアの変質・劣化」の前提、より本質的な条件として、社会そのものの変質・劣化がある。それこそが、安倍政権の長期化を可能にした本当の主役として分析の俎上に載せられなければならない。

（3）「政治主導」という名の専制

安倍政権を形容するキーワードのひとつが「私物化」であった。私物化は法治の崩壊と表裏一体をなす。法治の反対は専制であり、専制政体とはつまり、国家そのものが権力者の私物であるような政体である。七年余りの間に、安倍政権は専制政治に確実に近づいていった。

法が終わるところ、暴政が始まる

それを象徴する出来事が、「官邸の守護神」と呼ばれた黒川弘務・東京高検検事長の定年延長問題であった（二〇二〇年二月）。国家公務員法と検察庁法における定年に関する規定の優先順位を逆にするという法解釈の変更を行なって定年延長を決めたというのだが、森まさこ法相はこの変更を「口頭決裁」したのだという。行政の大原則である文書主義の否定である。

これについて新藤宗幸・千葉大名誉教授（行政学）は、「文書を残すのは国民に対する責任であり、歴史に対する責任なのです。だから、どの段階で何をしたのか、いつ最終決裁をしたのか、それが検証できるような仕組みになっているのです」。「そのことが全く分かっていない。こんな政権そうそうないよ。もしこれを許したら、法律に基づく行政なんてなくなってしまう」と憤りに満ちたコメントを残している。

そして、この「口頭決裁」によって発生した、黒川が定年を過ぎているにもかかわらず東京高検検事長の職にあるという事実を合法化すべく、検察庁法改正が目論まれる。松尾邦弘・元検事総長ら検察ＯＢが、この法改正に対して強く反対して法務省に意見書を提出した出来事は、訪れた危機がどれほど深刻なものであるかを物語っていた。同意見書には次のような件《くだり》がある。

本年二月一三日衆議院本会議で、安倍総理大臣は「検察官にも国家公務員法の適用があると従来の解釈を変更することにした」旨述べた。これは、本来国会の権限である法律改正の手続きを経ずに内閣による解釈だけで法律の解釈運用を変更したという宣言であって、フランスの絶対王制を確立し君臨したルイ一四世の言葉として伝えられる「朕《ちん》は国家である」との中世の亡霊のような言葉を彷彿とさせるような姿勢であり、近代国家の基本理念である三権分立主義の否定にもつながりかねない危険性を含んでいる。

時代背景は異なるが一七世紀の高名な政治思想家ジョン・ロックはその著『統治二論』（加藤節訳、岩波文庫）の中で「法が終わるところ、暴政が始まる」と警告している。心すべき言葉である。

専制権力が出現し、暴政が行なわれようとしている、とはっきり警告がなされたのである。だが、かかる専制的権力の中心にいる安倍晋三という人物は、ヒトラーやスターリンのごとき怪物的独裁者には到底見えない。安倍にはむしろ、無能のイメージがつきまとい、その演説原稿にはあまりに多くのルビが漢字に振られていることや、水を飲むタイミングまでもが指示されていることが暴露されたりもした。

「お友達」政治のヴァージョンアップ

ゆえにもちろん、安倍政権の権力の実態は、トップの指導力やカリスマ性にあるのではなく、それを支える者たちによる傀儡《かいらい》である、という見方は説得力を持つ。このことを証するかのように、政権後期には特に、内政外政を問わず側近の少数の官邸官僚が政策決定権を独占しているという報道が相次いできた。例のアベノマスクの一件も「全国民に布マスクを配れば不安はパッと消えますよ」という側近（＝佐伯耕三総理秘書官・経産省）の囁きで始まったと言われる。

ここに見て取れるのは、第一次政権時の「お友達」政治のヴァージョンアップ（？）版である。当時の安倍は政権与党内の「同志」を積極的に起用し、それが「身びいき」との批判を浴びたことが、早々に政権を投げ出すことになる原因のひとつとなった。第二次安倍政権の政権運営はかつての政権担当時の失敗から学んだ教訓を活かしているとよく評されるが、身の回りを側近官僚によって固めたこともその表れのひとつであったのだろう。近しくとも究極的にはライバルである政治家よりも、総理の恩寵によってのみ光を放ちうる役人の方が使いやすいはずである。

制度的な面から言えば、二〇一四年に内閣人事局が設置され、審議官以上の約六〇〇名の人事が、同局によって握られることとなった。これは、自民党政権と民主党政権とを問わず、平成時代を通じて良きものとして求められてきた（はずだった）「政治主導」の制度的完成だった。問題は、その実態である。

前川喜平・元文部科学事務次官は、安倍政権退陣に際して、「安倍政権は権力の維持、拡大のため人事権を一〇〇パーセントどころか一五〇パーセント行使してしまった。『逆らう者は飛ばすぞ』という脅しが効いている」、「わずかに『面従腹背』の人もいるかもしれないが、今や霞が関の次官や局長のほとんどが官邸の言うことを何でも聞く人間になっている。簡単には正常化できない」とコメントしており、「政治主導」が実質的には官邸による官僚に対する強権的支配と化したとの見解を示している。確かに、森友学園事件や加計学園事件においては、この性格が色濃く表れた。

しかし、官僚と政権の力関係は、あくまで相補的なものである。「総理官邸の七人衆」とも言われた側近官僚は、いずれも典型的なエリートコースを歩んできた高級官僚である。この人々は、安倍晋三に忠誠を誓うことによって、ある種のフリーハンドを手にしたとも言える。長期安定政権の下で自分の描いた政策の青写真を強力に実行できる状況とは例外的なものであり、高級官僚冥利に尽きるものであったはずだ。しかして、その成果は、例えば、今井尚哉《たかや》・総理首席秘書官（＝経産省）が対露外交交渉を取り仕切るといった珍光景を展開した挙句、悲惨なものでしかなかったように見える。

そもそも総理側近の官僚の動向が具体名を挙げて盛んに報道されるという事態が異例であり、そのことは、第二次安倍政権の七年余がエリート官僚による支配がきわめて露骨に表面化した（反比例して党の存在感はすっかり薄くなった）期間であったことの証左となっている。小選挙区制導入による党執行部への権力の集中は族議員の消滅をもたらし、「政治主導」を狙った官僚人事の把握は各省庁の省益を削り取った一方で、一部の官僚に途方もない権力を与え、集中させたのだと言える。七人はその象徴であった。

3・11の反動形成としての安倍政権

いま言えることは、ここには3・11、福島第一原発事故という失敗を否認してきたことの帰結が現れている、ということだ。あの事故は、経済産業省、東京電力といった「エリートの中のエリート」に寄せられてきた社会的信頼を崩壊させた。少なくとも私にとって、それは「色々と問題はあっても、あの人たちに任せておけば基本的には大丈夫」という感覚を完全に破壊した出来事だった。毎日流される原子力安全・保安院の記者会見の映像は、「炉心損傷は起きているがメルトダウンではない」といった不可思議な話をし続けていた。

3・11以前から、日本の統治機構の内部で何か深刻な劣化が生じつつあるのではないかという疑惑は広がっていた。例えばその有力な証言となっていたのは、元外交官・佐藤優の『国家の罠』(二〇〇五年)である。佐藤のほかにも、激しい政府批判を展開する元官僚(司法関係も含む、また中野剛志の場合は現役官僚)が次々と現れ、彼らの拠って立つ政治的立場はさまざまに異なるにもかかわらず、その批判の激しさは共通していた。彼らの批判は、「古巣や後輩を叱咤激励する」というよりも、自らが属した組織の根本的な否定につながる類のものだった。ひょっとすると日本の統治機構は崩壊しつつあるのか?　福島第一原発の事故は、この疑惑に決定的な裏づけを与えるものだった。

したがって、あの事故のこの上ない教訓とは、「この人たちには任せられない」であったはずである。にもかかわらず、進行したのは、総理の絶大な庇護《ひご》の下、一部の高級官僚にフリーハンドを与えるという状況の構築だった。安倍が国家を私物化し、安倍政権の実態が側近官僚による独裁であったとすれば、要するにこの政治は、一部の官僚による国家の私物化と呼ぶべきものではないか。

これは逆説ではない。3・11という「平和と繁栄」の終わりを象徴する出来事の意味を全力で否認することこそ、二〇一一年以降官民挙げてこの国と国民の多くが取り組んできたことにほかならないからであり、その頂点がもちろん2020東京五輪である。この「否認」が、3・11以降の国民的な精神モードであったのだとすれば、安倍政権は国民の期待によく応えたと言える。実に、安倍政権とは、3・11が国民に対して与えた精神的衝撃に対する反動形成であった。

原発政策そのものについて言えば、当然これも否認に貫かれている。安倍政権の方針は「未曾有の事故を経験することにより世界一安全になった日本の原発を輸出する」という空理空論の極みへと達し、プロジェクトはすべて失敗。この間、東芝はボロボロになりながら原発から手を退いた。他方、最新のエネルギー基本計画（二〇一八年）で二〇三〇年の原発の電源構成比率が二〇％程度と設定されていることからわかるように、原発依存を止める意思は全くない。

この七年余りは、福島第一原発の事故を受けて世界中で自然エネルギーの技術開発へと資金と人材が豊富に投じられ再生可能エネルギーのシェアが増大した期間でもあった。とりわけヨーロッパではシェア拡大が目覚ましく、日本は大きく水をあけられた。文明の趨勢からすれば、原子力発電に未来があるとは到底思えず、再生可能エネルギーにかかわる技術を持っていることが国富に直結することは確実である。3・11後の足踏みによる時間の空費は、日本の産業の未来にとって致命的な悪影響を及ぼすだろう。

3・11以降、この国の中枢に居座り続けているもの

そして、この統治機構は、新型コロナウイルスの流行という想定外の事態に直面することにより、その無能と不誠実をさらけ出した。

日本における死者や重症者の数が欧米諸国に比べれば抑えられているにもかかわらず、政権の対応は広範な不満を呼び起こし、支持率を低下させ、そして安倍辞任の流れをつくり出した。感染拡大阻止に全力を挙げるべき局面で「お魚券」だの「お肉券」だのの発行が取り沙汰されたことは、国民の大衆的憤激を呼び起こし、一人当たり一〇万円の給付もあまりに遅かった。疲弊する医療機関と医療従事者の苦境は放置され、無駄な布マスク配付に大量の税金が投じられた。持続化給付金事業をはじめとして、対策予算は電通等の政商が公金のぶん捕り合戦をやる対象となった。かくて、不安と不満が渦巻くなか、政権は国会を閉会し、臨時国会召集要求にもダンマリを決め込んだ。

極めつけは、PCR検査の拡大の失敗であろう。安倍自身が検査体制の不備ゆえに十分な検査が行なわれていないことをはっきりと認め、「目詰まり」が起きていると二〇二〇年五月四日に発言した。ところが、七月から八月にかけて第二波の感染拡大が生じるなかで、またもや取り沙

汰されたのは「目詰まり」だった。

　私たちを襲うのは既視感である。あの福島第一原発事故の際、私たちは強烈な苛立ちを感じずにはいられなかった。「なぜ、一刻も早くベントしないのだ?」、「なぜ、一刻も早く注水しないのだ?」と。そこには多大の物理的困難（もちろん準備不足もある）があったことがいまでは明らかとなっているが、最大限にイラつかされたのは、何か解決につながりそうな良いアイディアが提起されるとすぐに、政府筋から「法令上それはできない」といった類の反応が出てきたことによってであった。

　日本が終わるかどうかという瀬戸際にあって、「前例が!」「法令が!」と叫ぶ「選良」たち。前例のない事故への対応策が前例なきものになるのは当然であるし、法令がないなら、あるいは邪魔であるなら、新たな法令をつくればよいだけのことである。どういうわけか、この単純なことがやれないのである。

　新型コロナ危機において、本質的に全く同じものが回帰している。あるいは、同じものが3・11以降もこの国の中枢に居座り続けているということかもしれない。いずれであるにせよ、この国の統治機構は、東京都医師会会長の尾﨑治夫氏をして「国に頼ることは、もう諦めようと思います」と言わしめた。コロナ流行の最中に医療関係者のリーダーから決別宣言を突きつけられた政府が、世界のどこかほかにもあるとは、寡聞にして知らない。

　安倍は辞任表明の記者会見で、総理大臣の最後の仕事として新型コロナへの新対策を取りまとめたことを発表したが、額面通りに受け取ることは困難だ。四ヵ月かかって「目詰まり」を解消できなかった権力が、冬に来る可能性の高いより強力な第三波へのまっとうな準備をできるとは、全く思えないからである。

現在おそらく、日本での新型コロナ流行は第二波の退潮期にある。第二波の致死率・重症化率は第一波よりも低いとみられる。なぜその程度で済んでいるのかは、まだ誰にもわかっておらず、安心できる状況では全くない。

興味深いデータがある。米独のPR戦略会社「kekst CNC」が二〇二〇年七月一〇～一五日に、日本、米国、英国、ドイツ、スウェーデン、フランスで行なった国際世論調査によれば、これら六ヵ国のうち「自国のリーダーがコロナ危機へ適切に対応できているか」という問いに対して、最も低い評価をしているのが日本人だったのである。

世界最多の死者数を出しているアメリカのトランプ大統領よりも日本の指導者の方が評価が低いというのは、ある意味で驚きである。しかし、これではまだ驚いてはいけないのだろう。最新の世論調査によれば、実に七割が安倍政権を評価しているという。もはや世論調査には何の意味もない、ということのみを世論調査は証明するようになってきたのかもしれない。

こうした混乱はともかくとして、コロナ第三波がやってきたときに、この体制への評価は定まってくるだろう。緊急事態に際しておよそまともに機能しない日本の行政機構を少しでも有効に働かせるのが、政権担当者の役割であるならば、この点において、安倍晋三は無能をさらけ出し、国民の生命と健康を危険にさらしているとの評価を免れなかった。だがそれは、国民の「否認」の報いにほかならないのである。

二　国民の自画像としての安倍／菅政権

日本の統治システムは崩壊した

新型コロナ・パンデミックの第三波が広がるなかで、菅義偉政権の支持率がガタ落ちしてきた。医療従事者たちの悲鳴にも似た訴えは遅々として聞き入れられず、政治家たちは不要不急の会食をやめることすらできない。

私が最も驚かされたのは、イギリスで発生した新型コロナウイルス変異種への対応であった。昨年末、一二月二一日にＴＢＳの番組に出演した菅首相は、感染力七〇％増しと言われるこの変異種への対応、具体的にはイギリスからの入国者への水際対応について問われて、現在のイギリスからの入国者は「一日に一人か二人」であると答えた。観ていた私は、「そうなのか。その規模ならば管理はそう難しくないだろうな」と思った。よもや、総理大臣がこの重大事象について不正確なことを言うとは思っていなかったからだ。

ところが、一二月二三日の記者会見で加藤勝信官房長官が明らかにしたことには、一二月のイギリスからの入国者はその時点で一日平均一五〇名であったという。つまり、菅首相の認識の実に七五〜一五〇倍の人数が入国していた。首相は、事態の深刻性についてまったく何の把握もできていなかったのである。

なぜこのような失態が発生したのか。可能性としては二通りの原因が論理的には考えられるだろう。

①首相は、コロナ対応についてやる気がなくどうでもよいと思っているので、正確な状況を把握する気がなく、対策する気もない。

②首相が間違ったことを言って恥をかくことを意図して、側近が嘘を吹き込んでいる。

どちらが真実であるにせよ、日本の統治システムは崩壊していると判定せざるを得ない。ここに至るまでの間、新型コロナ専門病院をつくらねばならない、PCR検査を増やすための抜本的な方策をとらなければならない、といった繰り返し指摘されてきた課題はほとんど果たされず、陽性率算出の全国的な統一基準もいまだに存在しないのでまともな統計すら出せない。野党が一二月初めに要求した特措法改正を拒否しながら、今ごろになって抜本改正を検討するなどという茶番を演じている。

しかし、少し冷静に考えてみれば、この崩壊について驚くべき要素はあるだろうか。総理大臣が国会で一一八回も嘘の答弁をし、公文書改竄が日常茶飯事と化したこの国で、新型コロナ対応に関してだけはまともに統治機構が機能すると想定する方がよほど不自然であろう。

忘れてはならないことだが、菅が無能をさらす前に、安倍晋三がコロナ対策の不評により退陣へと追い込まれた。菅は安倍政権の大番頭であり、「安倍政権の継承」を掲げて総理総裁に選出された人物である。言い換えれば、菅は前政権の不正・無能・腐敗の元凶の一部であり共犯者である。したがって本来、安倍政権退陣と共に捨てられるべきだった膿である。パンケーキ伝説と叩き上げ苦労人伝説でいくら粉飾したところで膿は膿。だから、新型コロナ第三波への無策は、何ら驚くに値しない。その腐りきった本質をさらに明らかにしているだけのことである。

新型コロナ危機と大東亜戦争

かくして、日本史上の汚点であったところの安倍政権は、外装を変えただけで続いている。その時間的継続は実感として相当に長い。もう丸八年もの間、この国は腐臭漂う暗闇のなかで蹴《け》躓《つまず》きながらグルグル同じところを回っているようなものだ。

八年とはどんな長さなのか。それは、日中戦争の開始（一九三七年七月）からポツダム宣言受諾（一九四五年八月）までの長さに等しい。日本にとっての第二次世界大戦は満州事変（一九三一年九月）をもって始まるとする歴史観が有力だが、戦争が引っ込みのつかない総力戦となってすべての国民の生活に影響を及ぼすようになったのは、日中戦争開戦以降である。つまり、後戻り不可能な点を踏み越え、完全な破滅に至るまでの期間に等しい時が、第二次安倍政権発足以来、流れたのである。

そして、類比可能なのは積み重なった時間の量だけではない。その質も類比することができる。私は、『国体論――菊と星条旗』において、日本の近現代史を、「国体」（天皇を頂点とする国家体制）が形成され、一時は相対的安定を得るものの、その後に破綻・崩壊の道を走るという筋書きが二度反復される過程として描いた。詳細については同書の参照を願うが、この見方によると、明治維新から敗戦までの時代は、明治期＝国体の形成期、大正期＝国体の相対的安定期、戦前昭和期＝国体の崩壊期の三段階に整理することができる一方で、敗戦から現在までの時代は、敗戦・占領期から一九七〇年ごろまで＝国体の形成期、一九七〇年代～冷戦崩壊＝国体の相対的安定期、冷戦崩壊～現在＝国体の崩壊期という同様の三段階に整理できる。

戦前の「国体」は敗戦によって一度解体されるが、戦後、天皇の位置にアメリカが代入されることによって再編されつつ生き延びてきた。戦前の国家体制の在り方を否定しているようでいて実は否定していない（ゆえに、民主主義も自由主義も、基本的人権も本当には定着しておらず、うわべのものにすぎない）戦後の国家体制を、私は「永続敗戦レジーム」とか「戦後の国体」などと呼んできたのである。

以上のような視角から見れば、この八年間がどのような時代であるか、その本質が浮かび上がってくる。今日の統治の崩壊は、ひとことで言えば、「戦後の国体」の崩壊の最終過程を示している。いまや「戦後」の長さは七六年となり、明治維新から敗戦までの長さ、七七年間とほぼ等しくなった。その意味でも、戦前と戦後に反復の関係を見て取ることができる。戦前の天皇制国家の矛盾・限界が大東亜戦争の強行へと帰結し破滅へ至ったプロセスを反復するかたちで、「戦後の国体」は不正・無能・腐敗の憲政史上最低の政権が国家と社会の根幹を腐らせながら長期持続することにより、破滅へと向かっているのである。

質的アナロジーを細部に見出すこともできるだろう。アベノミクスを中核とする初期の安倍政権の「快進撃」（もちろんそれはかなりの部分においてメディアの翼賛の産物だ）は、次々と占領地域を増やしていった日中戦争緒戦の過程や、真珠湾攻撃、シンガポール攻略の成功の反復に見えてくる。

だがもちろん、それらは成功の幻影でしかなかった。ミッドウェー海戦以降情勢が一直線に不利になっていったことをメディア統制によって誤魔化し続けたが、とうとう現実に向き合わざるを得なくなる。戦前の国体の崩壊過程においては、そのきっかけはサイパン陥落（一九四四年七月）だった。サイパンが米軍の手に落ちたことによって日本全土が戦略爆撃の標的とされ、本格的な都市空襲が始まる。これによってはじめて戦局のまずさに気づいた日本人が多かったと言われる。

してみれば、新型コロナによる危機はサイパン陥落の反復である。対米英開戦を決断することによって戦前の国体の墓掘り人となった東条英機首相は、サイパン陥落をもって退陣に追い込まれた。だから、安倍晋三が演じてきたのは東条の役どころということになろうし、東条の後継首相、小磯国昭が戦局の収拾（つまりは敗戦の受容）を求められていたにもかかわらず結局何もできず在職八ヵ月で虚しくも総辞職に至る成り行きを、菅義偉は反復しているように見える。

ついでに言えば、一九四〇年に予定され第二次世界大戦のために幻に終わった東京五輪と二〇二〇年の東京五輪に反復を見出してみたくもなる。世界中で感染拡大が止まらないなかでいまだに中止を決断できない日本政府の姿には、「国体護持」に拘泥して敗戦の受容を遅らせ、それによって犠牲者を増やし続けた戦中の日本が重なって見える。

日本国民の犠牲者が急激に増えたのは、サイパン陥落以降のことだ。アベノマスクや「ウィズコロナ東京かるた」（小池百合子都知事）でパンデミックに打ち克とうというのは、「竹槍でB29」の反復である。いま私たちは、地獄の本丸の敷居を跨いだところなのだと覚悟した方がよい。

二〇一二年体制

統治の崩壊にまで言及せねばならない惨状になぜ陥ってしまったのか。その理由として近代日本の「国体」の歴史の軌道を見てきたが、この議論を補強するために別の角度からこの惨状の由来を検証してみたい。

政治学者の中野晃一は、昨年九月の安倍退陣を受けて「二〇一二年体制」という概念を提起している。この概念によって中野は、第二次安倍政権はただ単に長く続いた「政権」であったのではなく、ひとつの「体制」（レジーム）と化したということを示そうとしている。

「政権」と「体制」は異なる。政権は、「〇〇政権」「××政権」といったかたちで、政権首班の固有名によって名指される時限的な権力である。これに対して、「体制」は、「幕藩体制」「共産主義体制」「日米安保体制」といったように、永続的な特定の構造を指すものであり、そこから権力者の固有名は消える。なぜなら、それは相当の固定性を持った構造と化しているので、それを司る人物が入れ替わっても基本的には変動しないからである。

第二次安倍政権の後半期に頻繁にメディア上の言説に現れるようになった言葉は、「安倍一強体制」という言葉だった。この用語を使った人々の意図や意識はどうあれ、失政を重ねスキャンダルにまみれても倒れない安倍政権は、単なる長期「政権」と見るべきものではなく一個の「体制」となったという状況を、この用語は物語っていた。

そして、この用語は同時に、平成時代の政治の閉塞を余すところなく物語るものでもある。平成時代の始まりは五五年体制の崩壊とほぼ重なった（一九九三年の細川護熙連立政権成立）。「政治改革」がキーワードとなり、「政権交代可能な二大政党制の確立」が課題であるとされ、その来るべき二大政党制が「ポスト五五年体制」なのであると解された。

自民党と拮抗しうるもうひとつの国政政党は、紆余曲折を経ながら民主党として確立され、二〇〇九年には本格的政権交代が実現された（鳩山由紀夫政権）。しかし、民主党政権は、鳩山から菅直人、野田佳彦と首班を代えつつ、当初寄せられた国民の支持を劇的に失っていった。そして、二〇一二年の総選挙において安倍晋三率いる自民党が勝利して政権を奪還する。こうして成立した安倍政権が驚異的な長期政権として維持され、さらに菅義偉を正統後継者として選び出すかたちで、現在に至っているわけである。その間、民主党は離合集散を繰り返してきたが、正統後継者たる立憲民主党の支持率は一向に上向かず、自民党に代わって政権を担いうる党であるという社会的認知を取り戻せないままである。

つまり、平成時代の政治課題であるとされた、五五年体制に代わる体制、「政権交代可能な二大政党制」は、ついに成立しなかった。してみれば、安倍超長期政権＝安倍一強体制とは何か？

それは、事実上の「ポスト五五年体制」であった。中野晃一の「二〇一二年体制」という明らかに「五五年体制」を意識した用語は、このことを示唆している。

その「体制」の内容は不正・無能・腐敗の三拍子が完全に揃った権力であり、一部の官僚によって独善的に支配され、ほぼ完全に支配機構のパーツと化したメディアのために監視と批判を免除されている。だから、この「体制」によって支配されたこの八年間が、完全なまやかしと欺瞞によって覆い尽くされたのは、全く当然のことであった。

安倍抜きでも続く「安倍一強=二〇一二年体制」

そして、この権力は、「体制=レジーム」である以上、その頭目を入れ替えても揺るがない。その受益者は、それが永続するための行動を必ず選択する。安倍が首相の座を退いたときに自民党内で働いた力学は、「石破茂の総理総裁就任を絶対に阻止すること」だった。それは要するに、石破がこの「体制」にとって「破壊的異物」だと見られているからである。総裁選が始まる前から安倍=麻生連合と菅=二階連合は「菅への禅譲」で妥結し、二番手に岸田文雄をつけさせる（=石破をビリに落とす）という点でも速やかに合意したのは、この「体制維持」という観点から理解できる。

「体制」の受益者にとって、実現されるべきは「安倍晋三抜きの安倍政権」であり、現にそれが実現した。この論理は、桜を見る会前夜祭の問題で安倍の立場が脅かされることになっても貫徹される。

今次の検察の動きの背後には安倍＝麻生連合と菅＝二階連合の間での権力闘争があるとの推測がなされている（私には特別な情報源もないので真相については知る由もない）が、検察の出した腑抜けた結論、安倍の公設第一秘書を略式起訴し、安倍自身を不起訴とするという結論は、「体制」にとって理想的なものだ。「体制」の現在の主宰者たる菅にとっては安倍の影響力を抑えることができる一方、前総理の逮捕・起訴といったドラマチックな光景が展開される可能性を封じることによって、現在の政権にまで打撃が及ぶことを防ぐことができる。

無論、この結論は検察にとっても自己利益の最大化を可能にするものだ。「やってる感」に満ちた捜査ごっこ、取り調べごっこをやることによって、山のように積み上がった安倍のスキャンダルに対して「検察は何もしない」との世評を緩和する一方、「体制」の動揺を一定程度以下にとどめることができる。検察にとって最も恐るべき悪夢とは、「体制」が崩れて本物の革新的な政権が誕生し、取り調べの可視化やいわゆる「人質司法」などの問題、さらには検察と裁判所の癒着といった根本問題に手を突っ込む本格的な検察改革が断行されることや、闇に葬られている検察裏金問題にメスが入ることにほかならない。

万が一、安倍晋三への世論の批判が沸騰して「体制」打倒的な水準にまで到達するならば、菅や検察は安倍を政界引退に追い込んでガス抜きを図ればよい。かくして、「安倍一強体制＝二〇一二年体制」は、安倍抜きでも、あるいは安倍の影響力がゼロになってさえも維持されうるのである。

この荒廃しきった状況はなぜ生まれたのか。「野党の頼りなさ」「小選挙区制による党中央への権力集中」といった理由づけがさんざん語られてきたが、いずれも表層をなぞっているにすぎない。

日本は曲がりなりにも言論の自由（政権の批判）が保たれ、一応公正な選挙（少なくとも選挙干渉や票のすり替えなどはない）が行なわれている国である。つまり、合法的に権力批判や政権交代が可能な国であり、選挙による審判を経ずしてこの長期政権が維持されてきたわけではない。

したがって、帰責されるべきは結局のところ国民である。安倍晋三の超長期政権にせよ、二〇一二年体制にせよ、その成立を許したのは他の誰でもなく日本国民である。逆に言えば、安倍はこの間の日本国民の感情なり願望なり精神態度にマッチした存在として君臨してきたからこそ、長期政権を維持することができた。

ならば、問われるべきは、次の事柄である。なぜ日本国民は「安倍的なるもの」を好んできたのか。「安倍的なるもの」に体現された国民の精神は何であったのか。

「私の自意識」の嵩上げ

著書『安倍三代』において祖父・安倍寛、父・安倍晋太郎の足跡を徹底取材した後に安倍晋三の人間像に迫った青木理は、取材を通して浮かび上がってくる晋三の凡庸さにある種の衝撃を受けたという。

なぜこのような人物が為政者として政治の頂点に君臨し、戦後営々と積み重ねてきた〝この国のかたち〟を変えようとしているのか。これほど空疎で空虚な男が宰相となっている背後には、戦後70年を経たこの国の政治システムに大きな欠陥があるからではないのか。

――『安倍三代』朝日文庫、二〇一九年

安倍政権の超長期政権化を目撃し、そしてそれが単なる長期政権なのではなく、「体制」である可能性が明らかになったいま、問題はより一層深刻に提起されなければならないだろう。根本的な問題は「政治システム」にあるのではなく、戦後七五年を経た日本人の精神の危機的状況にあるのではないか、ということだ。これほどに腐敗し、政治の常識を破壊し堕落させ、法治主義を崩壊させ、三権分立を踏みにじり、嘘と欺瞞の上に開き直る権力――これに対して、積極的にせよ消極的にせよ支持を与えてきた国民精神には、巨大な闇がある。

その闇の内容について、私は『国体論』において、戦前天皇制国家から引き継がれた臣民メンタリティに内在する奴隷根性を指摘した。それは、近代天皇制が生んでしまった、自由への希求に対する根源的な否定の上にあるような主体性である。この主体はつねに主人を求めるが、それは責任ある決断に基づく服従ではないから、主人が没落すれば容易に見捨てる。さらには、こうした精神態度を拒否する自由人を、その存在そのものが奴隷に対する告発になるので、嫌悪し抑圧する。この論点を敷衍して言えば、安倍晋三のキャラクターは、奴隷が甘え依存する格好の対象として現れたのではないか。

安倍は、ムッソリーニやヒトラーのようにカリスマ的指導者として熱狂的支持を取りつけたわけではなかった。同時代のドナルド・トランプと比較しても、トランプが大統領再選に失敗した後も熱狂的支持者を失っていないのに対し、いま失墜の始まった安倍を徹底擁護する者が全然見当たらないのは対照的である。昨年八月の辞意表明会見の後に跳ね上がった支持率、それを支えたはずの人々の思いはどこかへ消えてしまった。

いま明らかになってきつつあるのは、安倍への長年の支持は真の情熱をそもそも欠いたものにすぎなかった、という事実なのだろう。「落ちた偶像」への信仰を失わず、擁護する行為は、真の情熱や精神の強靱さを必要とする。してみれば、安倍を支持するとは、徹底的に怠惰な行為であったことがわかる。それは知的に怠惰であっただけでなく、知性の基礎となる精神の構えにおける怠惰なのだ。

怠惰だというのは、安倍が広く支持されている時代には、「安倍晋三＝総理大臣＝国民の代表・偉大な政治家＝偉大な総理大臣＝偉大な国民の代表」という定式が成り立ち、それにより「安倍を支持する一国民としての私＝偉大な私」という定式が自動的に得られるからである。「私の自意識」を嵩上げするお手軽なドーピング手段として安倍支持は機能した。

この心理は、「安倍信者」などと揶揄されるネトウヨ層において最も明白に見て取れるが、それは「極端すぎる例外的な現象」などではさらさらない。大メディアがやってきたアベノミクスに対する足並みを揃えての翼賛や「外交の安倍」などといったフレーズの連呼は、こうしたドーピングを多少の水で割ったようなものであって、ネトウヨのわめき声と本質的には何も異なるところがない。

こうしたメカニズムの作用を支えていたのは、つまるところ安倍の総理大臣という地位、それが帯びる権威と権力だった。それが失われれば、メカニズムは止まる。安倍が最高権力者から犯罪者へと転落する道行きにあるならば、彼には何の価値もないことになる。ゆえに、安倍晋三という存在は、依存の対象として消費された挙句に、いまや役立たずとして放り捨てられつつある。支持者にとって大事であったのは、「偉大な政治家としての安倍晋三」ではなく、「安倍を支持することによって確保することのできる支持者自身の心理上の利益」であった。

国民的否認劇

では、安倍支持層の安倍依存にはいかなる背景・文脈があったのか。この八年の間、一部の人々は、信じられないほど馬鹿馬鹿しく、言葉にすることさえためらわれる命題、すなわち「安倍首相は力強い政治によって日本国家を立て直し、日本人の誇りを取り戻させてくれた」といった命題を流布してきた。

こうした命題、これ以上陳腐なものはあり得ないほど陳腐な妄想をどれほどの国民が意識的に信じたのか、あるいは信じようとしたのか、それを知る術はいまはない。このことは将来こぞって取り組まれる研究テーマとなるだろう。

ただし、いま述べたように、青木理の指摘した安倍晋三の本質、「空疎と空虚」、そしてそれと不釣り合いに高いプライドという、常識的に見れば人としてかなり情けない状態を安倍自身が国民を代表して体現することによって肯定してくれた、という事実は指摘できるだろう。

このような国民精神の惨状は、長期的には戦後七五年の帰結であるが、短期的には二〇一一・三・一一の産物であり、この出来事への反応である、と私は考える。東日本大震災による惨禍と、それ以上に福島第一原発の事故は、すでに翳りを見せていた「平和と繁栄としての戦後」の終わりを決定的に告知した。

佐藤健志は、原発事故とそれへの人々の反応を「怪獣ゴジラの上陸」に擬《なぞら》えて、次のように述べているが、これは「安倍一強体制＝二〇一二年体制」の成立へと結局は帰結したこの十年間の日本国民の精神状態についての正確無比の描写である。

> 諸外国の協力のもと、政府は「ゴジラ撃退の工程表」を作成、さまざまな策を試みているものの、応急措置が達成できたくらいで、全面的な解決には程遠い。(中略)
> 国民の苛立ちはつのり、ほどなくして政権交代が生じることに。新首相は「国家再生のために人心を一新する」として、新たなゴジラ対策を打ち出した。巨大な壁で怪獣を囲い、そこに「繁栄する日本の風景」の映像を映し出すのである。
> こうすれば国民もゴジラの存在を忘れ、平和で豊かな日本が取り戻せるというわけなのだ。
>
> ——佐藤健志『震災ゴジラ!』星雲社、二〇一三年

事故の完全な処理の目途は立たず、原子力緊急事態宣言は継続したままで、被害地域への住民

の帰還は進まない（例えば、福島県飯舘村で住民の帰還率は二〇％）という状況のなかで、「復興五輪」を主催するという所作にはらまれているのは一種の狂気、病的な水準にまで達した「否認」である。

その担い手、指導者が安倍晋三だったことには必然性があるだろう。彼の人生と人格が、空疎で空虚であり、さらに悪いことには己の無内容を認めることができない怯懦《きょうだ》、自己の虚しさに対する否認によって貫かれており、それゆえに、彼こそがこの国民的否認劇の主役を張るのにまさに適任であった。彼が、原発事故をきっかけとして一挙に表面化した戦後日本の矛盾に目をつむったまま「平和と繁栄の日本」の幻影に浸り続けたいという国民的欲望の体現者だったからこそ、超長期政権を維持でき、「体制」までも築き上げることとなったと言える。

原発震災のトラウマが深ければ深いほど否認は深くなり、そうした国民の精神状態こそ第二次安倍政権の権力基盤にほかならなかった。しかしながら、パンデミックの到来とともに、ついにわれわれは現実に向き合わざるを得なくなっている。その始まりが安倍の辞任だった。だが、安倍が打ち立てたのは「体制」であったから、安倍が去って現れたのは「安倍抜きの安倍政権」であった。

それでもとうとう、無為無策の政権が医療機関を麻痺させ、怒りと絶望に打ち震える医療従事者たちの現場からの撤退が始まり、まともな治療を受けられなくなった感染者があちらこちらで突然絶命するという光景が展開するに至って、「否認の楽園」は崩れ落ちようとしているのである。

「平和と繁栄としての戦後」の幻影

右に見てきた状況の悪さは並一通りでない。安易な解決策は存在しない。根本の問題は、政界が腐敗している、メディアが腐敗している、といった部分社会の問題ではないからだ。究極的には、国民的規模で精神態度の変更が起こらなければ解決できない問題だからである。

しかし、それでも歴史は前に進んでいる、とわれわれは確信することができる。新型コロナ危機を契機としてついに安倍政権が倒れたことは第一歩だった。安倍退陣は「二〇一二年体制」の姿を露《あらわ》にさせ、その本質はいま、統治の崩壊というかたちで国民に突きつけられつつある。われわれは、再生のために避けては通れない段階を踏みつつあるのだ。

また、この国の仕組み、在り方は、到底先進国の水準にあるとは言えないという事実は、コロナ対策において台湾や韓国といった隣国が目覚ましい成果を挙げていることによっても、鮮やかに証明されてしまっている。それらの国々が一九世紀から二〇世紀にかけて日本が「一等国」化する過程で植民地化した地域であったことを思えば、「先進」と「発展途上」の序列は、いまや入れ替わったのであり、敗戦にもかかわらず「アジアで唯一の一等国」のアイデンティティを維持し続けた日本の「戦後」の終わりが、ここに刻印されたとも言える。

われわれは、大きな痛みを伴いながら現実への直面を強いられているわけだが、しかし、状況がますます悪くなっているからといって国民の覚醒が自動的に訪れるわけではない。むしろ、この八年間は、覚醒の困難にはらまれた逆説を明らかにしたといえる。

というのは、ここまで論じてきたように「二〇一二年体制」の本質が「平和と繁栄」の幻影から脱け出せないことにあるとすれば、この体制を支えてきた主力は、世代的に見れば、「平和と繁栄」の時代を知っている中高年世代であると考えたくなる。例えば、一九七七年生まれの私は、「この平和で豊かな世の中がずっと続くのだろう」と感じられた時代の空気を体験的に知っている。その世代的体験が幻影に溺れ続けたくなる欲望を喚起しているのではないか、と。

しかし、この間はっきりしてきたのは、安倍＝菅体制に対する支持率が高いのは、若年層であるという事実だった。若年であればあるほど支持が強いと言っても差し支えないほどだ。当然この世代は、「平和と繁栄としての戦後」というものを経験していないし、現代日本に対するそのような肯定的イメージも持っていない。にもかかわらず、「平和と繁栄」を知らない世代こそが、「体制」を支持することによってこのイメージに最も強く縋《すが》りついているようにも見える。つまり、覚醒の困難は、若年層において濃縮されたかたちで現れている。

この現象は「若年層の保守化」とか「若年層の野党嫌い」などと呼ばれ、昨今盛んに分析が加えられている。私見を述べるならば、この現象の最大の要因は「社会からの逃走」であり、「社会の蒸発」である。

社会を取り戻すには

ファシズム分析の古典として名高いエーリッヒ・フロムの『自由からの逃走』によれば、自由と理性が拡大する時代であるはずの近代において、権威主義への傾倒が生ずる理由は、近代的自由の裏面には「寄る辺のなさ」「孤独」があるからだという。すなわち、前近代的な拘束からの解放こそが近代的自由の核心であるわけだが、それはそのまま、社会のなかに個人が裸で投げ出され、不安にさいなまれることを意味する、という。

拘束を含みつつも各人に確実な居場所を与える前近代的な人間関係をフロムは「第一次的絆」と呼んだが、これが失われることによる不安は、経済不況や産業構造の転換、敗戦等の社会的混乱の際に極大化し、それがある水準を超えてしまうと、人々は近代的な自由を自ら進んで投げ捨てて権威に服従することに偽の安心を求めるようになるのだ、と。

フロムの議論は、こうした「自由からの逃走」が、宗教改革（苛烈な神への服従を説いたプロテスタンティズムの出現）およびナチズムを典型として、近代の歴史のなかで形を変えながら反復されてきたことを示し、今後も反復されるだろうことを示唆している。われわれが目撃しているのは、おそらくその最新版である。

「戦後の国体」が崩壊過程に入って以降（おおよそ一九九〇年代以降）、政治が、あるいはエリート層全般が劣化したから社会が劣化したのか、社会が劣化したからそこから生まれてくるエリート層が劣化したのか。この問いは、「卵が先か鶏が先か」の類の問いであり、答は出せないだろう。

いずれにせよ、劣化する一方の社会の存在を認識することは苦痛でしかなくなる。その苦痛が一定の水準を超えたとき、「社会」の存在は否認されるだろう。「社会などというものは存在しない」というマーガレット・サッチャーのテーゼは、人々の認識上で実現され、それは究極の社会的無関心をもたらす。なぜなら、存在しないものに対して人は関心を持つことはできないからだ。そこに現れるのは、「自由からの逃走」の現代版としての「社会からの逃走」である。現代の若年世代においてこの傾向が濃縮された結果が、この世代の「体制」に対する高い支持率にほかなるまい。

否認の泥沼からの覚醒の道はどこにあるのか。言い換えれば、われわれはいかにして社会を取り戻すことができるのか。繰り返せば、手っ取り早い道はない。

われわれひとりひとりが個人として実践できることは、「社会を否認させる社会」との衝突を恐れないことだろう。いまコロナ禍のなかで、幾《いく》たりかの専門家たちが、「空気を読まない」勇気ある発言と行動を通して、そうした実践の手本を見せてくれている。

われわれは、自分自身が生きているこの社会がこのまま腐り果ててゆくのを座視するのか、座視したままでいるような人生に生きる価値があるのか。統治の崩壊が進むなかで、私たちに突きつけられるのはこうした実存的かつ倫理的な問いなのである。

三　安倍政権とコロナ危機——三つの危機、三つの転換

安倍政権の危機

新型コロナウイルスがもたらしている危機が巨大であることは今さら言うまでもない。本稿では、われわれにとって危機の構造には三つの水準があることを指摘し、分析したい。三つの水準とは、危機の及ぶ範囲の大きさ、「ミクロ・マクロ・その中間」であると言ってもよい。まずは最も小さな範囲（ミクロ）の水準から見ていこう。

それは安倍晋三政権の危機である。コロナ危機は同政権の不正・無能・腐敗をあらためて暴露している。政権の感染症対策のまずさについては多くのことが言われているから、ここでは贅言《ぜいげん》しない。安倍政権の本質、「七年間にも及ぶ国と社会に対するテロ」（適菜収《おさむ》）は、この危機を通じてますます明らかになった。私のようにこの七年間単著だけで四冊も本を書いて安倍政権の批判をやってきた者からすれば、危機への対応の酷《ひど》さは何ら驚くべきものではない。「いつも通りだなあ」と思わされるだけである。この政権が、国民の生命や財産を守ることに真剣に取り組んだことなどただの一度もないのだから。

そうしたなかで、安倍政権への民衆の怒りが急速に高まり、それが政権を揺るがしつつあることが、肌で感じられることも確かである。緊急事態宣言をめぐる進行中の政治過程は、このことを鮮やかに表している。改正新型インフルエンザ等対策特別措置法に基づく緊急事態宣言の発出を、公権力による私権の制限の危険性という観点のみから見て、今次の発令を国家権力の強権化を国民が自ら望んだ（したがって、一種の「自発的隷従」である）事態である、と解するのはピント外れであると私は考える。人々が要求しているのは、強権的な政府ではなく、機能するまともな政府だ。

当初、緊急事態宣言の発令に政権は明らかに及び腰だった。しかし、感染者数がはっきりと上昇するなかで、宣言の決断を政権に迫ったのは、高まり続ける世論の圧力だった。さらには、宣言に基づく休業要請の時期と範囲をめぐる政府と地方自治体（主に東京都）との対立は公然化し、そこにおいて都側の強い危機感の方が世論の圧倒的な支持を受けている。要するに、これまでのところ、政権は民意によって気が進まない方向へ引きずられているのである。

だが、この長きにわたり安倍政権を支えてきたもの（社会的無関心、あるいは社会喪失状態）が、コロナ危機によって消滅するわけではない。東京都知事選における小池百合子の得票数を見ても、あるいは吉村洋文《よしむらひろふみ》大阪府知事の人気上昇という現象を見ても、安倍政権を支持してきた層が探しているのは、次に彼らを騙してくれる相手にすぎない。

コロナ危機の教訓のひとつは、心理学で言うところの「単純接触効果」の強力さである。この間、特に緊急事態宣言発令以降、地方自治体の長には注目が集まり、大都市の首長がＴＶを筆頭とするメディアに露出する機会が格段に増えた。このことの効果は絶大である。

小池都知事にせよ、吉村府知事にせよ、コロナ危機対応で特筆すべき効果を挙げたと評価できる要因は見当たらない。特に、小池都知事は東京五輪の延期が決まるまで事態を過小評価しようとする姿勢が顕著だった。そして一旦《いったん》延期が決まってしまえば、今度はコロナ危機を自分の存在感を増大させる好機として利用するという臆面のなさは、さすがは《女帝》である。石井妙子の話題の書が描き出したように、政治家・小池百合子の特徴は、徹底的に空虚であることだ。ただひたすらスポットライトを浴びることを望んでいるだけで、「それで何がしたいのか」という問いへの答えは何もない。その象徴が前回圧勝した都知事選での「公約実現ゼロ」という四年間の結果にほかならないが、この緊急時にも、実に彼女らしく「東京アラート」という標語ともキャンペーンともつかぬ無意味な代物を弄《もてあそ》んでいる。

だが、このような内容的な検証や批判を無効化するのが「単純接触効果」である。これは要するに、接触する回数の多い相手に対して、単によく目にするという理由だけで、人間は好印象を持つようになるという現象だが、この間の小池・吉村への好感度の上昇の理由を物語っている。そして、二〇二〇年七月五日の東京都知事選はこの効果の絶大さを見せつける結果となった。

「戦後の国体」の危機　コロナ危機が「戦後」を終わらせる

今日の状況を日本史上の場面に擬《なぞら》えるならば、戦時中、サイパン陥落後に誰がどうやって東条英機を引きずり下ろすのかが課題となった局面に似ている。東条降ろしの実行者の一人が安倍晋三の祖父、岸信介だったことには運命の因縁を感じざるを得ない。

かつ、このアナロジーは、国家的危機の瞬間を単に二つ並べてそこに類似性が見出されるという話ではない。拙著『国体論――菊と星条旗』で私は、「戦前の国体」の歴史と「戦後の国体」（米国を「天皇」として戴《いただ》く特殊な対米従属体制）の歴史との間に反復の関係を見出した。戦前と戦後、それぞれ約七五年の期間で、「国体」は形成・確立され、一旦は相対的安定に達するが、その後に破局・崩壊を迎えるのである。

戦前の天皇制国家は、おおよそ関東大震災と昭和の始まりの時期から、うち続く経済危機と対外緊張に直面し、そして全面戦争へと突入して、敗戦、破局を迎えた。この時期を『国体論』は、「戦前の国体の崩壊期」と定義した。この崩壊過程の戦後版は、一九九〇年前後、すなわち昭和の終わりと東西対立終焉と経済成長の終わりという「三つの終わり」から始まって、今日に至るまで反復の軌道を描いている。平成時代が丸ごと「失われた三〇年」であるのは、それが「戦後の国体」の崩壊期であるからにほかならない。

以上の歴史観に即せば、安倍政権は東条政権の反復として見ることができる。両者とも、国体の崩壊過程の最終段階に当たり、その末期にふさわしい混乱と無能をさらけ出している。したがって、コロナ危機が安倍政権を打ち倒すとすれば、それは、単に一政権が退陣することのみを意味するのではない。それは、「戦後の国体」の終わりであり、つまりは「戦後の終わり」となるのであって、コロナ危機の構造の中間の水準とは、この日本史における大きな分水嶺《ぶんすいれい》を指している。

「戦後」の末期症状を示してきたのは安倍政権だけではない。この最低の政権が超長期政権となったのは、要するに国民の相対的支持を受けてきたためであり、戦後日本社会の総体的な劣化の結果だ。「安倍政権が日本をダメにした」のではなく、ダメになった日本が安倍政権を生み出したのであり、その意味で安倍政権は現代日本にまことにふさわしい政権なのである。3・11以降、戦後民主主義の体制ははっきりと危機の局面に入り、その暗部を露《あらわ》にし始めた。安倍政権とは、その暗部を煮詰めた塊のようなものだ。

そうしたなかで、私は、この体制は限界に達しており、その清算が国民の内発的な努力によってなされればよいが、それができなければ外的な力によって有無を言わさず清算を強制されるであろう、と繰り返し指摘してきた。

コロナ危機はまさにその「外的な力」として現れている。また、コロナ危機の長期化は不可避の情勢であり、随伴する経済危機がどれほど深刻化するか想像がつかない。この期に及んで日銀の買い付けによる株価維持、つまりは状況の隠蔽に狂奔することにしか能がない政権には、もちろん何の期待もできない。二〇二〇年四～六月期の実質GDPは前期比年率マイナス二九・二％という途方もない数値をマークしており、経済的苦境に陥る人口は確実に増えている。

今後の日本での被害がどうなるにせよ、すでにはっきりしたことが一つある。それは、日本は東アジアの最先進国などではいまや決してない、という事実だ。コロナ危機への対処において目を瞠《みは》らされたのは台湾と韓国である。両国は、民主的な政府は同時に危機において機能する政府でもあることを証明してみせた。現在、多くの日本人が「二枚のアベノマスク」の前で呆然《ぼうぜん》とし、危機対応の質における彼我の差異に気づいて羨んでいるが、両国の民衆は「民主的で有能な政府」をタダで手に入れたのではないし、そんな政府が天から突然降ってきたのでもない。権威主義的独裁体制との永年の激しい闘争、多大の犠牲を伴う闘争によって、彼らはそうした政府を手に入れたのである。翻って、安倍政権を永らく支えてきたのは、完成した奴隷根性と泥沼のような無関心である。世論調査の数字を信じるならば、約四〇％（安倍政権の支持率）の人口が、新型コロナウイルスが蔓延《まんえん》する以前に、悪性の精神的不調によって侵されてきた。この四〇％によって、政府の腐敗・不正・無能に苦しむのは、全くの自業自得にすぎない。

かつ、「われわれは本当は先進国の国民なんかではない」という現実から目を背けるよう仕向けてきたものが、「永続敗戦レジーム」あるいは「戦後の国体」のイデオロギーにほかならない。『国体論』で詳細に論じたが、戦後民主主義の体制が米国を天皇視する「戦後の国体」と化してしまった理由は、敗戦後に、壊滅的敗戦にもかかわらず、冷戦構造下における米国の庇護のもと、戦後日本が「アジアにおける唯一の一等国」という戦前の地位を維持、あるいは速やかに回復できたことにあった。このイデオロギーを現実との乖離《かいり》にもかかわらず維持して不都合な真実を否認したいという怠惰きわまる集合的欲望の結晶が、安倍政権の成立とその長期政権化であった。コロナ危機は、膨大な生命の損失ないし経済崩壊、あるいはその両方によって、「国体」の二度目の死をもたらしうる。それは大きな痛みを伴うであろう。だがそれは、おそらくは「平和と繁栄」の時代に享受した身に過ぎた幸福の代償なのである。

とはいえ、右に見てきたコロナ危機の対内的なインパクトは、この危機がもたらしつつある世界史的なインパクトに較べるならば、全く取るに足らないほど小さいものであるのかもしれない。

近代の危機「人間中心主義」以後に生きる人間

大局的な水準で、コロナ危機が何をもたらすかについては、予測がきわめて難しい。いずれにせよ考えなければならないのは、新型コロナ大流行と資本主義との関係である。

しばしば指摘されているように、ここ二〇年ばかりの間、ＳＡＲＳ、ＭＥＲＳ、そして今回の新型コロナという具合に、感染症の流行、大流行がたて続けに起きている。このことは偶然ではなく、主に開発途上国における自然環境を犠牲にした経済成長の追求と関係があるのではないか、と多くの人々が指摘している。濫開発によって森が切り拓かれ、森深くに潜んでいたウイルスが拡張された人間の生活圏に入り込むことによって、新しい感染症が次々と発生しているのではないか、という説である。

つまり、感染症大流行はグローバル化の副作用として現れている、と。無論われわれは、濫開発を許容あるいは促進さえしている「南」の国々を非難する資格を持たない。なぜなら、自然環境を犠牲にした経済成長の追求とは、グローバルな従属関係によって開発途上国が強いられているものにほかならないからだ。この意味で、感染症大流行の頻発とは南北問題の産物である。それは「資本主義の失敗」から生まれている。

コロナ危機の起源が不平等にあるとすれば、一旦広がった危険が人々を脅かすその仕方も、これまた不平等である。危険は平等に分配されない。日本でもテレワークへの移行が可能な職種に従事する人々とそれが不可能な職種の人々との間で、歴然たるリスクの高低差があることに注目が集まっているが、そうした格差は、医療へのアクセスがそもそも不平等であった場所ではこの危機において極大化する。その典型が、いまや最悪の感染国となった米国である。

ある統計によれば、実に、「黒人の人口比率が三〇％のシカゴでは、新型コロナウイルス感染症による死亡者の六〇％を黒人が占めている。ニューヨークでは、黒人の人口比率が一八％であるにもかかわらず、新型コロナウイルス感染症の入院患者の三人に一人が黒人」であるという。また、同様の傾向はイギリスでも見られると指摘されている。米国で「ブラック・ライヴズ・マター」の運動が爆発的に拡大した背景にあるのは、この「命の不平等」の事実のあらためての露呈であろう。国民皆保険制度が機能している国の水準から見れば、新型コロナによるいわゆる医療崩壊が起きる以前に、米国の医療はすでに崩壊していた。

かくして、グローバルな不平等の歪《ゆが》みから生まれた新型コロナウイルスは、しっぺ返しのように「北」の中心地へと襲い掛かり、そこでもまた不平等を極大化する。「資本主義の失敗」の大きさは、さらに嵩《かさ》を増す。

ゆえに、かつてペストの大流行による人口減がヨーロッパで中世を終わらせたこととの類推で、コロナ危機が近代（＝資本主義の時代）に終止符を打つのではないかという見解が根拠なきものだとは、私は思わない。近代の本質がヒューマニズム（人間中心主義）であったとすれば、近代の終わりはその終焉を意味する。

「世界は人間なしに始まったし、人間なしに終わるだろう」（『悲しき熱帯』川田順造訳）――この世界における人間の中心性を否定した名高い一節をレヴィ＝ストロースが書きつけたのは、いまから六五年も前のことだった。コロナ危機のもたらした光景は、この命題のまたとない証明となっているのではないか。

すべての工場が止まったのみならず、観光客が消えたイタリアでは、ベネツィアの運河の水が澄み切って輝いているという。しかしながら、「人間がこの世界の中心にいない世界＝人間のいない世界」ではない。新型コロナウイルスによる人命被害について私が知った最も興味深い推論は、産業の停止による大気汚染の緩和によって救われる命の方が、ウイルスによる死者よりも多いかもしれない、という環境学者の言説であった。この推測が当たるかどうかは不明だが、ひとつの可能性を示唆してはいないだろうか。その可能性とは、人間が人間中心主義を放棄することが直接に人間の幸福に寄与する可能性であり、コロナ危機はその可能性が開花する世界への転換をわれわれに要求している。

四　命令できない国家

「自粛の要請」、この奇妙な言葉を何度聞いたことか。この言葉の異様さに、日本の新型コロナ禍への対処のまずさの根源が集約されている。なぜ「自粛」なのか。なぜ「命令」でないのか。

そしていま、再び気の抜けた緊急事態宣言が発出された。「気の抜けた」というのは、前回二〇二〇年四月のそれは、営業規制等の違反に対する罰則規定を欠いていた。今回罰則規定をめぐる議論が続いているが、この議論が原則の次元で深まらないこととコロナ対処が全般的にスピードを欠いていることは通底している。それはなぜか。

菅政権は医療崩壊が首都圏各地で起こるまで発出を躊躇《ちゅうちょ》し続けた。菅首相だけではない。小池百合子東京都知事と首都圏の他の首長たちも、自らのイニシアティブで飲食店の営業規制強化に踏み込まないまま二〇二一年一月二日に連れ立って政府に押しかけ、緊急事態宣言発出を要請した。菅首相は、直接面会せず、西村康稔経済再生担当相に会わせた。しかし、増え続ける感染者数を前に、面会を逃れても宣言発出はもはや不可避の流れだった。菅サイドは相当強い不快感を小池に対して持っているとも伝えられるが、要するに、押しつけ合いの駆け引きで首相が負けたのだ。

ことほど左様に、この国の指導者たちは「命ずる」ことを忌避している。普段の言動から察するに、それは、自由と権利を尊重する彼らの気持ちがあまりに強いためだとは到底思われない。あるのは責任をとりたくないという、ただ一念である。

だが、政治家だけが問題ではない。言論人たちも、どのような場合に、どのような論理によって、自由民主主義体制において私権の制限が許容されるのかについて、明快な説明をほとんどしていない。「リベラルが私権の制限を許容・要求するなど怪しからぬ、しかしもう、現に緊急事態であるし……」などと締まりのないことをつぶやく面々も散見される。

こうした混乱は、権利観念の未熟に起因する。私たちは、好きなときに集まって飲み騒いだり、カラオケで熱唱したりする自由権を有する。他方で私たちは、可能な限り健康に生きる権利を有する。この二つの権利は、普段はまるで無関係である。ところが、強力な感染症の流行のために、この二つの権利が対立してしまったのだ。誰かの自由権の行使が、他の誰かの健康に生きる権利を害する可能性が相当に高まったのである。二つの権利が衝突するとき、調停が求められる。私たちは、居酒屋で集う権利はあるが、それによって誰かの生命を危険に陥れる権利まであるのか、ということが問われることになる。緊急事態に伴う諸々の私権の制限の本質は、この調停行為である。

近代的な人権観念を前提する世界において、諸個人の権利が時に衝突するのは当然のことだ。その調停を放棄するならば、トマス・ホッブズの言う「自然状態」、つまり暴力が事を決する野蛮世界になってしまう。諸個人の権利の絶対性を前提とした上での、それが対立する局面での調停、この調停がなされる場が「公」（パブリック）と呼ばれる次元だ。誰かの権利への制限は、他の誰かの権利の保護である。

こうした権利観念の理解は、政治の世界にも市民社会にも日本では希薄だ。究極の公人であるはずの政治家が、「公」の本質を理解していないから原則的な対応ができず、命令することから逃げ回る。結果、すべてが後手後手になりゴマカシにまみれ、規制は恣意《しい》的になる。彼らが「自粛要請」に実効性を持たせるために頼れるのは空気と同調圧力だけであり、規制に従わない店の店名公表とはこの依存の現れだ。そして、権力からの期待に応える自粛警察の姿が気色悪いのは、彼らが「公」なき世界の住人、ホッブズ的自然状態の人狼《じんろう》の類だからである。

私たちは犠牲と引き換えに真《ま》っ当《とう》な近代性を獲得できるのか。それは、コロナ禍における焦点のひとつなのである。

第二章

現代の構造——新自由主義と反知性主義

一 菅政権が目指す「反知性主義的統制」

「ポイント・オブ・ノー・リターン」という概念がある。私たちが自分たちの国をかつて亡《ほろ》ぼしたとき、一体どこに「ノー・リターン」の時点があったのか、多くの議論が積み重ねられてきた。軍国主義化に抵抗する世論の駆逐・平定という視角から見たとき、一九三三年の滝川事件（京大事件とも呼ばれる）は、そう見なされるにふさわしい事件であった。

同事件は、京都帝国大学法学部教授で刑法学者の瀧川幸辰《たきかわゆきとき》の著書『刑法読本』をマルクス主義的であり危険思想であるとして内務省が発行禁止処分にし、瀧川が一九三三年五月、文部省から休職処分を受け辞職した出来事を指す。この事件が「画期的」とされる所以《ゆえん》は、瀧川幸辰の学説にマルクス主義的な要素がなくはなかったにせよ、瀧川自身に共産主義者との党派的なつながりはなく、したがって、大日本帝国政府による思想弾圧の向かう対象が、この事件を契機として、コミンテルンとのつながりを持つ共産主義者を越えて飛躍的に拡大したことに求められる。時系列的に言えば、一九二八〜二九年の間に、3・15事件、4・16事件によって日本共産党員が大量検挙され、三三年の滝川事件の二年後には天皇機関説事件（美濃部達吉への弾圧）が起こり、三七年には矢内原《やないはら》忠雄が弾圧され、三八年には河合栄治郎への弾圧が始まる。つまり、滝川事件は自由主義的立場をとる知識人に対する弾圧の嚆矢《こうし》であったのであり、東京帝大系の学者に対する弾圧の前哨戦であったとも言える。これらと並行して、もちろん共産党員への弾圧は続き、非共産党系のマルクス主義者への弾圧(人民戦線事件、一九三七~三八年)や、転向者への弾圧も進んだ(満鉄調査部事件、一九四一~四三年)。

滝川事件はファッショ化の通過点だった

かくて、際限のない軍国主義化と戦争拡大への道は着々と掃き清められ、全面的な思想弾圧への道筋は一直線に開けたかのような印象を受けるかもしれない。しかし、滝川事件の詳細に目を向けるならば、実態は全く異なって見える。すなわち、そこには激しい抵抗が存在した。瀧川への処分撤回を求めて、京大法学部の教授、助教授から副手に至るまでの全教官三三名は辞表を提出した。また、「学問の自由」を身を挺《てい》して守ろうとしたのは教員だけではなく、京大法学部の全学生は退学届を提出し、他学部の京大生や東京帝大の学生もこれを支援した。ジャーナリズムもまた盛んに抗議の声をあげた。

結局のところ、学生運動は弾圧を受けて瓦解《がかい》し、辞表を叩《たた》きつけた教官たちも切り崩しにあって分裂(辞表撤回、いったん辞めた後に復帰、辞職など)してゆくのだが、松尾尊兊《たかよし》『滝川事件』(岩波現代文庫、二〇〇五年)が記録している節を曲げなかった知識人の姿には胸を打つものがある。例えば、徹底抗戦派の中心だった佐々木惣一教授は、同僚たちに対し、教授陣が職を賭して闘い抜くのは当然であるが、助教授以下の者は京大に残って法学部再建を図れ、と説いたという。つまり、年長者が玉砕するのは当然であるが若手は何とかして生き残れ、という考えである。

ちなみに、佐々木や末川博をはじめとする辞職組の多くが立命館大学法学部に迎えられ同大学の中核を担ってゆくこととなるが、日本学術会議と日本学士院を混同して日本学術会議が学者の利権漁《あさ》りの場となっているかのごときデマを流した平井文夫フジテレビ上席解説委員が立命館大学の出身者で同大学の客員教授を務めていることは、途方もない皮肉である。

滝川事件について縷々《るる》述べてきたのは、もちろん今日の菅義偉政権による日本学術会議会員任命拒否事件と滝川事件との類似性を見るためである。ただし、必要なのは、「どちらも思想弾圧事件だ」というような漠然たる対比ではない。両者が置かれたそれぞれのコンテクストをも対比することによって、私たちがいまいる時点について示唆を得ることが重要なのである。そして、類似性を考察することは、また両者の差異を考察することでもある。

類似性に関して、滝川事件の結末についての松尾尊兊の次のような指摘は重要である。「問題は瀧川という一教授の処分ではない。文相が大学の『人事行政』の『実権を握』ること。ここに彼らの目標があったのである」(『滝川事件』)。すなわち、大正デモクラシー期を通じて慣習として一応確立されていた国立大学教員の大学側による人事権が国家の側に回収されたのだった。今次起きたことは、ある意味でそれ以上のことだ。なぜなら、単なる慣習という水準ではない固さで確立されていた学術会議側の人事権が、政治の側に奪われようとしているからである。

他方で、この事件が起きるまで世間の注目を浴びることの少なかった機関の人事と、帝国大学教員の任免では重みが異なるという見方も出てくるかもしれない。現に、「日本学術会議の会員人事が政権によって握られたからといって学問の自由が失われたことにはならない」といった見解を述べる学者もいるが、遠慮なく言えば、完全に失当である。

重要なのは、滝川事件は通過点であったということだ。先述のように瀧川の処分に対して激烈な抵抗が生じた。そのなかで東京帝大の教官たちは、個別的に処分反対の論陣を張る者も少なくなかったが、組織的には動こうとしなかった。その背景には東大幹部と文部省との間での「密約」があった、と松尾は論じている。すなわち、軍部や右翼の真の標的は東大、具体的には美濃部達吉や有沢広巳らであり、当時の小野塚喜平次東大総長としては、文部省側に「東大が組織として瀧川擁護には回らない」と約することにより被害を京大で食い止める、つまり文部省が東大に手を突っ込むことを思いとどまらせることを企図していた。

知識人の倫理と矜持が問われている

この戦術が結局は有害無益でしかなかったのは、歴史の現実の成り行きが物語る通りだ。時勢の圧倒的な勢いに対して、東京帝大の妥協は無力だったのであり、歴史に汚点を残したにすぎなかった。滝川事件のわずか二年後、軍部と右翼は蛇蝎《だかつ》のごとく憎んできた美濃部の天皇機関説をついに葬り去る。そしてそのときも、事を穏便に済ませたい岡田啓介内閣（民政党を基盤とする）は、軍部と右翼と敵対党派（政友会）によって追い込まれ、国体明徴声明を二度にわたって発することで時局を収拾しようとするが、結局は機関説を最も激しく憎悪した人々（皇道派青年将校たち）によって打ち倒され（2・26事件）、政党政治は完全に終焉《しゅうえん》し、帝国は破滅へと突き進んでゆくこととなる。瀧川幸辰の弾圧も国体明徴声明も、軍部と右翼に成功体験を与えて勢いづかせたのみで、ガス抜きには到底なり得なかった。

ゆえに大局的に見れば、今次の日本学術会議に対する介入を適当な妥協によってやり過ごして、「これで終わり」と受け取るような能天気が通用するはずがない。安倍政権が官界とマスコミをほぼ完全に屈服させたことの延長線上にこの事件はある。次なる標的が学者の世界なのだ。今回の任命拒否は学術界を屈服させる手段の初手として打たれたわけであり、ここが突破されれば、次は国立大学の学長人事への介入（昨今の北海道大学の総長解任事件や東大の次期総長選出をめぐる揉《も》め事などから察するにそれはすでに始まっていると見ることもできるし、萩生田光一文科大臣はすでに介入の可能性を公言している）へと進むであろうし、学長人事に介入してよいのならば、下級の人事に介入してはならない理由もなくなる。そしてその次に介入は私学にも及ぶだろう。私学は、私学助成金をはじめとして国家に依存しているからである。またもちろん、「あいちトリエンナーレ二〇一九」の件ですでに顕在化しているように、ほかの表現領域にも抑圧・弾圧は及ぶことになるだろう。

今日の学者たちは、こうした流れのなかに自らがいることに対する危機感をどれほど切実に持っているのか。日本学術会議会員任命拒否に対して声明や要望書の類を発表した学術団体は二〇二〇年一〇月一六日の時点で実に三七〇を超え、その内訳は文系理系医学系まで幅広い。

しかし、肝心の日本学術会議自身の対応には深刻な疑問符がつく。同会議からの菅総理に宛てた要望書は任命拒否理由の説明と六名の任命を要求しているが、これらの要求が満たされない場合、日本学術会議がどのような方針を採るのか、今日に至るまで何の説明もされていない。そして一〇月一六日には日本学術会議の梶田隆章会長が菅総理と会談したが、会長はその場で要望書への回答を求めず、「未来志向」の話をしたという。菅総理にとっての「未来志向」とは、この一件を「終わった話」とすることにほかならないはずだが、梶田会長の言動からその自覚は見えづらいし、胸ポケットに辞表が入っていたかどうかはさらに見えづらい。また、今回会員に任命された九九名の学者たちから、六名の任命拒否が貫かれた場合どのような対応をするのかについて態度表明がなされたという話も現時点で聞かない。政権の越権行為によって六名の学者を省いてなされた今回の任命は、違法である。九九名の学者たちは、違法になされた任命に基づいて会員職に就くことを是とするのか。問われているのは、知識人としての倫理と矜持《きょうじ》である。

リベラルなインテリが憎悪される時代

瀧川幸辰や美濃部達吉を拉《らっ》し去っていった力とは何であったか。第一義的には、それは総力戦へと向かう猛然たる流れだった。それではいま、私たちはどんな流れのなかにいるのか。今回の任命拒否には日本学術会議が軍事研究に対して歯止めを掛けている現状を突き崩す意図があるとする観測は、おそらく間違っていない。種々の運営費や研究費が削られるなかで防衛省を通した研究助成の枠だけが拡大されるといった流れの延長線上で、今回の事件は起きた。

ただし、科学技術の民生利用と軍事利用とにどう線引きできるかは難問であり、万能の解など存在しない。問題とされるべきはもっと大きなコンテクストであり、現在の流れの果てにどんな

「国のかたち」が待っているのか、ということだ。さらに言えば、この流れは、米中の対立が昂《こう》進《しん》し、数百年スパンでの世界的な勢力変動が生じている只中《ただなか》に位置している。現在の日本が直面している最大の課題は、この変動に伴う混乱をどうやって犠牲を出さずに生き抜くのか、生き抜くための「国のかたち」をいかにして見出すのか、ということであるはずだが、今回の任命拒否によって排除されたのは、まさに「国のかたち」を探究する分野の学者たちであったのだった。「あるべき国のかたちなど考えるな。目をつぶって言った通りにしろ」。菅政権の強気の姿勢が依拠するのは、このメッセージに内在する反知性主義的性格、そしてそれがまさに反知性主義的であるがゆえに（一部の国民から熱狂的に、また一部の国民から消極的に）支持を獲得しうることへの確信だろう。この反知性主義は右翼ポピュリズムと一体を成して、第二次安倍政権とその継承政権である菅政権の支持基盤となってきた。

　そして、この情念が最も憎む相手こそ、今回排除されたリベラル派の知識人である。この憎悪の原因を、人類学者のデヴィッド・グレーバーは、著書『ブルシット・ジョブ』で、経済格差よりも実は文化資本格差の方が乗り越え困難であることに求めている。すなわち、大衆は運よく大金持ちになることはあり得ても、文化的エリートになることはできないのだ、と。だからリベラルなインテリは、「普通の人」にとって絶対に手の届かない地位を占めながら、かつ同時に道徳的な正しさまでも標榜している、度し難い特権者として憎悪されるのである。逆に、右翼ポピュリストは道徳的にいかがわしいにもかかわらず支持されるのではなく、いかがわしい（道徳的特権者ではない）がゆえに支持される。

簡単に言えば、こうした情念の噴出はグローバル化とネオリベ化によって分断の広がった社会の荒廃に由来する。その荒廃の程度は、知識人たちの反応に見られるように、滝川事件の時代と比較してある意味でより一層悲惨な状況にある。さらには、「毎日新聞」の実施した世論調査によれば、日本学術会議会員任命拒否事件を問題視しない割合は、年齢層別で見ると、若年層であればあるほど高い。滝川事件当時の京大法学部生の反応と比べたとき、日本社会の現在だけでなく、少なくとも近い将来の底なし沼的な惨状が浮かび上がる。人間の質という観点から見たとき、今日の日本社会よりも昭和ファシズム期の時代の方がよほどまともな時代だった。

しかし、この荒廃を前にして絶望することは、知性の敗北を意味する。あの不条理に見える天皇機関説排撃でさえも、今日の視点から冷静に見れば必然性は理解できる。全面戦争に臨むにあたり、「死ぬための理屈」を納得させるためには、命を捧《ささ》げる対象たる天皇は「機関」であってはならず、「神」でなければならなかったのだ。翻って私たちが必要としているのは、反知性主義の起源からとその向かう先を正確に見透かす知性と、眼の前の権力ではなく歴史の審判を恐れるという倫理である。いまの流れを変えられるかどうかとは別に、それが在ったことの証拠を、佐々木や美濃部がそうしてくれたように、私たちは未来の世代の人々に遺さなければならないのである。

二　安倍政権と新自由主義

安倍政権の新型コロナウイルス危機への対処が酷《ひど》い。ただし、それは驚くには値しない。私は「この政権は最悪である」と発足当初から言い続けたが、予想通りになっているだけだ。

憲政史上最低の政権が同時に最長の政権となったという事実に対する吟味は、重要な課題だ。この政権は戦後民主主義体制の劣化から生まれたが、それが長期間持続することによって、その劣化をさらに促進した。ゆえに、安倍政権期の世相に何が現れたのかをわれわれは十分に検討しなければならないだろう。

日本を「世界で一番企業が活躍しやすい国」にすると何度も宣言した安倍晋三率いる政権の根本的なマインドは、新自由主義なのであろう。ただしここで、アベノミクス政策や「女性の活躍」、「働き方改革」といった政策が、新自由主義的なものであるか否かは問わない。これらの政策にはリベラルな要素も含まれており、典型的に新自由主義的な政策ではない。一方では新自由主義的な理念を掲げつつ、リベラルな傾向を有する政策の動員も辞さない政権が新自由主義的だと言えるのかどうか、といった問いの立て方は有効ではない。それは新自由主義の定義の細部をめぐる際限のない論争を呼び起こすだけだ。

新自由主義もサッチャー／レーガン登場以来四〇年を閲《けみ》し、その政策的内容は多様化してきた。とりわけ、二〇〇八年の金融危機に際して各国政府が大々的な経済介入を行なったことにより、新自由主義のイデオロギーは自己矛盾に陥り破綻した、としばしば評される。だが、それでも「新自由主義的なもの」が一向に退場していない現実に鑑みれば、このような自己矛盾においてこそ、新自由主義はその本質を露にした、と逆に考えるべきである。「小さな政府」とか「自由放任」といったことは、新自由主義の本質ではなかったのだ。

表向きのイデオロギーが破綻したにもかかわらず新自由主義が生き延びていることが何を意味するのか。別言すれば、新自由主義の真の本質はどこにあるのか。それは、「世界で一番企業が活躍しやすい国」という言葉に表れている。企業とは資本であり、資本のやりたい放題ができる空間をつくり出すことである。そうした空間創出の主体は、資本自身よりもむしろ国家が担うことになる。新自由主義は、資本自身の自律的な活動を核とするのではなく、政治権力（とりわけ暴力）を媒介としてはじめて機能しうるとの指摘は、ナオミ・クラインの『ショック・ドクトリン』をはじめとしてすでに数多くなされてきた。

「包摂」の新段階としての新自由主義

ここで考えたいのは、このような「上から」の新自由主義的な権力の作動に対して、「下から」どのような反応が生じてきたのか、という問題である。というのも、日本の安倍政権に限らず、「下から」の支持なしに新自由主義政権が長期的に維持されることはあり得なかった。安倍政権以後の社会を展望するためにも、個別的な政策の間での時に矛盾する傾向に拘泥するのではなく、社会の基調となったものとしての「新自由主義的なもの」、言い換えれば、「文明としての新自由主義」の核心を見定めるべきなのである。

私は二〇二〇年に『武器としての「資本論」』（東洋経済新報社）を上梓《じょうし》した。本書は、マルクス『資本論』の入門概説書であると同時に、新自由主義の時代の資本主義を分析するにあたってマルクスの理論がいかに有効であるかを示すという狙いも含んでいる。『資本論』で展開される概念のなかで、「文明としての新自由主義」を考察するに際して最も有効なものと私が見定めたのが「包摂」（subsumption）の概念である。

『資本論』における「包摂」の概念は、「生産的労働の資本の許への形式的および実質的包摂」というかたちで導入される。ここで言う「形式的／実質的」とは、自給自足的に生きていた人々が、市場向けの商品の生産を始めることにより最初は「形式的に」資本主義経済に参加するが、多くの段階を経てやがては資本によって準備された生産手段の付属品として働くようになる事態（「実質的包摂」）を指す。具体的には、農閑期の家内工業からさまざまな規模のマニュファクチュアを経て、機械制大工業にまで至る過程で、労働者の労働の在り方が自立性を失ってゆき、資本によって深く「包摂」される事態を言い表している。そうならざるを得ない（労働者の自立性が高い手工業は廃れてゆく）のは、資本主義のシステムに、より高い生産性を絶えず追求するメカニズムが内在しているからである。

二〇世紀後半から二一世紀にかけてのマルクス主義理論の発展は、包摂の対象は労働過程だけではない、労働者は一日の労働を終え、仕事場から出た後も包摂の標的となる、という事態を把握してきた。例えば、いわゆる消費社会は、欲望をあの手この手で煽《あお》り立てて、大して要りもしないものを買わせる。ジャン・ボードリヤールが指摘したように、人々は「モノの消費」から「意味の消費」へと駆り立てられ、永遠の欲求不満に陥れられる。そこでは人間の欲望が資本によって全的に包摂される。

そして、低成長の新自由主義時代が到来し、一層吝嗇《りんしょく》になった資本は、欲求不満を介して人々に山積みの消費財を押し付けることすら拒むようになった。ガラクタすら与えないとすれば、包摂は、人々の消費の欲望を超えて、価値観・感性・魂に及ばなければならなくなる。新自由主義版の「欲しがりません、勝つまでは！」の時代が到来する。自己の「人材」としての価値を高めるべく、自己啓発本を読み漁り、なけなしの可処分所得をオンラインサロンに費やし、ついでに公的扶助の不足を嘆く人をSNS上で罵倒する。選挙ではもちろん、自民党か日本維新の会に入れる。理想的な自己責任社会をつくってくれることを期待して。

こんな人物はマンガ的であり、実際は多くないのかもしれないが、経団連の公式見解が書かれた紙くずを毎日ありがたく拝読する賃金労働者はいくらでも見つかる。資本家でもないのに資本の価値観・利害・論理を内面化した「エア資本家」が大量発生している。つまり、「文明としての新自由主義」の核心には、人間の内的なもの、すなわち価値観・感性・魂といったものの資本の論理との一体化、後者による前者の包摂という現象がある。ゆえに、新自由主義の時代に『資本論』を武器として手に取るためには、包摂の概念が呼び出されなければならなかったのである。

生産力至上主義こそが安倍政権の本質

新自由主義の時代に特有の「魂の包摂」は、日本においては固有の特色を帯びる。それは、私が『国体論』において分析した、近代天皇制に由来する、人間に対する独特の矮小化作用であり、それが新自由主義化と一体をなして機能する。

そうした複合作用の極北というべき事件が、二〇二〇年四月に発覚したパナソニック産機システムズにおける就職内定者の自殺事件である。この事件は、内定者たちが参加を義務づけられたSNS上で人事課長（五四歳男性）がパワハラを繰り返し、不安と絶望から精神疾患を発病した内定者の二二歳男子学生が二〇一九年二月に自殺したというものである。

パワハラ行為の言葉に次のようなものがある。「ギアチェンジ研修は血みどろになるくらいに自己開示が強制され、四月は毎晩終電までほぼ全員が話し込む文化がある」。

パナソニック産機システムズは、業務用設備機器を販売する会社である。機器を売るために、なぜ「血みどろになるくらいの自己開示」が必要だというのか。そもそも「自己開示」とは何なのか？　この不気味な意味不明さは、連合赤軍事件の「総括」を思い起こさせる。「総括」が完璧な革命戦士をつくり出そうとして虐殺に至ったように、「自己開示」は完璧な社畜をつくり出そうとして殺人に至った。

ここで猛威を振るっているのは、「日本社会の同調圧力」などという生易しいものではない。

年齢相応に一旦出来上がった人格を全面的に破壊し、会社の論理を完全に内面化した新しい人格につくり直すという人間性に対するテロ行為が当然のように行なわれている。

社会学者の内藤朝雄は、このような日本社会の在り方について、「人間存在は深いところから集団のモノでなければならないという生き方が、学校と会社の日常生活のなかで細かく強制されてきた」のであり、そこから「独特の奴隷的な心理生活を一人一人に運命として強いる」構造が生じると説明している。そして、このような構造をつくり上げ維持することに莫大《ばくだい》な労力が割かれていることが、日本経済の生産性を低迷させていると指摘している。

この指摘は妥当だろう。だが、「日本的なもの」を批判・告発する際に、それが生産性に対する阻害要因であることを論拠として行なうことには危うさもあるはずだ。なぜなら、生産性の高低を尺度として人間の価値に序列をつけるという生産性至上主義こそ、新自由主義の中心的イデオロギーにほかならないからだ。

実際、生産性至上主義のイデオロギーは、いつまでも続く安倍政権の時代において、イデオロギーの玉座へと上り詰めたように感じられる。安倍時代の象徴と言えそうな津久井やまゆり園事件(二〇一六年七月)を起こした植松聖《さとし》は、一見似ている宅間守(池田小事件)や加藤智大《ともひろ》(秋葉原通り魔事件)といった大量殺人者とは自己の行為に対する認識において根本的に異なっていた。後者の面々は、自らの人生の敗北感・行き詰まりから凶行へと踏み出したが、自身の行為が社会的に容認されるべきものだという意識は微塵《みじん》も感じられない。これに対して、植松は、衆議院議長に犯行を予告する手紙を書いているが、その内容は国家権力による犯行への支援を要請するものであり、植松の主観において障碍者《しょうがい》虐殺は正義に適《かな》うものであったのだった。

二〇一九年二月に起きた京都ＡＬＳ患者嘱託殺人事件の容疑者、大久保愉一《よしかず》は、自身のツイッター上で老人を税金を食い荒らす存在として敵視する発言を繰り返していた。植松聖との思想的な共通性は明瞭であり、両名の「過剰さ」は際立っている。なぜなら、彼らは彼らの考える「正義」を追求したわけだが、それは犯罪者として処罰されるという巨大なリスクを伴うものだったからだ。実際彼らは、自分の将来、平穏な暮らしといったものを投げ捨てて犯行に踏み切ったのであり、そこには本物の情熱がある。その正体は、生産性のためには自己犠牲も辞さないという資本主義の信仰である。生産性という神を崇拝する奴隷がここにいる。「魂の実質的包摂」はここまで来た。

コロナ危機と「二重の奴隷化構造」

日本を苦しめてきた二重の奴隷化構造（新自由主義的包摂と天皇制の桎梏《しっこく》）は、コロナ危機にどのように現れているだろうか。一方では「何が何でも経済を回せ！」という資本の至上命令が腐敗した利権構造と結びつき（ＧｏＴｏキャンペーン等）、他方では新型コロナウイルスという「忖度空間の外部」と政府に招集された専門家の政権への忖度との葛藤、というかたちで現れている。結果、この国では感染症や医療の専門家が、専門外であるはずの経済の問題に配慮するという珍風景が広がる。

コロナ危機のジレンマは「経済か健康か」として現れ、防疫上最善の措置による経済的犠牲

（犯罪や自死にまで至る深刻な犠牲）がどれほど昂進するか測り難いところにある。だが、パンデミック発生から一年余りが経過し、諸国の経験も蓄積されたいま、解決策の方向性はおおよそはっきりしてきたはずだ。ＰＣＲ検査を中心的方法とした徹底的な検査により感染震源地を面的に把握して休業要請等の手段も動員することで、虱《しらみ》潰し式に鎮圧するほかあるまい。その際、大規模な補償も必要となる。鎮圧に成功しない限り、本格的な社会活動の再開も不可能だ。「経済と防疫」のバランスを見出し決断を下すのは政治の仕事であり、医療系専門家の仕事ではない。

ジレンマを前にして右往左往する間にも第二波による感染者増加は急ピッチで進行し、医療崩壊の可能性は急速に高まってきている。地方自治体首長と政権中枢との齟齬《そご》は深まり、対立すらも露になってきている。そうしたなかで、安倍晋三は国会開催の要求から逃げて自邸に引き籠もっており、「アベノマスクを配る」と張り切っていた頃が懐かしく思われるほどだ。

かくてこの権力の崩壊の日が遠くないことは明瞭になってきた。しかし、本稿で見てきたように、重大な問題は、安倍政権の命運ではなく、これを支えてきたものからいかにして脱却するかというところにある。

三　社会の消滅について――新自由主義がもたらした「廃墟」

新自由主義の時代精神

「社会などというものは存在しない」というのはマーガレット・サッチャーの名（？）文句だが、その含意についてここのところずっと考えさせられている。この言葉は、一九八七年に *Woman's Own* という雑誌の〝Aids, Education and the Year 2000!〟と題されたインタビューにて発せられたとされている。

サッチャーがこの言葉を発した直接の文脈は、福祉国家の「小さな政府」への再編を進めるなかで、「何でもかんでも政府が面倒を見るべきだ」という「福祉依存的」メンタリティを批判する、というものだった。したがって、ここで言われているのは、「政府が社会福祉政策で世話をしてくれるのが当然と考える前にまずは自助努力を」、という呼び掛けであった。

しかし、歴史の成り行きは、はるかに重大な含意をこの言葉に与え、「新自由主義の時代精神」の象徴のごとき地位を与えることになる。「小さな政府」を目指す民営化、規制緩和は、「肥大化した行政機構のスリム化」にとどまらず、人間の生活に必要な最も基本的なインフラストラクチャーの公共財的性格までをも否定し、それらを資本の貪欲な利潤追求の餌食として差し出すことへと帰結した。このことについては、すでに無数の批判が浴びせられている。にもかかわらず、なぜそれが止まらないのか。止められないのか。問題は、定着してしまった時代精神、このような愚行を肯定してきた新自由主義の精神なのだ。

例えば、この精神の現代的到達点を示したのが、二〇一九年一〇月、台風一九号が東日本の各地に甚大な被害をもたらした際に、「日経新聞」が発表して物議を醸した、『もう堤防には頼れない』国頼みの防災から転換を」と題する記事だった。この記事は、「行政が主導してきた防災対策の限界を示し、市民や企業に発想の転換を迫っている」と指摘し、堤防増強などの治水事業の「安易な積み増しは慎むべき」と主張するものだった。

個人や企業が防災意識を高め、日頃から対策を準備しておくべきことは当然ではあるが、驚くべきは、本記事の執筆者が、文明の基礎を否定し、まるで俗流アナキストのように国家権力の抽象的否定にまで至っていることだ。古代文明を参照すればわかるように、治水こそ文明の起源であり、治水する権力こそ国家なるものの成立の由来である。それを本記事はもはや不要のものと宣告したのである。ある意味で、これほどまでに大胆な主張をする新聞記事にはお目にかかったことがない。もっとも、実際ここにあるのは、文明の本質についての革新的洞察を提起せんとする気概などではもちろんなく、「小さな政府」のお題目を馬鹿の一つ覚えで長年唱え続けた挙句の脳軟化症の結果にすぎまいが。

社会は存在しなくなった

だが、新自由主義の時代精神の勢いは、「日経新聞」記者をして俗流アナキズムに傾倒せしめるところにとどまらない。われわれは、新自由主義とは、基本的には政治経済的政策における一定の傾向や原理である、という見方からそろそろ離れるべきではないのか。新自由主義は、狭義には政策決定のイデオロギーではあるが、その現実の影響力は、狭い意味での政治の次元をはるかに超えている。それは、人間の精神に浸透することによって一定の形而上学的な世界観を提供しているという意味で、ひとつの文化あるいは宗教に近づいている。そうでなければ、ここ三〇〜四〇年の新自由主義の「成功」は到底説明がつかない。新自由主義化は、強引に推し進められてきたというよりも、大衆の支持をとりつけながら進行してきたのである。

では、その世界観とは何か。それを最も端的に言い表しているのが、サッチャーのあの言葉なのである。言うなれば、新自由主義は社会そのものを消滅させたのだ。このことを強く意識せざるを得なくなったきっかけはいくつかある。

身近なところから挙げるならば、私が大学で教育活動に従事するなかで膨らんできた違和感だ。私は基本的に社会科学を教えており、したがって、学生には何らかの社会問題の発見から社会科学的発想や知識の必要性・有効性を認識することへと進み、そこから主体的な学びへと進んで行けるよう誘導することが基本的な仕事である、と考えてきた。だが、数年前から、こうした「基本路線」がまるで通用しない若者たちが現れ、それが増加し続けている、と感じられる。

どこで躓《つまず》くのかというと、最初の「社会問題の発見」のところでどうにもならなくなるのである。例えば、「学びのきっかけとして、自分が気になる社会問題を挙げて簡単にプレゼンテーションしなさい」というような課題を出すと、本当に何も考えられない（思いつかない）という若者が続出する。彼らは、ただひたすら困惑して沈黙に陥るか、あるいは前日の晩にポータルサイトのニュース・ヘッドラインに挙がっていた「問題」を、全くのその場しのぎで挙げてみせる。どうやら彼らにとって、「あなたの気にかかる社会問題を挙げてみせよ」という課題は、それまで一切考えたことがなかった完全に想定外の代物であるようだ。

こうした、「この人たちにとって社会は存在しないらしい」と実感させられる経験はいくつも挙げることができる。「報道機関の報道内容は必ずしも正しいとは限らないのだから、懐疑的な意識を持って新聞は読み比べるようにしましょう」というメディアリテラシーの基礎を教えることはいまや夢のまた夢となり、「せめてテレビくらい観るようにしましょう」と指導しなければならなくなったとき、「この国は底が抜けた」と実感せざるを得なくなった。

問題は、「底が抜けたかどうか」ではなく、一体どういう底が抜けたのかを見極めることなのだ。全般的な投票率の低下、とりわけ若年層における著しい低迷も、当然この文脈にあるだろう。「政治的無関心」という従来多用されてきた言葉では到底言い尽くせない、巨大な「無関心」がある。「複雑で腐敗して期待外れだから政治に対しては嫌悪感しか持てない」といった分節化を経た無関心ではなく、もっと根源的な、深淵のごとき無関心がある。政治のみならず社会全般に対して関心がなく、あたかも社会など存在しないかのような感覚が、そこにはあるのだ。だから、「社会問題について話せ」と要求された学生の困惑も、ある意味でもっともなのである。人は存在しないものに対して関心を持つことはできない。

「セカイ系」と新自由主義

「社会は存在しない」という命題の文化的等価物が、二〇〇〇年代あたりから隆盛を迎えてきたサブカルチャーにおけるいわゆる「セカイ系」であろう。「セカイ系」とは、例えば、東浩紀責任編集『波状言論　臨時増刊号――美少女ゲームの臨界点』（二〇〇四年）によれば、「主人公（ぼく）とヒロイン（きみ）を中心とした小さな関係性（『きみとぼく』）の問題が、具体的な中間項を挟むことなく、「世界の危機」「この世の終わり」などといった抽象的な大問題に直結する作品群のこと」（傍点引用者）であると定義される。

「世界の危機」に立ち向かう主人公による英雄譚、という設定は何ら新しくない。「セカイ系」の特徴は、古典的な英雄譚においては主人公が遍歴を重ねて、さまざまな経験を積み人間関係を広げることによって「世界の危機」と闘う立場を獲得しそれを実行することになると設定されるのに対して、主人公が一切遍歴しない、あるいは自分の周囲のごく身近な世界にとどまるところにある。つまり、「ぼく」「きみ」（プラスα）の極私的な関係性が即「世界全体」へと拡大されてしまう。ゆえに、「セカイ系」と呼ばれるわけである。

このような定義に従えば、例えば、近年の大ヒット作品である新海誠監督のアニメ映画「君の名は。」などは、顕著に「セカイ系」的である。同作品の筋書きの奇妙さ（「セカイ系」に批判的な私から見た難点）は、次の点にある。すなわち、この作品では、時間旅行をした主人公の高校生が天災による破局の到来を知り、人々を救うべく避難を呼び掛ける。だが当然、その警告は荒唐無稽な戯言として大人たちから退けられてしまう。そこで主人公たちは、もう一度大人たちの説得を試みて今度は成功し、破局は回避されて大団円を迎える。

奇妙なのは、この再説得の過程こそ物語のヤマ場となるはずが、それが具体的には全く描写されないことである。どうやって説得したのか全く説明抜きで、なぜか大人たちは説得されたことになり、避難は成功する。

まさに物語のこの展開に、「セカイ系」の「セカイ系」たる所以《ゆえん》がある。「言うことを聞いてくれない大人」とはすなわち「社会」そのものであり、「具体的な中間項」にほかならない。これがどうにもならないメンドクサイものなので、都合よくスキップしてしまう（そして、「世界は救われた」ことになる）ことにおいて、「君の名は。」はまことに「セカイ系」的な作品になっている。

してみれば、「セカイ系」とは、社会の存在の否認の表現であるが、それと同時に、社会からの疎外の痛切な表現であるとも言えよう。社会というものが、人々にとって、どうしようもなく動かしがたく、不快感のみを与えるひたすらに疎ましいものとして認識されたとき、それがあたかも存在しないかのごとくに振る舞う、その存在を否認するという心性がそこに現れている。もちろん、そのような振る舞いは逃避にほかならず、オタク的欲望、すなわち万能感を手放したくないという幼児的願望のなせる業である。

こうした傾向は今日あまりに優勢なものとなり、下らない単に唾棄すべきものとして済ませるわけにはいかなくなってきた。それが、日本社会の新自由主義化と並行して大流行してきたという事実は強調されねばならないだろう。新自由主義は、その直接的効果としては企業権力と国家権力の途方もない強大化をもたらす。それは、その反面では個人の無力化と受動化を意味する。

そうした状況下で生まれた「セカイ系」は、近代的な教養小説のネガであるとも言える。典型的な教養小説的プロットでは、未熟な人間が社会とぶつかり葛藤することを経て、成熟を遂げ、社会のなかに自らの一定の居場所を見出すこととなる。その過程を描くことで、社会もまたその内的構成を描写される。そして、マルクスの『資本論』がそうであるように、あるシステムの内的構成を示すとは、その可変性を示唆することでもあるのだ。

してみれば、社会をスキップする「セカイ系」とは、いまや絶対不動のものとして個々人の前に聳え立つ社会によって圧迫されひたすらに無力化された個人が、この自らを疎外するものを不快さゆえに否認し、幼児的願望のなかに逃避するものとして現れている。それは、個人と社会の弁証法的関係性の崩壊の表現となっており、新自由主義化の進行こそ、その崩壊と並走してきたのであった。かくして、社会は壊れたのではない。存在しなくなったのだ。

「統計的差別」の核心

いまや日本一有名な東京大学「特任准教授」、大澤昇平の引き起こした差別発言事件も、「社会は存在しない」をさらに強く印象づける出来事だった。この人物を「特任」とはいえ、教員陣に列させた東京大学の見識と責任については、もはや何も言う気すら起こらない。「廃墟の中の大学」というよりも「廃墟そのものであるところの大学」の証明がまた一つ増えた、との感想を禁じ得ない。大澤が懲戒解雇されたのは当然のこととしてかかる人物が特任とはいえ教員として採用された経緯を検証し、問題の所在を明らかにし、採用を判断した当事者に対するしかるべき処分を下してはじめて、東大はこの事件に適正に対処したと評価できるだろうが、そのような処置がとられることを私は到底想像できない。

なぜなら、本件（東京大学にとっての不名誉事件）の発生の遠因には、根深い問題が横たわっているからだ。大澤の特任准教授就任人事の背景には、寄付講座の設置、外部資金導入の件があったと推せられるが、資金獲得の事情が絡んでいるために人物の評定が甘くなってしまったという単純な問題ではない。大澤が関わっている学術・科学技術の分野そのもの、その人脈が属している業界そのものにおける体質や「常識」の一端が、ここで露呈したのではなかったか。ゆえに、本人事の問題性を突き詰めていくと、当該分野の大学における地位の妥当性までもが問い直されなければならなくなる。東大は、本件を受けて学内倫理規定の整備や講座の運営委員会の設置などに取り組んでいるというが、要するにこれは問題の核心からの逃避であり、官僚制を肥大化させることによって臭いモノに蓋をする行為にすぎない。

とはいえ、この大澤なる人物が、その言動の品位のなさにおいて、東大教員としては未曾有の水準に達したことは確かである。かつ、注目すべきは、彼は糾弾された差別的言辞を、彼の専門知（人工知能論）によって正当化したことである。あるいは、言い方を換えれば、彼の認識においては、自分を差別的信条の持ち主とは見なしておらず、専門家としての知見に従った結果を表明したにすぎない、と考えているようだ。

この態度は、東大当局から批判され、スポンサー企業からも捨てられた大澤がいわゆる謝罪声明を出したときにも、変化していない。いわく、「一連のツイートの中で当職が言及した、特定国籍の人々の能力に関する当社の判断は、限られたデータにＡＩが適合し過ぎた結果である『過学習』によるものです」。

大澤の「差別の理路」はおおよそ次のようなものである。「ＡＩの導き出したところによれば、中国人の経済活動のパフォーマンスは低い。だから、自分の会社は中国人をそれが誰であれ決して採用しないが、これは差別ではなく合理的な選択にすぎない」。

日本資本主義のパフォーマンスが多くの分野で中国のそれに次々と凌駕されているいま、どのようなデータを入力すればＡＩがこうした判断を下すのか全く謎である。あるいは、大澤のＡＩはどうしようもないポンコツなのだろうか。そして、そのようなＡＩの判断を鵜呑みにする人物が「最先端のＡＩ学者・事業家」とみなされているという事実には暗然とせざるを得ないのだが、ここではこの問題は措いておこう。

多数の識者が指摘しているように、「差別ではなく合理的判断」という論理は、例えば「女性の離職率は男性より高いので、女性が就職差別を受けるのは仕方がない（当然である）」、「黒人の犯罪率は高いのだから、黒人が不審者扱いされるのは仕方がない（当然である）」といった論理と同型の「統計的差別」である。差別へとつながる統計的結果（この場合、女性の高い離職率、黒人の犯罪率）を生じさせる構造を不問にしたまま、結果を受けた「合理的判断」と称して差別の構造を再生産することが、「統計的差別」の問題の核心をなす。

重要なのは、大澤は、謝罪しているときもこの「統計的差別」の立場を崩していない、ということだ。ＡＩが「過学習」してしまったとは、計算の仕方が間違っていた、と言っているに等しい。それは、言い換えれば、計算の結果を正邪の判断抜きに採用したことが間違っていたわけではない、という主張である。この主張は、別のデータを入力したり、ＡＩの学習方式に変更を加えるなどしたとして、そのときにＡＩが再び「中国人は使えない」と判断するならば、大澤は中国人差別の言動を繰り返すであろうことを意味する。

大澤は、事が大事《おおごと》になって以降、ネトウヨそのものの発言をツイッターで繰り返している。いわく、彼が糾弾と社会的制裁を受けているのは、左翼共産主義者たちの陰謀によるのだそうで、この邪悪な企みと彼は断固として闘う決意であるらしい。こうした反応しか示せないところに、「社会なき人間」の姿が浮かび上がってもいるのだが、ネット上では、「大型新人」の誕生を歓迎するネトウヨが雲霞《うんか》のごとく集まってきて、エールを送っている。いまや大澤の味方になってくれそうな人士はこの類の人々しかおらず、大澤は彼らの抱擁に身を委ねるつもりのようだが、それによってこの青年の社会的生命はおそらく終わりを告げるだろう。

社会が存在しなくなった時代のテクノロジー

だが、大澤昇平が表舞台から姿を消したとしても、彼が体現した現代のテクノロジー利用の傾向性は、一向に弱まらない。このことこそが、真の問題である。彼は、あまりに露骨な差別的言辞を吐いたために制裁を受けているが、テクノロジーに対する彼のスタンスは、今日主流となっているそれにほかならないのである。

一例を挙げるならば、就職情報サイト、「リクナビ」の運営会社が学生の内定辞退率の予測データを企業に販売していた件である。この件は、「統計的差別」の典型例であると言えよう。あるいは、同型のより壮大な試みは、中国政府が導入しようとしていると言われる、ビッグデータを使った社会信用システムである。いずれも、ある個人の行動の来歴から将来の行動を予測して、企業や国家権力にとって不都合な行為を未然に防ぐことが意図されている。

また、昨今盛んに指摘されてきたGAFAをはじめとする巨大IT企業による顧客の膨大なデータ収集とその活用も、同様の問題圏にあることは言うまでもない。二〇一九年一二月一六日にNHKは、アマゾン米本社自身が「AIを使った人事採用システムが『女性に差別的だった』として運用を停止した」旨を報道している。生じた事態のメカニズムは単純である。これまで同社に雇用されたのは男性の方が多かったので、その「実績」を学習したAIは、男性一般の方がアマゾン社員として適性が高いと判断した。人工知能の機能がどれほど発展しようとも、その本質が「計算機」である限り、この結果は全く避けがたいはずだ。それは、現存社会の不公正・差別を是正するどころか、積極的に再生産する。

だが、こうしたテクノロジーがもたらすものは、差別の温存・再生産にとどまらない。われわれが義務づけられることになるのは、「一度たりとも過ちをおかすことが許されない人生」である。すべての行為が逐一記録され評価の対象となる世界とは、一種のデジタル・パノプティコン化された世界であり、一度でも逸脱を犯した者は、そのことによって一生罰せられ続ける世界となる。あるいは、この視角からＡＩによる差別の再生産をとらえるならば、女性・黒人等々として生まれたことそのものが「過ち」になるのである。

無論、ＧＡＦＡによる情報収集、そしてとりわけ中国政府のプロジェクトに対しては、ＡＩやビッグデータの活用によるディストピアであるとして、各方面から非難の声が上がっている。しかしながら、一党支配の国である中国と自由主義体制の諸国でも本質的には同じ試みが同時に行なわれていることからわかるように、結局のところ、どこの国でも行なわれていることは五十歩百歩なのだ。これらの現代的テクノロジーは、個人の一挙手一投足を持続的に監視することによって、個人が現存の社会構造・機構に適合することを強制する。構造・機構をわずかでも攪乱《かくらん》させかねない行為は、「汚点」として記録され、その個人を苦しめることになるだろう。

そこに生じるのは、個人の社会からの徹底的な疎外、おそらくは歴史上未曾有の疎外である。諸個人は、いま現にある社会構造・システムに対して従順であることをかつてない仕方で徹底的に要求される。哲学思想で言うところの「疎外」(Entfremdung) の原義は、「よそよそしくなること」であり、かつその「よそよそしくなってしまうもの」は、もともとは自分のものだったはずのものである。この文脈で言えば、社会はそもそもは人間が構成したはずであるが、その社会が人間を完全に一方的に支配する、ということだ。

この疎外が完成したとき、われわれは社会の存在を認識するだろうか。少なくとも、そのような認識は無意味である。なぜなら、その社会の在り方に適応することのみが求められているのであり、その内的原理を洞察し、それに基づいて社会構造に対する批判的意識を持つことなど一切求められていないからである。むしろ、そうした意識は苦痛のみをもたらすであろう。そうであるならば、社会の存在を否認するに如《し》くはない。

卵が先か、鶏が先か——現在飛躍的に発展しつつあるAI、ビッグデータといったテクノロジーが社会を消去するのか、あるいは、すでに社会が消去された時代にふさわしいものとして、そうした時代状況を肥沃な土壌としてこれらのテクノロジーが生まれたのか。正解は前者ではあり得ない。テクノロジーの発展は、社会の存在様式の従属関数である。なぜなら、社会は常に、どのテクノロジーを発展させるかを取捨選択するからだ。言い換えれば、どのようなテクノロジーが発展するかは、その時々の技術的条件によって絶対的に制約されるのではない。技術的には可能であっても社会が必要としないテクノロジーは、普及・発展しない。社会の特定の存立様式が、普及・発展すべきテクノロジーを指定するのである。だから例えば、江戸時代の日本では、正確に時を刻むことのできる時計の技術はすでにあったが、普及しなかった。なぜなら、時間を厳密に計測しなければならないという社会的需要がなかったからである。

「社会は存在しないとされる社会」。これがいま、資本主義の最高段階（?）としての新自由主義によって現れたものだ。人間の本質が「社会的諸関係の総体」（マルクス）であるのならば、この社会は、人間がその本質を失い、人間でなくなる社会でもある。実際、本稿で論じてきたテクノロジーによって毀損《きそん》されるのは普遍的とされてきた人権や不可侵とされてきた人格性であり、「セカイ系」において排除されるのは人間的成熟である。あるいは、AIが滅ぼすのは人間の道徳感情である。社会も人間も蒸発した後に何が残るのか。われわれが直視せねばならないのは、この問いである。

四　高校野球と階級闘争

過ぎた夏を振り返ろう。甲子園の高校野球は二〇一七年も例年通りの盛り上がりを見せたが、それに関連して「日刊ゲンダイ」を舞台に興味深い論争が発生し、注目を集めた。

まず、八月七日の紙面に、福岡代表で県内有数の進学校でもある東筑高校の青野浩彦監督が登場した。同監督によれば、「『勉強重視』というより『勉強の学校』」である東筑高校の野球部の練習時間は短く、生徒の自主性を重視するという方針は、伝統的なスポ根路線の対極にある。いわく、「『野球（部）は人間力を育てるところ』なんて言うけど違う。悪さをしないために野球をやってるみたいな学校もあるでしょう。でも、野球に縛られたものが外れたら結局ダメになりますよ」。

そして一二日、東筑青野監督への反論の言葉を連ねたのが、山口代表、下関国際高校の坂原秀尚監督であった。同校では、練習は朝五時から行ない、終わりは二三時に及ぶこともあるという。「自主性をうたう進学校」に対しては「そういう学校には、絶対負けたくない」、「僕ね、『文武両道』って言葉が大嫌いなんですよね。あり得ない」と語り、「自主性というのは指導者の逃げ。『やらされている選手がかわいそう』とか言われますけど、意味が分からない」と真っ向から異を唱えた。

いわゆる「正論」に聞こえるのは東筑・青野監督の言葉であろう。一般論として、文武両道は望ましいし、それを支えるのは選手の自主性や効率的な練習である。しかしながら、こうした「正論」に正面から斬りつけた下関国際・坂原監督が持ち込んだものは、言うなれば「階級闘争」の言語だった。

両監督の言葉の端々が示唆しているのは、一口に高校球児と言っても、野球が自己実現のための複数の手段のなかの一つである生徒と、野球が自己の存在証明のための唯一の手段である生徒がいるという現実であり、両者の差異は、多くの場合、階級に関係している。

私は、坂原監督の言葉からドラマ・映画の「スクール・ウォーズ」を想《おも》い起こした。この実話に基づいたスポ根物の傑作では、荒れ果てた高校でさまざまな問題（とりわけ家庭環境）を抱えた子供たちが、熱血漢の監督の手引きによって、ラグビーに打ち込み、ついには全国制覇を成し遂げる。下関国際も似た経緯で野球部を立て直してきた。

強豪校にはさまざまなタイプがあり、単純な分類はできないが、この論争の文脈では、青野監督の言説はすべてに恵まれたミドル・アッパークラス（支配階級）の言語として、坂原監督の言説はそれに支配される階級の言語として現れた。坂原監督が進学校のチームに対して闘志をむき出しにするのは、両者の対戦は象徴的な階級闘争の舞台となるからである。

この決戦は非対称の構造をなしているがゆえに、その闘いには重大なものが懸けられることになる。非対称だというのは、東筑のような高校は、甲子園に出場すること自体が称賛に値する快挙であり、その時点で社会的に十分「勝っている」からだ。さらになお試合で勝つなら、象徴的次元において「あらゆる分野で優れている」と証明したことになる。逆に「被支配階級的なもの」を背負ったチームは、「何をやってもかなわない」という見方を覆すために闘うことを強いられる。そこに懸けられるのは、集団の尊厳だ。

さて、両監督の論争をめぐる世論の反応の多くは、私の見る限り青野監督の「正論」に単純に肩入れするものだった。けだし、「支配階級の思想は、いつの時代にも支配的思想である」（マルクス）。総中流社会が過去のものとなり、再階級社会化が進行しているにもかかわらず、階級闘争の存在を否認するのが当世の主流思想なのであろう。

あまつさえ、かき氷すらをも禁欲した「管理主義」の下関国際が、さほど禁欲的でない敵を相手に敗れたことを嘲笑する現象も見受けられた。「闘う君の唄を　闘わない奴等が笑うだろう」（中島みゆき「ファイト！」）。嗤《わら》うことだけが生き甲斐《がい》となった者たちが増え続けるこの国の現状を、それは映し出している。

自らの尊厳を懸けた闘いにただの一度も挑んだことのない者が、夜更けまで続けられる素振りのバットが風を切る音に「闘う君の唄」を聴き取ることなどできようもない。誰も耳を傾けない唄は、やがて誰も歌わなくなる。その時に出現するのは、尊厳なき社会である。

五　反知性主義——その世界的文脈と日本的特殊性

国家は、道化芝居の種にされるにしては、重大きわまるものだ。愚物だらけの船は、しばらく風のまにまに漂流させておいたらよいだろう。それでもその船は、自己の運命に向かって流れてゆく——愚物どもはそう思っていないが、いないからこそ、かえってそうなってしまう。

——カール・マルクス「ルーゲへの手紙」一八四三年

平成末期から令和にかけての日本社会を特徴づけたものは反知性主義であった。本稿では、なぜそうした事態が生じているのかを現代社会の構造的状況のうちに根拠づける。

そこにはおおよそ二つの文脈がある。ひとつには、ポストフォーディズムあるいはネオリベラリズムと呼ばれる、一九八〇年代あたりから世界的に顕在化した資本主義の新段階において、反知性主義の風潮は民主制の基本的モードとならざるを得ない、という事情である。言うなれば、これは新しい階級政治の状況である。

いまひとつには、制度的学問がそれに棹差しているところの「人間の死滅」という状況が挙げられる。社会の世俗化によって解放された近代性の発展は、世界の中心を神から人へと移すこと、つまり広義のヒューマニズムの原理の確立を伴っていた。それゆえ、近代の学問は、「人間性の完成」という理念を、相当に形骸化していたとしても、掲げてきた。人間の知性の限りない発展は、統制的理念（カント）としてではあれ人間性の最高度の発展を実現するという究極目標を持ち、学問の発展はそれに貢献するものとみなされてきた。しかし、いまわれわれが諸学問において目撃するのは、こうした理念の死滅である。つまり、高度な知性と豊かな内面性を持った人間という理想像は、いまや建前としても消滅した。「人間は死んだ」のである。ポストモダニストは、かつて近代的人間像を否定し、「人間の死」を言祝《ことほ》いだが、彼らの夢は実現した。ただし悪夢として。

いま簡単に述べた反知性主義の土壌となる文脈は、世界共通のものである。つまり、現代はほとんど世界的に「反知性主義の時代」なのである。本稿では、これを踏まえたうえで、反知性主義の日本に特有な文脈を考察する。今日貴賤都鄙《きせんとひ》を問わず繰り広げられている反知性主義の無残な光景は、先に述べた二つの世界的文脈と日本の伝統的（？）文脈が複合して出現したものであるととらえられよう。こうした現実とその由って来る起源を見据えたうえで、泥沼から抜け出すための道筋を探りたい。

反知性主義の定義と一般的特徴

議論を始めるにあたり、「反知性主義」の定義を簡潔に下しておきたい。リチャード・ホーフスタッターによる古典的名著『アメリカの反知性主義』によれば、反知性主義とは「知的な生き方およびそれを代表するとされる人びとにたいする憤りと疑惑」であり、「そのような生き方の価値をつねに極小化しようとする傾向」と定義される（注1）。私はこの一般的な定義に同意するが、ここでポイントとなっているのは、反知性主義は積極的に攻撃的な原理であるということだ。すなわち、それは知的な事柄に対して無関心であったり、知性が不在であったりするということ、言い換えれば、非知性的であることとは異なるのである。知的な事柄に対して単に無関心なのではなく、知性の本質的な意味での働きに対して侮蔑的で攻撃的な態度を取ることに、反知性主義の核心は見出される。

またそれは、学歴とも基本的に関係がない。高学歴者にも反知性主義者はいる。代表例を挙げよう。第二次安倍内閣で内閣総理大臣補佐官を務めた礒崎陽輔《いそざきようすけ》参議院議員（自民党、二〇一九年の参議院選挙で落選）は、「時々、憲法改正草案に対して、『立憲主義』を理解していないという意味不明の批判を頂きます」、「そんな言葉は聞いたことがありません」とツイッター上で発言し、大いに話題となった。この人物の最終学歴は、東京大学法学部卒である。法学部の卒業者が「立憲主義なんて聞いたことがない」というのは、譬えるなら、英文学科の卒業者が「シェイクスピアなんて聞いたことがない」と発言するに等しかろう。

高学歴者は一般に、少なくとも知性のある部分は発達している。いわゆる頭の回転の速さや知識量は標準レベルを超えており、またそれらを鍛える機会にも相対的に恵まれているだろう。礒崎にしても、彼が「立憲主義」という言葉を見たことも聞いたこともなかった（そのような機会に恵まれなかった）ということは、まず考えられない。おそらくは試験勉強の際に覚えて、興味を惹かなかったので、速やかに忘れたのであろう。だから、礒崎がこうした発言によって曝け出したのは、「自分が興味がなく知らないことは知るに値しない」という精神態度にほかならない。己の知の限定性を知ること（ソクラテスの「無知の知」）こそが知的態度の原型だとすれば、この態度は知的態度の対極に位置するものとみなしうる。

ホーフスタッターの古典は、歴史研究であったのと同時に、マッカーシズムにおいてその病巣を露呈させたアメリカのデモクラシーに対する分析でもあった。つまり、反知性主義は、民主政治の重要なファクターである。反知性主義の類似物として、「パンとサーカス」の標語に象徴される愚民化政策というものが古代からある。為政者が、大衆が持つ知性への憎悪を操作・利用して動員し、それによって政敵を武装解除するというようなことは、歴史上無数に繰り返されてきたに違いない。

ただし、大衆民主主義の時代が到来することによって、反知性主義は、大衆の恒常的エートスとなる可能性が現れる。すなわち、この世の中には「知性の不平等」がつねに存在し、この不平等はより実際的な富や権力の不平等に関連する。前近代の身分制社会においては、この格差は「生まれながらのもの」として正当化され、低位に位置づけられた層は、納得しない少数の例外者を除いて、「分を弁える」ことになる。これに対して、万人が同等の権利を持つ、したがって同等の発言権を持つという前提に立つ近代民主制においては、現実に存在する「知性の不平等」とそれに関連する「現実的不平等」は、度し難い不正としてつねに現れ、不満の種とならざるを得なくなる。

そこに現れうるのは、ルサンチマンの情念が猛威を振るう世界にほかならない。「○○が私よりも富んでいるのは、○○が不正を働いているからだ」という思考回路が強力なものとなる。無論、現実にこの考えが正しい場合もある。これがルサンチマンになるのは、「○○が私より優れているから」という可能性があらかじめ排除されている場合である。現実にある差異を否認することによって、卓越者を悪党に仕立て上げてしまう。かかる思考回路の前景化こそ、「自由で平等な人間」という近代原理の陰画であり、かつてニーチェやオルテガが大衆社会の悪夢として警鐘を鳴らした事態であった。

そして、富や社会的地位の場合と同様に、真正の知的精神や態度も、単なる気取りや見掛け倒しにすぎないのではないかという疑惑から、決して逃れられなくなる。「○○が私より知的に見えるのは、知的なふりをしているからである」という思考において、「○○が現実に私より知的に優れているから」という可能性が、あらかじめ排除される。そして、客観的事実に促されて「○○」の知的優位を「私」が認めざるを得なくなったとき、それでもなお「平等」を維持するためには、「知的な事柄全般が本当は役に立たない余計なものにすぎない」という発想が出てくる。これはまさに、反知性主義のテーゼである。

かくして、大衆民主主義社会では、反知性主義の心情が社会の潜在的な主調低音となる。そうである以上、政治権力は、愚民化政策を行なう権力と同様にこの心情を権力資源として取り込みつつ、かつそれが圧倒的な覇権を握ることを防ぐという微妙な舵取りを迫られる。大衆民主主義は、その程度が深化すればするほど、反知性主義の危険性をそれだけ高めることになるという重大な困難を根源的に抱え込んでいるのである。そして、反知性主義の情念が権力者層による統制を超えて爆発的に噴出するとき、マッカーシズムや、文化大革命やポル・ポト派による知識人弾圧といった破局的事態が引き起こされることとなる。そして、現代日本の反知性主義においては、先の礒崎陽輔の例に現れているように、権力者が大衆の反知性主義を自らの権力基盤として利用するという愚民化政策的次元を超えて、反知性主義的エートスが支配層自体にまで浸透していることが、その特徴の一つに数えられるであろう。

「下流」「B層」「ヤンキー」

近代の大衆民主主義の一般的特徴づけを踏まえたうえで、現代の反知性主義がどのような文脈によって活気づけられているのかを見ていこう。第一の文脈は、資本主義のネオリベラリズム化、あるいはポストフォーディズム化である。これによって、総中流社会状況が崩壊し新しい階級社会が出現するなかで、反知性主義が社会の潜在的主調低音から基本モードへと転化する可能性が生まれる。

このプロセスは日本できわめて明白に観察しうる。なぜなら、日本は戦後のフォーディズム的な資本主義の世界的発展が最も成功した国であり、それゆえに他の自由主義諸国と比べても一層均質な総中流社会が成立し、言い換えれば階級社会の解体が最も成功裏に進んだ社会を持つがゆえに、再階級社会化に伴う副作用としての反知性主義は劇的なかたちで跋扈していると考えられるからである。

トマ・ピケティ『21世紀の資本』ブームを俟つまでもなく、資本主義のネオリベ化は格差と貧困の問題を再燃させる。フォーディズムに基づく資本主義の発展は、先進諸国で貧困問題をほとんど片づけるという大事業を成し遂げたわけだが、この解決済みだったはずの問題がネオリベ化によって再び現れるのである。だが、この再階級社会化は、フォーディズム以前の資本制社会、すなわち一九世紀的な階級社会への単純な復帰ではない。つまり、階級格差が再び大幅に拡がるとき、人々の行動様式は単純にかつての階級社会（＝フォーディズム以前の資本制社会）におけるそれを反復するのではないのである。この事実に注目する言説が、今日の日本には多数出現している。「下流社会」（三浦展《あつし》）、「B層」（適菜収《てきなおさむ》）、「ヤンキー化」（斎藤環《たまき》）といった概念がそれである。「下流」も「B層」も「ヤンキー」も、いずれも意識やハビトゥスの観点から分節化された階級を指し示す概念にほかならない。これらの新しい階級は、総中流社会が崩壊し、ネオリベラリズムの浸透によって再編成された社会に出現した存在である。

注目すべきは、これらの「新しい下層階級」は、格差拡大が進行するなかでの低所得者階級と直接には一致していない、ということである。言い換えれば、これらの言説において、「下流」であれ「B層」であれ、低所得者層とは同一視されていない。つまり、収入が比較的高い人間が「下流」ないし「B層」に属するということがありうるし、その逆もありうるのであって、この点に新しい階級社会の状況が典型的に現れている。これらの新しい階級は、かつての比較的明確に位置づけ可能だった経済的カテゴリーではなく、経済的格差に関係するとはいえ、主としてハビトゥスによって、日常的な実践の様式によって規定される文化的カテゴリーである。ゆえに、これから見るように、反知性主義は、新しい階級社会における、言うなれば「階級文化」の一構成要素としてある。

それがデモクラシーに与えるインパクトはどのようなものであるのか。ここでは、適菜収による「B層」論を素材に考察してみよう。

適菜が着目する「B層」の概念は、適菜自身が考え出したものではない。それは、もともとは、二〇〇五年の小泉郵政解散の総選挙をめぐって出てきた。すなわち、自民党から選挙戦略の構築を依頼された広告会社（スリード社）が作成したレポートに登場し、当該レポートが外部流出したことで表沙汰になった言葉である。そのレポートは、国民の階層をA〜D層に分類し、B層を「構造改革に肯定的でかつIQが低い層」、「具体的なことはよくわからないが小泉純一郎のキャラクターを支持する層」と規定している。適菜はこれをまとめて、B層とは「マスコミ報道に流されやすい『比較的』IQ（知能指数）が低い人たち」と定義している（注2）。つまり、マスコミ報道が、グローバル化や規制緩和――すなわち、ネオリベラリズム政策の推進――が良いものだと喧伝すれば、それを鵜呑みにしてよく分かりもしないのに「賛成！」と叫ぶ迂闊で知性を欠いた人々である。小泉自民党は、これを支持基盤として狙う綿密な戦略を立て、総選挙における大勝利を手に入れた。

ちなみに、スリード社のレポートは、B層以外の階層を次のように定義している。A層＝構造改革に肯定的でかつIQが高い。C層＝構造改革に否定的でかつIQが高い。D層＝構造改革に否定的でかつIQが低い。つまり、A層は、ネオリベ化、グローバル化の促進によって恩恵を受けている少数の「勝ち組」的エリート層である。C層は、ネオリベ化、グローバル化の促進によるデメリットに対して敏感であり、それらを一層推し進めることに対して知的に裏づけられた反対の意見を持っている。ゆえに、この集団は「構造改革抵抗守旧派」と規定されている。最後に、D層について、レポートは「既に（失業等の痛みにより）構造改革に恐怖を覚えている層」と規定しているが、この層は打ちひしがれて政治や社会への興味を失い、選挙などには参加しそうにない（つまり、選挙マーケティングの対象としては無意味な）層であるとみなしうるかもしれない。

右のような分類の仕方を目にするとき、不快感を催す人も少なくないであろう。しかし、おそらくこの分類には何がしかの真実が含まれているに違いない。なぜなら、現にこの分類を活用することによって、小泉自民党は選挙で大成功を収めたからである。彼らは、有権者の最大のボリュームゾーンはB層であると見抜き、その事実に即したメディア戦略を立て（具体的にはテレビのワイドショーの重視）、実行した。つまり、この分類には、総中流社会が崩壊した後の新しい階級社会の有り様が、それなりの精確さを持って映し出されているのである。

当時小泉政権のこうした戦略は「ポピュリズム」であると論評されていたが、この用語は非常に多義的であるために、現象の本質を摑むためには十分でない。今日、小泉旋風から十年余りが経ってはっきりと表面化してきたのは、この戦略に含まれていた新しい階級社会状況と、そうした社会のなかでのデモクラシーの質的変容、そしてその基底となっている反知性主義という問題である。小泉政権は、総中流社会が崩壊した後の新しい階級社会で最大のボリュームゾーンを占める階層はB層であると同定し、それに狙いを定めた。そして、このB層は、まさに反知性主義的な階層として規定されている。政治がかくもあからさまに反知性主義に自らの権力基盤を見定めたことの意味が、考えられなければならない。

第一に指摘されなければならないのは、自民党が階級政党へと変貌したというドラスティックな変化である。すなわち、かつての自民党は、さまざまな社会階層の人々を過不足なく代表する国民政党であると標榜してきた――たとえそれがかなりの程度建前であったとしても。いわば「みんな」の利害を代表してきた政党が、特定の階層に支持基盤を見定める党へと変身したのである。実に、小泉首相のキャッチフレーズ、「改革なくして成長なし」は、戦後保守政治の決定的な変質を内包する言葉であった。つまり、成長の復活ないし持続は、「みんな」の利害を実現するという方針の放棄と引き替えにしなければ得られないものであることが告げられていたのであった。バブル崩壊以降、ケインズ主義政策はもはや効果を失い、ネオリベ化・グローバル化の進行とともに、戦後の経済発展が実現した総中流社会が崩壊へと突き進んできたわけだが、政治がその流れを食い止めようとはもはやしないのだ。だが、そのような姿勢をいかにして国民の多数派に支持させるのか。そこで、反知性主義に貫かれた階級政治の手管が要請されるのである。

次に指摘されなければならないのは、深いシニシズムがデモクラシーの基盤に据えられるという事実である。いまや政治が「みんな」の利害を代表することが構造的に不可能であるのなら、「グローバル化の促進が自らの階級的利益に反することを理解できないオツムの弱い連中をだまくらかして支持させればよいではないか」。このシニシズムが小泉自民党の赤裸々な本音だっただろう。こうした変化は、被治者と治者とがお互いに対して抱く感情の基礎が、「信頼と敬意」から「軽信と侮蔑」に転換したことを意味しもする。すなわち、かつては被治者は治者を信頼して権力を預ける一方、治者は被治者に対する敬意を持って統治権を行使するという了解があった。こうした相互のエートスは現実と乖離した理想ではあったが、少なくともそうした建前を維持することが求められていた。今日、安倍政権支持者に典型的に見て取れる態度は、合理的な信頼ではなく軽信・盲信であり、それは当然崇拝に接近する。他方、治者の側は、被治者を自分で自分の首を進んで絞める愚昧な群衆として扱い、そこからたっぷり搾り取ろうというスタンスに変化する。二〇一四年に、ある与党国会議員が、軽自動車税の大幅アップに関して、「(軽自動車は)田舎の貧乏人が乗る」と放言して物議を醸したが、こうした発言には、現代の政治家の本音の姿勢が如実に表われている。支持の見返りとして用意されているのは安手のナショナリズムであるが、これを盛り上げるためにかかるコストは実質的な社会保障政策などよりもはるかに低いであろうから、コストパフォーマンスに優れた政策である。

かくして、深いシニシズムこそ、中流階級が没落するネオリベ・デモクラシー体制の基本エートスとなる。指摘すべきは、反知性主義への傾倒はここでは支配体制にとって不可欠な要素となることである。無論、いつの時代にも愚民化政策的な要素が政治には含まれている。しかし、近代化が開始して以降、愚民化政策を全面化することは、統治者にとって権力基盤の強化に役立つ魅力的なオプションであっても、基本的には選択できないものであった。なぜなら、開放系である(鎖国政策は採れない)近代世界において、国民の全般的な知的水準が崩壊的に低落してしまうならば、長期的にはその国は立ち行かなくなる――究極的にはその国家そのものが消滅しかねない――ことが明白だからである。ゆえに、近代国家は、諸々のイデオロギー的抑制は行ないつつも、国民の知的水準の向上という事業に多大の資源を投じてきた。普遍的な公教育・学制の実現などがその代表である。つまり、近代国家は、時に反知性主義に傾斜することはあるとしても、基本的には啓蒙主義者であることを強制されてきた。アントニオ・ネグリなどが度々指摘するように、人間的諸能力の出来る限りの発展を促しつつ、それらの能力を一定の枠組みのなかに収めなければならないという矛盾を、近代の権力は宿命的に抱え込んできたのであった。

だが、今日始まりつつあるのは、国家と啓蒙主義の根本的分離である。グローバル化が十分に進行すれば、国内で知的人材を自給できなくても少しも問題ではなくなる。「グローバル人材」を輸入すればよいだけである。ここにおいて、国家が普遍的啓蒙という近代の「未完のプロジェクト」(ハーバーマス)を放棄することが可能となる。もっと言えば、反知性主義を首尾よく機能させるためには、それは積極的に破壊しなければならない理念となる。

以上のような現象が、小泉政権から安倍政権に至る現代日本だけに見出される現象ではないことは、言うまでもあるまい。ただしそれは、一九八〇年頃からネオリベラリズムの攻勢が強力になるや否や即座に全面化したわけではない。ポストフォーディズム時代の新しい資本主義社会(すなわち、労働者階級にも高度な「コミュニケーション能力」が要求される「認知資本主義」社会)に対応する人材育成のためには、新しい教育プログラムの確立とそれへの投資が重要であることが欧米でしきりと強調されたのは、一九九〇年代のことであった。その代表的な論客は、ロバート・

ライシュ（米）やアンソニー・ギデンズ（英）である。現代の第一級の知識人である彼らの主張は、大衆教育のプロジェクトの大々的な再編を企図するものであったが、それぞれクリントン政権・ブレア政権において教育・労働政策の根本ドクトリンとなった。

だが、彼らの主導した「第三の道」路線の歴史的評価はまだ定まっていないし、この路線が近代の啓蒙主義の継承者であったとみなしうるか否かは議論の余地が多いものの、確実に言えるのは、こうした模索の後、反知性主義が猛威を振るい始めたことである。すなわち、クリントン政権の次のブッシュ・ジュニア政権当時における反知性主義の噴出である。この場合、反テロ戦争の文脈で、反知性主義はキリスト教原理主義とナショナリズムの結合体として現れた。その真の成果は、ネオリベラリズムの一層の促進、「1％による99％の支配」の確立にほかならず、「第三の道」が称揚したポストフォーディズム的啓蒙主義は後景に消え去ってゆく。

かくして、Stay hungry, Stay foolish! というスティーブ・ジョブズの名文句は、世界的スローガン、時代精神となった。そもそもはスタンフォード大学の卒業式という特殊な文脈で発せられたこの言葉が、文脈を変えて、例えば貧民街で発せられるならば、それを発する人物は命知らずと言うべきであろう。そして、世界の多くの部分が貧民街化しつつあるにもかかわらず、この言葉が、偉大な、つまり普遍的な教えとして流通するという事態は異様であり、それ自体見事なまでに反知性的である。だが、そうであるがゆえに、この言葉はおそろしく的確なのであり、時代精神を体現するものと見なされるにふさわしいのだ。つまり、1％のグローバル・エリートにとって、この言葉は、「際限なく貪欲に富を追求せよ、そのためにはクレイジーなアイディアを次々と脳内に湧き出させろ!」という内容を意味し、その他大勢に対しては「おバカなまま、飢えていろ!」ということにほかなるまい。

「抑圧」から「否認」へ

右に見てきたように、現代デモクラシーは再階級社会化した新しい階級構造における「下流」「B層」「ヤンキー」に大っぴらに依拠するようになった。これらの新しい階級は、いずれもスペクタクルの消費者、反知性的存在として措定されている。こうした傾向は、資本主義のネオリベ化の結果であり、またそれを促進する。政治権力にとっては、彼らは最も重要な票田となり、経済権力にとっては、最も重要な購買層となる。これらの「階級社会の言語」が盛んに飛び交うようになったのは、「階級を摑む」ことが政治にしろビジネスにしろ火急の課題になっているからである。

他方、こうしたネオリベ化の進行のなかでの反知性主義(啓蒙主義の物語の放棄)の跳梁《ちょうりょう》は、「人間像」を、言い換えれば「人間とは何か」に関してわれわれが抱くイメージを、確実に変化させてきている。あるいは、逆に言えば、「人間とは何か」に関するわれわれのイメージが根本的に変化したからこそ、反知性主義が広範に蔓延する状態がもたらされている。こうした状況の総体が「ネオリベ的文化状況」とでも名づけられうるものとして現れることとなる。先に指摘したように、反知性主義がデモクラシーの基盤化することと並行して啓蒙主義のプロジェクトが半ば公然と捨て去られるわけであるが、こうした過程は、「知の制度」であり、従来的には啓蒙主義の砦として位置づけられてきた大学の学問領域においてこそ明瞭に観察されうる。かつてアドルノ＝ホルクハイマーが警鐘を鳴らした「道具的理性による自然支配の進行＝近代的な野蛮」（『啓蒙の弁証法』）という事態が、一切の束縛から解放されて全面化へと向かいつつある。

大学の変質、学問の変質という主題について観察される事象はあまりに膨大であり、多面的に論じることはここではできないので、少数の現象に簡潔に触れてみることができるにすぎない。学問における啓蒙主義の公然たる放棄は、直接には、学問に課せられた「人間性の完成」という理念をアカデミアから追放することを意味する。無論、そうした理念など、とうの昔に形骸化しており建前にすぎなくなっていたと指摘することは可能である。一九世紀の末においてすでに、自然支配に役立つ技術的な学と啓蒙主義以来の理念を保持している学との解消困難な分離が、哲学者のあいだで痛切に意識されていた。その時代から百年余りの間、それでも啓蒙主義のプロジェクトを公然と否定することは憚られてきた。しかし、代表制民主主義が、治者が被治者に敬意を持ち、被治者が治者を信頼するという理想を半ば公然と捨て去ったとき民主制が衆愚制を基本モードとする状態に落ち込んでゆくのと同様に、学問の制度が「綺麗事」から解放されたとき、その中身は必然的に変化することとなる。

そうした変化は、例えば人文主義的学問伝統に対する抑圧として現れる。人間性の完成などもはや誰も目指さないのであれば、人間性を主題とするような学問諸分野は大学運営における単なるお荷物とされ、規模の縮小、研究教育スタッフの削減、最終的には部門の廃止が行なわれる。「人間とは何か」を問う学問の代わりに「人間の死」を事実上の——当事者たちはそれに無自覚なまま——前提とした学問が知の制度の中心を占めることになる。

こうした動向は今日の大学においてどのようなセクションでも目につく事態なのだが、ここでは精神医学や臨床心理学といった学問領域を例として考えてみよう。おそらくこの分野は、「人間の死」が最も劇的なかたちで観察されうる場所ではないだろうか。それは、フロイト主義ないし精神分析学一般の地位低下として、場合によっては精神分析への敵意として現れている。

このような現象の出現を促した原因は、さしあたっては脳生理学の発展と薬の進化に見定められよう。心的機能の不調は、直接の因果論的には、特定の脳内物質の分泌や反対に分泌されるべきものが分泌されないことに帰すことができる。ゆえに、症状が発生したとき、その症状の直接原因となっている物質を止めたり、あるいはしかるべき物質を分泌させるよう脳内の過程に介入することができれば、さしあたり症状を和らげたり解消したりすることはできる。その際の最も簡便な手段は、投薬であろう。無論、患者を症状による苦しみから救い出すことにおいて、脳内物質の分泌に介入する投薬という唯物論的手段は役に立つ。患者を苦しみから救い出すことは、医療関係者の義務であろう。

しかし、そうした義務を実行しなければならないからといって、投薬という手段を万能視しなければならないということにはならない。投薬することと、その手段を万能視することとは、本来全く別の事柄である。心の問題に対する投薬による介入は、人間性に関する一切の観念を排しても何ら問題なく行ないうる。なぜなら、ここで問題になっているのは、脳内で特定の物質が分泌したりしなかったりすることのみであるからだ。要するに、この唯物論的手段は、「精神」という概念を一切排除することができる。事実として、「精神」ないし「心」というものは、物理的には存在しない。人類が「精神」や「心」という言葉で呼び習わしてきたものは、脳細胞と脳細胞間の電気信号といったものに物理的には還元可能であり、投薬行為にとって問題となるのはこうした物理的過程のみである。

重要なのは、投薬の有効性を高め、これを治療に積極的に用いるべきだという要請は、「精神」「心」「人間性」の概念をお払い箱にしなければならないことを自動的に意味するわけでは本来ないことだ。二つの事柄が別であることは繰り返し強調されなければならない。しかし現実には、投薬による治療の高度化はその万能視につながりがちであると推察される。「心」に介入する他の方法がすべて無用視され、診療治療の実践のなかで「精神」「心」が純然たる物理的過程としてのみとらえられるなら、そのとき「精神」「心」「人間性」といった概念は現に存在しなくなる(注3)。

そして、こうした投薬の万能視は、認知行動療法の覇権の確立と一体的に進行しているように見える。ラカン派精神分析家の立木《ついき》康介は、著書『露出せよ、と現代文明は言う』において認知行動療法を「精神療法界の『ファストフード』にほかならない」と述べている(注4)。それは、治す側も治される側もその行動が徹底的にマニュアル化された——それゆえ効率が良い——実践であり、個々の人間の背負った来歴、固有の経験の意味を完全に排除する。認知行動療法を十全なものとして顕揚する立場からすれば、フロイトを始祖とする精神分析学は、無用の長物である。もっと言えば、それは無用であるばかりか、医療制度におけるパイを取り合うライバル、滅ぼすべき敵として認定される。

だが、両者の対立の根源は、本質的には利害関係よりももっと深いところ、両者の人間観の差異にある。認知行動療法の人間観、すなわちその実践が事実上前提している人間は、伝統的な意味では人間と呼べるものではなく、人間なのか動物なのかよくわからない何かである。というのは、啓蒙主義的思考伝統が想定してきた人間性なるものが、ひとりひとりの精神の固有性とその内的発展、そしてその総和としての人類全体での人間性の完全な実現という理念と結びついていたのだとすれば、認知行動療法はそのような人間観から離脱していると考えられるからである。認知行動療法にとっての問題は、投薬行為と同じく脳内の物理的過程に介入することであり、各個人の代替不可能な経験によって形成されるものとしての人間的精神には無関係である。それは、何らの総合的・全体的な人間観なしに機能しうる。

これに対して、フロイト的伝統は、究極的には啓蒙主義の思想伝統に属する。「人間とはリビドーに貫かれた無意識に引き廻される存在である」というフロイトの根本思想が、啓蒙主義思想に見掛け上対立し、その人間観が人間性の進歩についての楽天的ヴィジョンを否定する側面を含むものだったとしても、彼の思考はあくまで人間の全体性を把握することに常に向けられていた。それゆえに、精神分析は精神医学の領域を越えた広い思想的および文化的インパクトを持ち得たのであった。

そして、精神分析学への逆風は、その啓蒙主義を基礎とする人間観が今日の社会情勢に対して適さなくなった、もっと言えば逆立するものとなったことに、おそらくは求められるだろう。逆に、認知行動療法的なものが主流派となったのは、それが旧来の「人間性」の概念を葬り去るほどの強力な知的インパクトを持っているからではない。そうではなく、今日の社会構造、そのなかを生きる「新しい主体」が、認知行動療法が想定する人間像に、正確に言えば、俗流唯物論的に物質に還元された非‐人間の像に、現に合致するものであるからだ。言い換えれば、認知行動療法は、普遍的啓蒙のプロジェクトが放棄されたポスト啓蒙主義時代の申し子にほかならず、それはそのような新しい社会構造から生まれ、その構造を強化する。「精神」を想定できない非‐人間に対して精神を想定しない療法体系が適合するのは、自然なことである。

先に引いた立木の著書は、今日出現した新しい主体、精神なき主体の様相を精神分析を擁護する立場から批判的に描き出して余すところがないが、こうした「新しい人間」は、現代の反知性主義の担い手であると推論しうる。ラカン派の議論を紹介しつつ、立木は、新しい主体の在り方の核心には「否認」があると述べている。精神分析学における「否認」とは、簡単に言えば、心の防衛機制の一つであり、外界の苦痛や不安な事実をありのままに認知するのを避ける自我の働きを指す。「抑圧」との違いは、「抑圧」において「抑圧されたもの」が無意識の領域へと追いやられて意識的に想起できないのに対して、「否認」においては、現実を認めてしまうことで喚起される不安を回避するために、現実の一部または全部を、それを現実として認知することを拒絶するところにある。「わかっちゃいるけど、やめられない」(植木等)という名文句があるが、これは「否認」の心理状態を唄ったものと言える。このように歌にされるほど「否認」はわれわれの個人の心的生活においてありふれたものである一方、それが昂じた時には当然大きな問題が発生する。代表的には諸々の依存症であり、依存疾患者は、自らが依存症であることを、あるいは依存症に陥ってしまった原因（例えば、家族内の人間関係の問題）の存在を「否認」する。
主体の基本的モードが「抑圧」から「否認」へと移り変わることには、人間像のトータルな変化が含まれている。フロイトの措定した近代的人間像が「抑圧」をベースとしていた、すなわち、エディプス・コンプレクスによって自らの原初的欲望を「抑圧」した後、「抑圧されたものの回帰」と折り合いをつけることによって主体化（成熟）するという基本的な精神発達史の物語を背負っていたのに対して、「否認」をその心的生活の基礎に置いたポスト啓蒙主義時代の主体は、このような主体化のドラマを持たず、母子一体の段階において経験される（そしてやがて失われるはずの）幼児的万能感を手放そうとしない、と立木は言う。それは、どのような主体であり、具体的行為としては何をするのか。

そうした主体は、目下流行している言説に同調し、自分の歴史＝物語をもたない。いいかえれば、過去や祖先や系譜にたいして引き受けるべき負債（ラカンの言う「象徴的負債」）をもたない。ネオ主体はだから、なんでも自分を基準に選びたがる。たとえば、自分の子供にオリジナルな名前、たとえば花やクルマの名前をつけることをためらわない（我が国でいわゆるキラキラネームが流行る一因もこれだ）。（注5）

ここで語られている「ネオ主体」の姿が、今日歴史修正主義的欲望を噴出させている人々のそれに重なるのは偶然ではあるまい。無暗矢鱈と「愛国」が振りかざされているにもかかわらず、そこには伝統への真剣な参与や歴史への奥行きのある思い入れも徹底して欠けている。それらの代わりに彼らは、「自分を基準に選んだ」都合の良い歴史の語りを好む。彼らは、自分たちの歴史における不都合ないし不名誉な要素を認めてそれを乗り越えるという苦行に一切耐えられない。つまり、ここにおいて、ナショナリズムの心情は、あけすけな自己肯定のための、幼児的万能感を維持するためのネタとして利用されているにすぎない。立木は続いて、新しい主体が「感覚の論理」に従属していると指摘する。

これらの主体は「イマージュ」(画像、映像)、それも「その向こうに何もないイマージュ」に耽溺する。つねに現前し、飽和するイマージュから、彼らは離れられない。(中略)ネオ主体が透明性を追い求め、そうでないものを目の敵にするのも、同じ傾向に由来する。少しでも分からない表現、かみ合わない会話、あるいは、より一般的に、「言葉と物の適合の不在」に、彼らは堪えることができない。(中略)「デジタルな理解」に余るものは、すべてネオ主体の敵なのだ――あたかも、瞬時に感覚で捉えられるものだけが、彼らにとって存在を許されているとでもいうかのように。(中略)ネオ主体の特徴は、他にも枚挙にいとまがないが、それらのすべてに通底するのが「否認」であることにかわりはない。これらの特徴の核にあるのは、あの「幼児的万能感」の喪失の拒否、いいかえれば、享楽の断念の拒否にほかならない。(注6)

ここでのポイントは、「否認」を受けるのは「否定的なもの」であるということだ、「万能感の喪失」や「享楽の断念」、つまり「抑圧」的なものが拒否されるのである。確かにそれは、ポスト啓蒙主義の時代にふさわしい所作である。啓蒙主義と関連の深いものとして「教養主義」があるが、現代が否定するのはまさにこの教養主義的主体性にほかならない。教養主義的主体とは弁証法的主体であり、経験を通してそれまでの主体が否定されることでより高次の主体へと生成する、という所作を繰り返す。かかる運動は否定性を通じた生成であり、ヘーゲルが「否定的なもののもとへの滞留」、「死に耐えて死のなかに自己を支えそのなかに留まる生こそが精神の生である」(『精神現象学』序論)と言ったものにほかならない。啓蒙主義の時代としての近代において、この運動が「人間性の本質」とみなされてきたのだとすれば、ヘーゲルの言う「精神」を持たない「ネオ主体」は、近代的な意味での「人間」ではない。精神分析学の今日の逆境に代表されるように、諸々の学の領域において近代的人間像が前提できなくなり、さりとて新しい人間像が理念として打ち出されることもないまま、否定性を否認する「ネオ主体」が、学の前提に、しばしばその自覚を欠いたまま導入されている。それはエピステーメーの大掛かりな変化を意味している。

「否定的なものの否認」が大手を振っているのはもちろん精神医学においてのみではない。二〇〇八年にリーマン・ショックが発生した直後、英国のエリザベス女王はロンドン・スクール・オブ・エコノミクスを訪れて、素朴だがきわめて真っ当な質問を発した。「なぜ、危機が起きることを誰もわからなかったのですか」と。

並み居る「一流の」経済専門家たちは、あろうことかこの質問に答えられず、時間を掛けて次のような回答を発表した。いわく、「実のところ、多くの人々が危機を予想しました。しかし、具体的にそれがどのようなかたちで現れるか、いつ始まるか、またどのくらい深刻なものになるのかは、誰も予想できませんでした」。「警告にもかかわらず、ほとんどの人は、銀行が自らの行動を弁えていると確信していました。彼らは、金融の魔法使いがリスク管理の新手の賢い方法を発見したものと信じました。なかには、リスクが一連の新規の金融商品に分散した結果、事実上消滅したのだ、と主張する者さえいました。（中略）人々は、世界中から集められた才能から成る役員や上級管理者、および華々しい経歴を持つ社外取締役を抱えていた銀行を信用しました。誰も彼らが判断を間違えることや、彼らが自らの管理する組織のリスクを精査する能力がないとは、信じたくありませんでした。一世代丸ごとの銀行家や金融業者は、自分たち自身、および彼らを先進経済の先端を行く技術者だと見なした人たちを欺いたのです」。（注7）

ここにあるのが「否認」の心理であることは、一見して明らかだ。彼ら自身が、万事が上手くいっているかの如く見えたことが「否認の心理」（a psychology of denial）をつくり出したとさえ述べている。彼ら自身が認めているように、危機が表面化する以前にそれを警告する声は多数存在し、彼ら専門家がそれに気づかなかったはずはない。彼らは、それを知っていたが、同時にそれを認めなかった。

いったい何がこのような状態を準備したのか。学者を含めた専門家たちがウォールストリートやシティによって買収されていたからだ、という説明は間違っていないが不十分である。カネの誘惑のために真理を曲げたというだけの話ならば、事態はさして深刻ではない。そのような不正・不誠実は取り除きうるものだ。問題は、これらの専門家たちが「金融の魔法使いがリスク管理の新手の賢い方法を発見した」とか「リスクが一連の新規の金融商品に分散した結果、事実上消滅した」という命題をそれなりに本気で信じていた、言い換えれば、彼らはそれなりに知的に誠実だった、というところにある。実に、これらの馬鹿げた信念は、学問的に正当化されていたものにほかならず、彼らは「学的に論証された真理」に忠実たらんとしていたのである。つまり、専門家たちの金銭への欲望よりもっと深刻な次元として、制度に裏づけられた一つの学問分野が全体として「否認」に貫かれていた、すなわち経済学の（全部ではないにせよ）かなりの程度の部分が、「否認の体系」と化していた、という事情が指摘されなければならない。

ジョン・クイギンの著書、『ゾンビ経済学――死に損ないの5つの経済思想』は、その間の事情を明瞭簡潔に論じている。同著の内容に驚かされるのは、一九七〇年代にケインズ主義が挫折し、ネオリベラリズムが席捲し始めて以降の経済学では、「資本主義は不景気という現象を終局的に退治した」（大中庸時代）、「バブルなるものは存在しない」（効率的市場仮説）といった命題が、「本気で」論じられていたという事情が描き出されているためである。「否認されるのは否定的なものである」というラカン＝立木の命題は、ここにぴたりと当てはまる。「不景気」や「バブル現象」といった資本主義にとっての「否定的なもの」は、認められながら認められない。それは、「歴史の終焉」以後の世界にとって認知的不協和をもたらすがゆえに、一つの学問分野のほぼ全体を挙げて否認されなければならなかったのである。われわれがここに見出すのは、知性(学問、この場合経済学)の反知性への反転にほかならない。

愛による支配

さて、以上に検討してきたのは、今日の反知性主義を活気づけている、グローバル資本主義に規定された世界的な文脈であった。続いて、特殊日本的な文脈を検討してみたい。現今の政界を覆う反知性主義については、先ほど礒崎陽輔を代表例として取り上げたが、ここではもう一つ、今日の国政政治家の知的劣化とそのような劣化の温床となっている社会状況を象徴的に示す実例を挙げたい。

二〇一〇年の秋に、仙谷由人《よしと》官房長官(当時)による「自衛隊は暴力装置である」との発言をめぐって、「自衛隊員に対して失礼である」という類の批判が国会内外から噴出し、その尻馬に乗るかたちで「ヒゲの隊長」こと佐藤正久参議院議員(自民党)が「マックス・ウェーバーは左翼だ」(注8)という趣旨の発言をツイッター上で行なうという出来事があった。

蛇足ながら言えば、自衛隊のような軍事組織や警察などの国家が有する実力組織を「暴力装置」と呼ぶのは、政治学や社会学では全く一般的な事柄である。ところが、日本の一部世論はこうした常識を理解できず、仙谷への批判の声が相次いだ。これは、インターネットの普及による「集合知」ならぬ「集合痴」の効果が遺憾なく発揮された例だと言えるであろう。一般人が政治学や社会学における「暴力装置」の意味を知らないのは、致し方ない。問題は、非難の声を上げた連中が、その意味を考えてもみようとしないくせに声だけは大きい、つまり反知性主義的群衆にほかならないことである。彼らは、「暴力装置」という言葉の語感からピント外れの批判を繰り出し、実際は無知を曝け出しているにもかかわらず、あたかも「失礼だ」という批判が正当であるかのような雰囲気が醸成される、という無残な状況が出現した。

この状況に勢いを得た佐藤は、ウェーバーを引き合いに出して仙谷を非難し、恐ろしいまでに滑稽な事態を引き起こしたわけである。周知のように、ウェーバーは、「国家とは、ある一定の領域の内部で（中略）正当な物理的暴力行使の独占を（実効的に）要求する人間共同体である」（注9）、という近代国家についての最も有力な定義を下した。佐藤は、どこで仕入れたのかわからないが、「国家＝暴力装置」というのは左翼の発想であり、こうした左翼の発想を言い立てたウェーバーは左翼に違いない、という思考回路に基づいて仙谷を非難したものと思われる。再び蛇足ながら記しておくならば、マックス・ウェーバーは、こちらは本当に左翼であったローザ・ルクセンブルクとカール・リープクネヒトが殺害されたとき（スパルタクス団の蜂起と虐殺）、赤飯を炊いて祝った（日本風に言えば）人物である。ここに出現したのは、いやしくも国会議員という政治のプロが、近代国家についての最有力の定義を知らず、さらに悪いことには、半可通のいい加減な知識と大衆への阿りによって政敵に対する攻撃に打って出た、という事態である。学問的常識からすれば、暴力が国家の暴力装置にしっかりと一元的に集中されている状態は、国家の秩序を重視する立場にとって、望ましい状態にほかならないのである。

ここで注目すべきは、「暴力」という言葉が――その正当性にもかかわらず――広範な反知性主義的批判を呼び起こしたことであるように、私には思われる。つまり、ほかでもなくこの言葉が反知性主義の噴出のきっかけとなったという事実に、日本の反知性主義の特質が表れていると感じられるのである。露になったのは一種のアレルギー反応、「否認」である。すなわち、自衛隊や警察とは、その本質上暴力装置であり、そうでなければならないという当然の事実が否定されなければならない、というところに日本の国家主義に関係する反知性主義に特有の「否認」の構造を見て取ることができる。つまり、国家の根幹には暴力があるという普遍的な事実が、この国では否定される。しかし、言うまでもなく、国家による暴力は存在する。ゆえに、その暴力は、いわば、暴力であることを自ら否定する暴力、すなわち否認に貫かれた暴力として行使される。

このような特異な暴力およびそれへの認識の在り方を示唆することによって私が念頭に置いているのは、天皇制国家における暴力である。それは、戦前戦中の共産主義者への弾圧、「転向」現象において、最も苛烈かつ典型的なかたちで現れた。国家による思想信条の弾圧は古今東西ありふれた現象であるが、日本で起きた転向現象において特異な点は、そこに介在した権力の温情主義である。特筆すべきことには、天皇制国家は反抗者たちに対して苛烈な暴力をふるったと同時に、「優しく」接したのであるが、この二面性は矛盾ではなかった。

当時の国家権力が理想の転向形態と見なしたのは、暴力によって無理強い的に共産主義者を思想転向させるのではなく、思想犯が自らの持った信念を心の底から後悔し、自主的・内発的に転向することであった。思想の科学研究会による『共同研究　転向』は、特高警察側の資料を参照してその手管の在り方を次のようにまとめている。

ある思想検事は、転向を実現するための定石を、みずからのそれまでの棋譜を検討することによって、後に続く司法官のためにのこしている。長い拘禁生活につかれはてている思想犯を独房から出してやり（拘禁生活の後悔に対応）、署内の応接室にまねき入れて、検事自身はやや固い椅子にすわっても、被告にはソーファのようなやわらかい椅子に腰かけさせ、煙草の火をつけてやったり、外から食事をとってやったり（健康の消極性）、はなすのにもきつい態度をもってせず、同種の教養と感情をもつものとして一種の連帯感をもってはなしかけ（階級的自制、国民的自覚）、非公式に親に面会させて親をとおして検事の言い分をといてもらい（家庭愛の復活、生活責任）、さらに独房にかえしてゆっくりと過去と未来を考えさせる（年齢の作用、性格の反省）ことをとおして、ほとんど自発的に転向上申書を書かせることができる。（注10）［傍点引用者］

椅子の柔らかさや出前の食事などの小道具もあるが、より重要なのは「ひとたび転向が告白された後には、当局は各種世話機関をとおして、転向者が従順な国民として社会復帰できるように、日本の天皇制に特有の温情をもって努力した」（注11）という点である。つまり、署内で示される温情は、ただの見かけ倒しではなかった。無論それは、それだから天皇制国家権力は、ほかの圧政的政府に比してマシである、ということを意味するわけではない。それが実に特異な論理によって作動していたことが問題なのだ。

よく知られているように、治安維持法が禁じていたのは、「私有財産制度の否定」と「国体の変革」であったが、その「罪」の重さは後者の場合の方がはるかに上回っていた（注12）。天皇制を維持したまま私有財産制に手をつけるということは論理的にありうる。現にそのような論理に従って、佐野学・鍋山貞親《さだちか》らは、自分たちは依然として共産主義を捨てていないという自己認識を持ったまま、転向した。これに対して、「国体」の概念そのものが曖昧模糊としていた、したがって「国体の変革」の意味も曖昧であったにもかかわらず――それは君主政体の変更を確実に意味するが、どのような「変更」であるのか規定され得ない――、それは、私有財産制の改造や解体といった企てとは比較を絶するおぞましい観念であると一般的に思念された。すなわちそれは、実質的な秩序変革のプランとしては当時最高度に壊乱的であった私有財産制の否定よりも、はるかに恐るべきものとされたのである。

それでは、「国体の変革」の企てを禁ずるとは、実質的には一体何を禁じていたのか。転向・改悛するならば、この罪は（懲役はつくとしても）基本的に赦されたというところにポイントがある。これはすなわち、「国体の変革」という観念を奉じたり、それを実行しようとする組織（＝共産党）に参加することが犯罪視されていたのでは実はない、ということを論理的には意味している。通常の刑法的な犯罪観念に従うならば、勾留後の態度如何で情状酌量の余地はあるものの、量刑を第一義的に規定するのは実行された犯罪の重さである。治安維持法違反への対処は、明らかにこのような通常の刑事犯罪の原則に従っていない。刑法的原則に従うならば、「国体の変革」を企てたということに課せられた罪の重みに鑑みれば、それを目指す組織に参加した時点で最高度に重い犯罪が自動的に構成されるはずであるからだ。しかし、すでに述べたように、悔悛した者に対しては寛大な、親切ですらある扱いが待っていた。量刑に関しても、例えば佐野学の場合、無期懲役の判決を一旦受けるも、後に懲役一五年に減刑されている。

ゆえに、天皇制国家原理においては、「国体の変革」を企てることとは、端的に不可能なこととして観念されていたと考えられなければならない。日本人である限り、かかる考えを持つこと自体がそもそも不可能なのであり、したがって治安維持法違反などという犯罪は実はあり得ない。言い換えれば、国家権力と国民（法的には「臣民」）が対立するということが国体の論理においては不可能なのであり、このような不可能性が、日本が「万邦無比の国体」を戴く特別な国家である——他の国家ではかかる対立が実際に生じている——ことの証左とされていたのであった。

こうした世界観から見れば、「国体の変革」を企てるという道に入り込んでしまった者は、国家に対立した恐るべき犯罪者なのではなく、不幸にもおかしな道に迷い込んでしまった可哀想な善導すべき存在だということになる。だから、当局者は、そのような存在に対しては、「一種の連帯感をもって」接しなければならない。かくして、「国体の変革」を企てることを禁ずるという治安維持法の条文が意味したところの核心は、この国の国民が国家秩序に対して敵対することはあり得ない、という命題にほかならない。それは、「敵対性の否認」なのである。

こうした「否認」が、「家族国家論」的国家観念から生じていることは見易いであろう。家族の成員が「自ずから相和する」のと全く同じように日本国民、臣民同士、そして君民が自然に相和することによって成り立っているのが大日本帝国であり、そのことによって我が国は世界に類を見ない存在なのだ、という観念である。こうした見解は、明治後半あたりから高山樗牛《ちょぎゅう》や井上哲次郎らによって打ち出され流行した。それは、大正デモクラシーの時代の自由主義的風潮のなかで一旦は力を低下させるものの、大正デモクラシーの自由主義（自由主義は価値観の対立・利害の対立が存在することを前提とする）はついにこの観念を打ち倒すには至らず、昭和の激変期に入ったとき、家族国家論的国家観念はその測り知れない威力を発揮することとなる。

この観念の磁場においては、国家の構造はイエ制度の直接的・同心円的な拡大版として思念され、無論その頂点には日本国家＝大いなるイエの長たる天皇が位置する。転向者に対する温情主義もこの構造から発生する。共産主義者とは、不幸にも家族の和合から一時的に逸脱してしまった者なのであり、そこからの転向は「家族への復帰」にほかならないものとされる。だから、過ちを悔いて家族に戻ろうとする者に対しては、温かく迎え入れなければならない。中野重治が転向文学の代表作となった『村の家』において主題化したのは、まさにこの家族の善意の形を取った支配の構造であった。

だから逆に言えば、「国体の変革」という観念を信奉することとは、この国が家族の如きもの、矛盾葛藤なき「愛の共同体」ではない、そこには解消し得ない敵対性が内在しているという観念を確信することであった。そして治安維持法は、まさにこのことを禁じたのである。この観念を捨てることとは、社会内在的な敵対性という「否定的なもの」の存在を否認することで、

「愛の共同体」に復帰することにほかならない。そして、愛の共同体の成員たちは、これを真摯な改心として受け容れる。

しかしそれはもちろん、巧妙な内面支配の形態、「愛による支配」にほかならない。天皇制国家の愛は、それへの反逆者にも執拗に絡み付く。かつそれは、周知のように、敵対性の存在に固執する者に対しては凄惨な暴力をもって応じた。それはおそらく、質において世界史上類を見ないほど畸形的で陰惨な国家暴力であった。思想犯に対して、一方で激しい拷問を加えながら、他方でこう語りかける。「この暴力はわれわれが君を愛するがゆえであり、君が自分の過ちに気づくためなのだ、それさえ認めれば君はまたわれわれの仲間に戻るのだ」と。それは、反逆者を事実上罰するのみならず、その主体性を根底から破壊することを目指していた。転向者は、反逆者として敗北するのではなく、家族の愛に気づかなかった恩知らずとしての自己を、また国家と対立する思想信条を抱いた者としての自己ではなく、単に不合理であり得ない思想を持った者としての自己を、転向することによって見出すこととなる。

「家族国家としての日本への復帰」という転向のモチーフは、転向現象の大局的な構造において見出されるだけでなく、転向を促す際の手段としても積極的に活用された。日本に復帰することは、家族の愛に目覚め、家族に復帰することと重ね合わせられたのである。すなわち、先に引いた「親をとおして検事の言い分をといてもらう」というのは、転向を実現する際の有力な手段であった。そうした転向例の最も「成功」したものとして、『共同研究　転向』は、小林杜人《もりと》の例を挙げている。獄中の小林は、家族の愛を想起するのと同時に、故郷の美しい山河を想い出すことによって転向を決意する。それが徹底的に欺瞞的なのは、獄中で想起された美しい山々の光景とは、「彼が入獄前には是非変革しなければならないものと考えていた『貧苦』の生活形態」（注13）の一部をなすものであり、美的幻影にほかならないからである。実に、このように徹底的に欺瞞的な転向は、天皇制国家の側からすれば、最も理想的な転向形態であった。転向後の小林は、御用団体の活動家として積極的に転向者の「更生」に努めることとなる。

家族愛による転向の理想例が小林杜人に見出されるとすれば、最も壮絶な例は戦後大物右翼フィクサーと呼ばれた田中清玄《せいげん》だったのではなかろうか。田中は東大新人会から日本共産党中央執行委員長となり、数々の武装闘争を実行する。そして、一九三〇年七月に逮捕されるが、その五ヵ月前に田中の母が、息子を諫《いさ》めるために割腹自殺を遂げる。母の遺書は、次のようなものだった。「お前のような共産主義者を出して、神にあいすまない。お国のみなさんと先祖に対して、自分は責任がある。また早く死んだお前の父親に対しても責任がある。自分は死をもって諫める。お前はよき日本人になってくれ。私の死を空しくするな」（注14）。母の自死を知った田中は煩悶し、熟考の末、共産主義者から天皇主義者へと転向する。

ここで考えられるべきは、こうした多様なかたちで戦前戦中に展開された「母なる天皇制国家への帰依」という現象は、敗戦による天皇制の大改編を経てどうなったのか、ということである。すなわち、ミリタリズムの中心、「大元帥としての天皇」という天皇像が、いわゆる民主化とともに過去のものとなったとき、天皇制国家の悪しき本質は真に清算されたのか、という問題である。

私の考えでは、それは清算されていない。それを証するのが、例えばあのあさま山荘事件の時に繰り広げられた光景である。若松孝二監督による「実録・連合赤軍　あさま山荘への道程《みち》」（二〇〇七年）という映画があるが、陰惨な場面が延々と続くなかで、私にとって山岳ベースでのリンチ殺人よりも陰惨な光景として記憶から離れないのは、あさま山荘での銃撃戦における一場面である。山荘に立て籠もった赤軍戦士たちを説得するために、警察はその母親を現場に連れてくる。そして、母親は拡声器を握って泣きながら絶叫する、「〇〇ちゃん、出てきてー！」と。この光景は、ある意味では連合赤軍の「革命戦争」の空疎さを見事に浮き彫りにする滑稽なものでもある。しかしながら、同時にこの光景はあまりに陰惨だ。なぜこのとき、赤軍兵士の母は、このような無様な振る舞いをしたのか。そこには、それが親心というものだと言って済ませられない、吟味されねばならない重大な問題性がある。

　赤軍戦士のやったことは最悪の愚行であり、私は一片の共感も持ち得ない。ゆえに、赤軍戦士の母は、息子たちの行動を理解し共感すべきだということではない。だが、それでも私は、母たちのあのような行動はあまりに無惨なものだ、と考える。なぜなら、いかに意味不明で単なる愚行にすぎない行為に見えるとしても、当人には当人自身の考えがある——たとえそれがいかに道理から外れたものであっても——、言い換えれば、息子には一個の人間として主体性があるという事実を、この行為は無効化しようとするものにほかならないからだ。かつそれは、息子たちの行為に伴う責任を免じようとするものでもある。当人には自身の考えがあり、したがってその考えに基づいて行動することにおいて、それに伴う責任はすべて本人がとるべきものだと考えるならば、銃撃戦による死も含めて行動がどのように展開しようとも、それは第三者が容喙《ようかい》できる事柄ではない。

結局のところ、「赤軍戦士の母たち」がしたことは何であったのだろうか。それは、天皇制国家の伝統原理たる「愛による支配」を継承することであった。山岳ベースでのリンチ殺人とあさま山荘への籠城において、連合赤軍の「革命戦争」はすでに十分茶番であったが、「母たち」が登場することによって、事件の茶番性は総仕上げを受ける。籠城に至るまでの過程ですでに赤軍戦士たちの行動の内実はおよそ政治闘争とは呼べない代物となっていたが、母たちの絶叫はとどめの効果を持っている。それは、赤軍戦士の行為が政治闘争として間違っているだけでなく、そもそも政治闘争の行為たり得ていないことを告げ、さらには政治闘争の行為そのものがあり得ないことを示すものであるからだ。

すでに現実に茶番であった事の成り行きを誰の目にも明らかな茶番劇へと仕上げたという意味で、母たちの呼び掛けは状況の真実を明るみに出している。しかし、その真実が親の口から語られることによって、状況は別様のものへ転化する。すなわち、状況の真実を認めることと、親の愛に目覚めることが、等置されたのである。赤軍戦士の行動が本当のところ政治闘争たり得ていないという事実を認めることそのものは、敵対性の認識をまだ手放してはいない。しかし、この認識に到達することが親の愛への目覚めを媒介として行なわれるのならば、それは、政治闘争のやり方が間違っていたという認識から、政治闘争を行なった(敵対した)ことそのものが間違っていたという認識へと移行することを意味する。およそ政治闘争なるものが存在するためには、敵対性が社会に内在することの認識が前提とされる。つまり、ここで母親が動員され、「革命戦争」がおよそ政治闘争でなくなる（ファミリードラマ化する）ことによって生じるのは、政治闘争そのものが存在論的に否認される、つまり敵対性の存在が否認されることである。「母を悲しませるような行動は、それが何であれ間違っている」と。

かくして、「あさま山荘の母」とは、田中清玄の母が戦後民主主義的に頽落したバージョン、茶番としての反復にほかならない。どちらも「愛による支配」であることは共通しているが、田中の母が「よき日本人たれ」と息子に命ずるのに対して、「あさま山荘の母」は「出てきて」と息子にお願いをする。田中の母が罪と責任の意識から真っ直ぐに死を選んだのに対し、「あさま山荘の母」は親子共々反逆の罪を赦されることを願う（あさま山荘事件の進行中、山岳ベースでの惨劇はまだ明らかになっていなかったのだった）（注15）。戦前戦中の「きつい」天皇制においては「諫め」は死によって行なわれなければならなかったが、戦後の「ゆるい」天皇制においてはメガフォンを持って絶叫することが許されたのであった。その落差は大きいが、それでも原理は共通である。この家族国家において、社会内在的な敵対性は否認されるのである。戦前「主義者」や「アカ」といった言葉が独特の響きを持ったのは、こう呼ばれた者たちが、この敵対性を否認しないという意味で恐るべき異分子であることを意味していたからであった。

先に触れた政治家の「暴力装置」発言による騒動は、この原理がいまもなお健在であることを示唆する。「暴力」という言葉は、敵対性が存在することの表徴にほかならず、そうであるがゆえに、それはアレルギー反応を引き起こした。この発言をした仙谷由人は、社会科学的には全く正しいことを述べていたにもかかわらず、弁明することもなく発言を撤回したのであった。

「日本社会は同調圧力が強い」とは、非常にしばしば指摘されてきた事柄であるが、一体われわれは何に同調させられるのか。その核心にあるのは、「敵対性の否認」にほかなるまい。このことは、明治以降の近代化に始まり、敗戦を契機とする民主化が行なわれても、依然として日本国家が契約国家（社会契約に基づく国家）になり切っていないことと関係している。契約は、相互に対等で敵対的な関係を潜在的に持つ者同士が取り結ぶものである。逆に言えば、潜在的な敵対性が存在しないのならば、契約は必要がない。

要するに、この国には「社会」がない。社会においては本来、その構成員のあいだで潜在的・顕在的に利害や価値観の敵対関係が存在することが前提されなければならない。しかし、日本人の標準的な社会観にはこの前提が存在しない。そうでなければ、「社会」という言葉と「会社」という言葉が事実上同義で使われるという著しい混乱が生じる（「社会人」とは実質的に「会社人」を意味する）はずがないのである。あるいは、「権利」も同様である。敵対する可能性を持った対等な者同士がお互いに納得できる利害の公正な妥協点を見つけるためにこの概念があるのだとすれば、敵対性の存在しない社会にはそもそもこの概念は必要がない。ゆえに、社会内在的な敵対性を否認する日本社会では、「正当な権利」という概念が根本的に理解されておらず、その結果、侵害された権利の回復を唱える人や団体が、不当な特権を主張する輩だと認知される。ここではすべての権利は「利権」にすぎない。会社はあるが社会はなく、利権はあるが権利はない。まさにこうした「敵対性の否認」に基づく思考様式にどっぷりつかった層が今日の反知性主義の担い手となっているのは、実に見やすい道理である。

天皇制国家の論理、すなわち国家を家族のアナロジーでとらえることにすでに重大な問題がはらまれているが、百歩譲って仮にそれに一理があるとしても、現実の家族は無条件的な調和が想定されうる「愛の共同体」などではない。それは、愛憎の葛藤が渦巻く敵対性をはらんだ共同体である。信田《のぶた》さよ子が「アダルト・チルドレン」の概念に関して強調するように、家族内での愛情はしばしば支配の欲求と一体化し、かつそれを隠すものとして機能する。「貴方のためなのよ」という母親がしばしば子に対して発する言葉は、支配の欲望を実現しつつ隠蔽するものであるが、それは戦前戦中の思想検事の論理をぴたりとなぞっている。そこでは、温情と拷問はいずれも、思想犯の主体性を無化する、主体として思考することを不可能にする手段としてコインの表裏をなしていたのであった。

否認先進国、日本

見てきたように、日本的な「敵対性の否認」もまた、今日の反知性主義の世界的文脈に見て取れる「否定的なものの否認」の一種に数えられうる。近代主義の立場からすれば、社会はその社会に内在する敵対性を正面から認め、それを引き受けることによって、一段高次の共同体へと生成することができるし、そうしなければならない。それが、「否定的なもののもとへの滞留」を通じた弁証法的生成の論理である。ところが、すでに見たように、ネオリベ資本主義の要請から啓蒙主義のプロジェクトは公然と放棄され、制度的学問の体系は、「否定的なものの否認」に貫かれるようになる。してみれば、反知性主義の日本的伝統・その特異性は、こうした世界的傾向を先取りしたものであるとも言える。全く誇らしくもないが。

「悠久の国体」が否定性を含まないものとされるのと同様に、「歴史の終焉」以後の世界に否定性は位置づけられ得ない。したがって、日本は言うなれば、否認先進国であり、世界は日本化しつつあると言える。成熟の拒否、すなわち否定性を媒介とした成長を拒否する所作が「クール・ジャパン」、「カワイイ」カルチャーとして輸出商品になりうるという文脈もここにあるだろう。それは、世界史の文脈において近代化を強制され、その近代化がどこまでも表層のものにとどまり、その表層性こそをナショナル・アイデンティティにしてしまった日本の、グローバルな近代化に対する復讐であるとも言える。例えば、村上隆はそのような文脈をはっきりと自覚して、自らの作品を芸術史の文脈に乗せた。

以上からわかることは、今日の反知性主義の世界的傾向の根強さである。これを反転させることは、無論容易ではない。それは、グローバルな規模で亢進する「否認の心理」を振り払うことを意味する。それは、やや抽象的な言い方をすれば、今日のような「否定的なものの否認」が蔓延する状況そのものを、世界史における「否定的なもの」としてとらえ返すことによってなされるほかない。おそらくそれは、破局的事態としての「否定的なもの」を避けるためのただ一つの道である。

（注1）リチャード・ホーフスタッター『アメリカの反知性主義』田村哲夫訳、みすず書房、二〇〇三年。

（注2）適菜収『日本をダメにしたB層の研究』、講談社、二〇一二年。

（注3）こうした現象は、逆に「心」や「精神」と呼ばれてきたものが、本当は何であったのかを明らかにしもする。物理的次元において、それらは存在しない。人間の心臓や脳髄を解剖してもそこに「心」が見つからないのと同じく、電気信号は「心」ではない。物理的次元をどれほどくまなく探しても「心」「精神」が見つからないということは、これらが存在しないということを意味するのではなく、これらが非物理的な実在性を持つ、ということである。この特殊な実在性は、物理的に実在するものの間の関係性において見出されるべきであろうが、ここではこの主題にこれ以上立ち入ることはできない。

（注4）立木康介『露出せよ、と現代文明は言う ――「心の闇」の喪失と精神分析』、河出書房新社、二〇一三年。

（注5）同前。

（注6）同前。

（注7）British Academy Forum, 17 June 2009, The Global Financial Crisis - Why Didn't Anybody Notice?（http://wwwf.imperial.ac.uk/~bin06/M3A22/queen-lse.pdf）

（注8）佐藤正久のツイッター上での発言全文は以下。「マックス・ウェーバーによる『暴力装置』とは『軍隊・警察は国家権力の暴力装置である。国家から権力奪還するためには社会の中に新たな暴力が組織化されなければならない』と暴力革命を是とし、国家は悪であるとの認識では？ 仙谷官房長官がこの考えであれば、マルクス主義から脱却していないの？」

（注9）マックス・ヴェーバー『職業としての政治』脇圭平訳、岩波文庫、一九八〇年。

（注10）思想の科学研究会編『共同研究　転向1』平凡社、二〇一二年。

（注11）同前。
（注12）一九二八年の法改正により、「国体の変革」に対してのみ最高刑が死刑となった。
（注13）前掲、『共同研究　転向1』。
（注14）田中清玄・大須賀瑞夫『田中清玄自伝』ちくま文庫、二〇〇八年。
（注15）ただし、連合赤軍の親たちのなかには、死を選んだ者もいる。坂東國男の父は首を吊って自ら命を絶った。その死の動機は十分に考察される必要がある。

六　泰明小学校アルマーニ問題が問いかけるもの

東京・銀座にある中央区立泰明小学校で、イタリア・アルマーニ社の監修する、八万〜九万円かかる標準服が導入されることの是非が話題となっている。いろいろな見解が出されているが、私の見るところ、本件の問題性の本質は、社会の新自由主義化にある。

「銀座のブランド性にふさわしい服育」云々《うんぬん》を語る和田利次校長は、記者会見等でさまざまな説明を行なっているが、どう弁明しようとも、この決定が帯びるメッセージの中核は明らかである。すなわち、「子供の制服に八万円出せないような貧乏人の子供は銀座の小学校になんか来るな」と暗に言っているのだ。

空間が階級序列化されるという階級社会的現象は、社会の新自由主義化に比例して顕著になる。その究極の形が、一方には「ゲーテッド・コミュニティー」（門や壁で仕切った富裕層向けの地域）、他方にはスラム街という光景であるが、もっと身近なところにもそれは現れる。その代表が、教育環境である。

私の経験を紹介すると、二〇一五年に、京都市に移住する際に家族向け賃貸物件を探したのだが、気づかされたのは、不動産業者の宣伝文句に「〇〇小学校学区内」という表記が大変多いことだった。それらは「この辺りは教育熱心な家庭が多く、環境良好です」とアピールしているのである。子供の通う小学校からすでに将来所属する階級が決まってくるという考えが、都会の親たちを支配しつつある。

きわめて逆説的であるのは、小学校から高校まで、公立学校の地位向上を図る政策的試みの末に、こうした現象が顕著になっていることだ。大学進学実績における名門公立高校の凋落《ちょうらく》（私立の進学校に敗北）が明らかになり、対策のテコ入れがなされてきた。しかし、テコ入れするにも、金銭的および人的資源は限られているので、集中投下をせざるを得ない。そのために、結果は政策の最初の意図と逆のものとなる。公立学校の強化は、「私学に通う経済的余裕のない家庭の子弟に、平等のチャンスを与える」ことを目的としていたはずが、逆に、強化された公立校に「私学に行かせる資力もあるけれど公立に通わせた方がお得」と考える家庭の子弟を集めることとなるのである。

これは「逆の再分配」であり、もともと不平等な世の中を政策の媒介によって、さらに不平等にすることを意味する。「質の高い教育を受けさせたい家庭はみんな高い学費を自己負担して私学に行かせるべし」とした方が、まだしも公平だということになる。

泰明小学校の件に戻ろう。同校は特認校（区内の児童なら通学区に関係なく入学できる学校）であり、長い歴史を持つと同時に右に述べた公立学校の最近の改革の産物でもある。同校に通う児童の保護者から新標準服に対する疑問や批判の声が上がったことは、まだしも救いであったと言える。というのは、校長の決定は「泰明の保護者ならばこれを進んで受け入れるだろう」という予測に基づいてなされたのであろうし、それは校長のメッセージに、保護者たちが賛同するということを意味するからである。つまり、校長の目論見《もくろみ》通りこれに違和感を持たない保護者は、新自由主義的感性に侵され、「逆の再分配」の恩恵を受けていることに自覚もないのであろう。

本件に対する世論の反応には、「当事者たちが決めればよいのではないか」というものも多数見られた。こうした見方は「当事者が決めるのが民主主義」という考えに基づいているようだが、勘違いも甚だしい。そもそも、本件において「当事者」とは誰か？　公教育の問題は、一小学校内部で多数決されるべき問題ではなく、国家と国民全体の民主主義の根幹に関わる。今回問われているのは、「目障りな貧乏人は銀座をうろつくべきでない」という命題を、日本の公教育（少なくともその一部）の理念としてわれわれ国民が認めるのか否か、ということにほかならない。

かくして、社会の新自由主義化と、国民国家の崩壊プロセスの一端がここに現れている。国民国家の理念によれば、公立学校は全国民の教育におけるミニマム（最低限の機会）を等しく保証すべきものだが、こうして「公立学校という社会の資産は、チャンスに恵まれた個人が自分に都合よく分捕るべきものだ」という感性は、すでにかなり支配的となっている。われわれは、われわれの時代精神を批判するところから、始めなければならない。

第三章

新・国体論

一 「戦後の国体」の終焉と象徴天皇制の未来

平成が終わり、二〇一九年秋には新天皇による大嘗祭《だいじょうさい》がとり行なわれた。

その大嘗祭の経費は、国庫で負担されるべきなのか、皇室が負担すべきであるのか。秋篠宮は、二〇一八年の自らの誕生日に先立つ記者会見にて、「宗教色が強いものを国費で賄うことが適当かどうか」と疑問を呈し、宮内庁長官が「聞く耳をもたない」とまで踏み込んだ。

秋篠宮は、きわめて厳格で明瞭な憲法理解を披瀝し、皇室が負担すべきものだと主張したのだ。そもそも、敗戦後の民主化改革（この場合、神道指令）による国家神道の解体は、国家と神道の分離を規定し、天皇や皇族が神道の神官として司《つかさど》る儀式は天皇家の私的行事であると定義された。しかし、これまでこの原則は曖昧にされ、宗教性を明らかに有する行事、例えば大嘗祭が公的性格を持つとして国費によって賄われてきた。

このことの問題性を、秋篠宮ははっきりと指摘した。昭和から平成の代替わりの際にはうやむやにされた問題にスポットを当てたのが、皇室の一員だったというわけだ。

この発言の含意は、皇室の戦後憲法の価値観に対する信頼と忠誠をあらためて表明したものであると解せようし、その価値観をもっと徹底的に現実に適用するべきだという提言でもあるだろう。

明仁天皇（現上皇）が生前退位の意向を示した二〇一六年の「おことば」も、同じ文脈に位置する。戦後憲法の遵守を繰り返し誓ってきた天皇が、憲法違反の疑義が生じかねない異例の行為にまで出なければならなかった、その動機、天皇を衝《つ》き動かした危機感は何か。

実に、安倍政権が君臨してきた平成末期は、戦後レジームの全般的な危機が表面化した時代となった。低次元のスキャンダルにまみれ、議会政治の最低限のルールをも守ろうとしない政権と、それに立ち向かうこともできないメディア。そしてこの状況を終わらせようという意志を持たない、無知、無気力、無関心、奴隷根性の泥沼に落ち込んだ群衆。「末法の世」とはこういうものかと実感する。平成を、後代の日本人（存在し続けると仮定するならば）は、途轍もなく馬鹿げた時代だったと見なすであろう。

それは同時に、国民統合の崩壊が劇的に進行した時代でもある。「一億総中流」が遠い過去となるなか、国民統合がもはや存在せず、誰もそれを回復しようと欲してすらいないのだとすれば、「統合の象徴」もあり得ない。天皇が「おことば」のなかで「象徴としての役割を果たす」ことに重ねて言及することで強く示唆したのは、まさにこのことではなかったか。

アメリカが天皇として機能する国体

この文脈の本質を読みとり、皇室の抱く危機感を理解するには、「戦後の国体」の歩みを考察しなくてはならない。『国体論――菊と星条旗』を二〇一八年春上梓《じょうし》した私からみれば、皇族の活発な発言は、象徴天皇制が揺らいでいることに対して尋常ならざる危機感を抱いていることの表れだ。象徴天皇制は、敗戦を契機として生まれた戦後レジームの一要素であるのだから、後者の危機は即座に前者の危機をも意味するのである。

「国体」とはそもそも何であったか。明治レジームが発明した国体とは、「万世一系の天皇を中心とする国家体制」、より端的に言えば、日本国は天皇を頂点に戴く「家族」のような共同体であるとする観念だった。それによれば、大いなる父たる天皇は臣民＝国民を「赤子《せきし》」として愛しているのであって、支配しているのではない、とされた。しかし、国家が国家である以上、それは支配の機構である。つまり、支配の事実を否認する支配であるところに、国体観念の際立った特徴があった。

無論、天皇制ファシズムの温床と目された戦前の国体が、戦後もそのまま生き延びたわけではない。それは公式には、敗戦後の民主主義改革によって粉砕されたことになっている。しかし、「国体」が死語となったからといって、いわゆる天皇制の宿痾《しゅくあ》として指摘されてきた精神風土・社会構造が残存しているならば、それは国体も何らかのかたちで存続していることを意味する。

では、「戦後の国体」は、いかなる意味において存在するのか。史実に照らせば明らかなように、第二次世界大戦終結後、アメリカは天皇制を存続させることを通して日本を間接支配するプランを実行に移し、昭和天皇は、これに巧妙に応えるかたちで、敵だったアメリカの存在を積極的に受け入れることによって皇統断絶の危機を乗り切った。かくして戦後日本の国家支配層には親米路線が共有されたが、それがもたらしたのは、無論、皇統の持続だけでない。それは復興、高度成長、さらには経済大国の地位までをもその果実として生み出した。

いま表面化しているのは、その「平和と繁栄」の物語の代償だ。それはすなわち、戦後日本の奇妙な対米従属である。対米従属それ自体は世界中にありふれた現象にすぎないが、日本のそれは、「思いやり予算」「トモダチ作戦」といった用語にその特殊性が鮮やかに表れている。それは、被支配と従属の事実を否認するものであるという点において、戦前の天皇制の統治原理と瓜二つなのである。

昭和天皇が手引きした「菊と星条旗」の結合、否、従属は、「アメリカから愛される日本」という幻想をもつ日本国民からは見えない。いや、国民はそこから目をそらし続けてきた。

しかし、いまや事態の真相は赤裸々に露呈している。東西対立終焉《しゅうえん》以降、合理性を失った親米保守という、本来およそ「保守」であり得ないはずの立場がいまだに政官財学メディアの全領域で主流の座を独占し、その代表者(＝安倍晋三首相)は、天皇の意思を公然と蔑《ないがし》ろにしながら、米大統領には何の恥ずかしげもなく取り入ってみせる。

つまり、いつの間にか、「星条旗」は「菊」の機能をも果たすようになった。言い換えれば、アメリカは単なる権力としてではなく、精神的権威としても君臨するようになったのであろう。かくていまわれわれが目にしているのは、アメリカが事実上の天皇として機能する国体である。

国体は定義上、永久に続くものと観念される(天壌無窮)が、思い出してもみよ、あの戦争の末期、国体護持は至上命令として追求されるべきものとされた。そのために戦争は長引き、犠牲者は増え続けた。今日とて状況は同じである。親米保守支配層は、対米従属体制の存続のために、日本国民の有形無形の富をその最後の一片に至るまで売り飛ばし、国民の統合を破壊し尽くそうとしている。あるいは、沖縄の辺野古沖新基地建設問題は、「戦後の国体」の護持かそれとも訣別《けつべつ》かという問題の最も先鋭な現れである。

靖国が潰れるか、皇室が潰れるか

もうひとつ、危機の表徴をなす出来事を取り上げよう。二〇一八年九月、靖国神社宮司（当時）小堀邦夫の「問題発言」が発覚した。小堀は内輪の会合で次の言葉を口にしたという。「陛下が一生懸命、慰霊の旅をすればするほど靖国神社は遠ざかっていくんだよ」、「どこを慰霊の旅で訪れようが、そこには御霊《みたま》はないだろう？　遺骨はあっても。違う？」、「はっきり言えば、今上陛下は靖国神社を潰そうとしてるんだよ。わかるか？」

この発言が報道されると、「あまりに不穏当で不適切」との批判が高まり、小堀は宮司を辞任した。しかし、この発言の問題性は、言い回しが乱暴だなどという次元にはない。問題は、それがあまりにも正確に「靖国問題」の核心を射抜いているという点にある。

A級戦犯の合祀《ごうし》発覚（一九七九年）以降、天皇の靖国親拝は一度もなく、平成の代になると天皇による旧戦地への慰霊の旅が突出した存在感を醸し出してきた。そのとき、「霊」はどこにあることになるだろうか。もっぱら旧戦地で天皇が慰霊の儀式を行なうことで霊が靖国ではなくそこにいたことが示唆され、靖国では戦没者の霊魂が希薄になるのだ。

論理はそこにとどまらない。霊の居場所である（と右派が考える）靖国があるにもかかわらず、霊が死没の地にとどまっているとするならば、その霊たちはそれぞれの絶命の場所を彷徨《さまよ》っていたことになる。このことは、靖国が自分たちを慰めてくれる居場所であると霊たちが感じていない、したがって靖国が無意味であることをも含意する。そして、「おことば」の発表によって譲位の流れが決定づけられたことについても、小堀は次のように言った。「あのビデオメッセージで譲位を決めたとき、反対する人おったよね。（中略）正論なんよ。だけど正論を潰せるだけの準備を陛下はずっとなさってる。それに誰も気がつかなかった。公務というのはそれなんです。実績を陛下は積み上げた。誰も文句を言えない」

「反対する人」とは、皇室典範を根拠に摂政代行論を唱えた日本会議系の言論人を指すのだろう。確かに、法律を機械的に適用するならば、生前退位は不可能であり、天皇の体力の限界という問題には摂政を置くことで解決が図られるべきだということになる。だが、「おことば」に盛り込まれた天皇の意向が国民世論の圧倒的な支持を受けた（法の機械的適用が拒絶された）のは、天皇の「正論を潰せるだけの準備」「積み上げた実績」ゆえであった。

そして、小堀にとっては痛恨の極みであることには、この「実績」の中核をなすのは、「公務」、とりわけ慰霊の旅、すなわち靖国の存在意義を無化する実践なのである。

だから、小堀の問題提起は徹頭徹尾精確《せいかく》だ。靖国神社が潰れるのか、それとも象徴天皇制が潰れるのか。それは、言い換えれば、古代的な神権政治の装いの裂け目から近代的な国家カルトの底の浅さが垣間見える施設が生き残るのか、それともそんな場所が戦没者の霊にとっての然《しか》るべき居場所であることを否定した象徴天皇制が生き残るのか、という問いだ。

この問いに決着をつけないまま放置したのが、「菊と星条旗」の曖昧な結合が君臨し続けた「戦後」という時代だった。しかし、「戦後の国体」が崩壊期を迎えたいま、この問いは答えを与えられなければならなくなったのである。

この問いは、より一般化すれば、「戦後の国体」をどう始末するのか、という問いへと不可避的につながる。なぜなら、靖国史観のごときものが敗戦にもかかわらず曖昧に生き延びることができたのは、アメリカによる属国化と引き換えに、一種のお目こぼしの恩恵を受けたからだ。親米ウヨク支配層は、アメリカに対して従順・忠実である限りにおいて、戦前の国家主義の紛《まが》い物を鼓吹することを黙許されてきた。

だから、いまやわれわれは二つに一つを選ばなければならない。靖国職員が言うように、「陛下の首に縄をつけて靖国神社まで引っ張って」きて、現代の日本の若者がアメリカの覇権の持続のために安心して命を捧《ささ》げられるようにするために、天皇に祈らせるのか、それとも「靖国的なるもの」をこの社会から追い出すのか、それが問われているのである。

昭和天皇の戦争責任についての心境

このように見てくると、皇室とその周囲をめぐって生じた最近の出来事は、戦後民主主義の揺らぎと共に進行する象徴天皇制の揺らぎのなかにあって、象徴天皇制の在り方を更新しようとする今日の天皇家の人々の意思の表れのように見える。

確かに、それは更新されない限り、命脈を失うのだ。象徴天皇制はその始発点において戦後の特殊な対米従属体制の一構成要素として設計されたが、そのプランに積極加担した昭和天皇は、国体護持の外観と引き換えに「菊と星条旗」を結合させて、やがて「星条旗」が「菊」を代行する状況を自ら手引きしてしまった。

その観点からすると、二〇一八年八月に元侍従の小林忍の日記公開によって明らかにされた、昭和天皇の戦争責任についての心境の一端は、興味深かった。天皇は、最晩年に「辛《つら》いことをみたりきいたりすることが多くなるばかり」、「戦争責任のことをいわれる」とこぼしたという。

昭和天皇の戦争責任観について従来最もよく知られた発言は、一九七五年の訪米帰国後の記者会見における発言である。「そういう言葉のアヤについては、私はそういう文学方面はあまり研究もしていないのでよくわかりませんから、そういう問題についてはお答えができかねます」。この言葉は当時、衝撃と憤激をもたらした。

確かにこの発言はそれ自体だけを見れば、ひどい無責任と倫理の欠如を示しているように聞こえる。だが、いわゆる「昭和天皇の戦争責任問題」は、一般に認識されているほど単純ではない。言い換えれば、戦前戦中の天皇の言動を実証的に検証することによって、われわれが「ある／ない」を決せられる問題ではなかった。

なぜなら、この問題は、アメリカが決定権を持ち、政治的な都合から決着させた事柄にほかならないからだ。要するに、日米双方にとって有益だとアメリカが判断した国体護持の外観を成立させるために、「戦争責任はない」と政治的に決められたのであり、その結果として一九七五年当時、昭和天皇が天皇であり続けていた。例の問題発言を引き出した記者の質問、「陛下はいわゆる戦争責任についてどのようにお考えになっておられますか」を可能にしたのは、記者の勇気よりも、かかる構造に対する徹底的な無知・無自覚ではなかったか。

「戦後の国体」との訣別を

国体護持の実相を知悉《ちしつ》していた昭和天皇はなぜあのような発言をしたのか、私は『国体論』でその深層心理を推測してみた。あの発言には過剰なもの、一種の憤りが感じられる。それは、国体護持の物語を成立させる際の協力者であったメディアから突然裏切られたという驚愕《きょうがく》の感情から出たものだと私は見立てた。

二〇一八年の日記公開が明らかにしたのは、昭和天皇の心中には、「協力」の意識だけでなく、「共犯」の意識が（おそらくは抑圧された無意識として）生涯の最後まであったことだ。ゆえに、同日記の一九七五年一一月二四日の記述、「御訪米、御帰国後の記者会見等に対する世評を大変お気になさっており、（中略）御自信を失っておられる」もまた意味深長だ。昭和天皇は当時、体調不良にも陥ったというが、驚きのあまり思わず発してしまったあの過剰な言葉は、戦後の日本人がどんな物語を自ら求め、その際に何を誤魔化《ごまか》し、かつその誤魔化しをいかにして見ないで済ませているかを、意図せずして照らし出す魔力を持ち、その魔力はそれを発した当人を衰弱させたのである。

「更新」は、この魔力に正面から向き合うことだ。それは、具体的実践としては象徴天皇制の「戦後の国体」からの切り離しの試みとして表れるほかない。その準備を明仁天皇はまさに積み上げてきたのであり、「おことば」はその行方を国民に問い掛けた。

してみれば、新しく即位する天皇がどのような「天皇像」を形成するのか。国民国家が溶解する世界的な趨勢《すうせい》のなかで国民統合を維持することの困難は、さらに増大するだろう。だが、入管法改正案が国会で強行採決される最中に天皇、皇后両陛下が浜松市外国人学習支援センターを訪れた一件（二〇一八年一一月二八日）は、来るべき「統合」のイメージを示そうとするものだろう。それが実を結ぶか否かは、新天皇の思想と実践以上に、国民が現在の危機をどう認識するかに懸かっている。

二　原爆と国体

晩夏に広島で講演をする機会をいただき、平和記念公園を久しぶりに訪ねた。その地で脳裏によぎったのは、二〇一六年の米オバマ大統領の広島訪問の「奇妙さ」だ。オバマ演説のなかでは、誰が原爆投下をしたのか、その主体は曖昧化された。日本側は、その主体であるアメリカに謝罪を一切求めず、戦後の日米蜜月がひたすらアピールされた。

この式典を貫いた奇妙さは拙著『国体論——菊と星条旗』で述べた「戦後の国体」という視角から見てみると、明白な意味を帯びてくる。

国体とは何か。戦前においては、言うまでもなくそれは天皇制ファシズム体制の基礎であった。しかし、敗戦後、アメリカは脱ファッショ化を図る一方、天皇制を維持・利用しながら占領を行なった。その結果生み出されたのは、象徴天皇制のみではない。従来の天皇制の社会構造はそのままに、天皇に代わってアメリカが君臨するという「戦後の国体」と呼ぶべき体制が生み出された。

これはアメリカが単独で編み出したものではない。日本側の旧ファシスト勢力は、占領者のご機嫌を取り結び、親米保守派へと生まれ変わって、戦後生き永らえた。拙著は、国体の頂点がこのように「菊から星条旗へ」と移行するプロセスを検証したものだ。

では、この「戦後の国体」の形成において、アメリカによる原爆の投下はいかなる役割を果たしたのか。歴史研究が進んだ今日、原爆投下の最大の動機がソ連に対する牽制であったことは大方証明されたと言える。原爆の実験成功の報を受けたトルーマン米大統領は「できるとわかっていれば、スターリンに借りをつくらずに済んだものを」と口走ったという。「借り」とは、前任者ルーズベルトがヤルタ会談において、千島列島などの領有の容認と引き換えにソ連から対日参戦の密約を得たことを指す。つまり、東西対立構造が終戦前に早くも立ち上がるなかで、戦後日本に対するソ連の影響力を極小化することこそが、アメリカの原爆使用の最大の動機であった。

このことは、実際に大きな政治的効果をもたらした。原爆投下の直後に日本が降伏したことにより、アメリカは事実上の単独占領を実現し、戦後日本の設計においてほぼフリーハンドに近い権限を手にすることとなった。そして、いわゆる「逆コース」政策への転換以降、アメリカの占領政策は、日本の反共主義国家化を最優先課題に定め、親ソ勢力の追放と旧ファシスト勢力の復権が実行された。

かくて国を破滅させた責を本来問われるべき旧ファシスト勢力は、親米保守派へと転身して支配者の座に戻ったのである。現在でもその末裔《まつえい》が権力の中枢を掌握して「戦後の国体」を護持し続ける。

この勢力にとって、原爆投下はいかなる意味を持ったのか。振り返れば、それはまさに「天祐」であった。なぜなら、アメリカが戦後日本の在り方をほぼ単独で左右する地位に立ったことによって、彼らは首がつながったどころか、復権を果たすことができたのだから。その意味で、原爆投下は「戦後の国体」の形成の原点に位置している。

してみれば、親米保守派にとって原爆投下は痛恨事でも何でもない。それはむしろ「感謝」の対象だった。核兵器禁止条約の国連での採択と、核兵器廃止運動の国際的高まりに対して無視を決め込む安倍晋三首相に向かって、長崎の被爆者は「あなたはどこの国の総理ですか」と迫ったが、親米保守派が広島・長崎の期待にそもそも応えられるわけがない。

だから、彼らがホスト役を務めたオバマ氏の広島訪問も茶番であるほかなかった。それを裏書きするように、安倍氏は直後の参議院選で、自民党のPR映像にオバマ氏訪問の風景を織り込むことまでしている。和解と厳粛な誓いのための場は、単なる選挙対策の手段へとすり替えられた。

広島の苦悩、そして原爆の真実を伝えるために払われてきた努力の大きさを思うとき、私はこの政治の現状との落差に眩暈《めまい》を覚える。この眩暈すら意識されなくなるとき、私たちに残るのはただ恥辱だけであろう。

三　「拝謁記」と国体のタブー

「(戦争責任について問われ) そういう言葉のアヤについては、私はそういう文学方面はあまり研究もしていないのでよくわかりませんから、そういう問題についてはお答えができかねます」

一九七五年一〇月三一日、昭和天皇訪米後の記者会見にて発せられたこの言葉は、「昭和天皇の戦争責任感覚」を物語るものとしてよく引き合いに出される。この発言に対する普通の反応は、呆然《ぼうぜん》、驚愕、そして怒りであろう。「この男の倫理感は一体どうなっているんだ?」そうした反応が引き起こされるのは、もっともではある。

しかし、私は、二〇一八年四月に刊行した『国体論——菊と星条旗』の執筆を準備する過程で敗戦と天皇制存続の決定とその実行の道程をあらためて検証するうちに、この七五年の記者会見時の発言の背景は、昭和天皇の人格・人間性の欠陥に単純に帰することはできないと思うようになった。

というのは、昭和天皇は、「国体は護持された」という命題の虚構性、そしてこの虚構を成り立たしめるためにどのような代償が払われたのかを熟知していた。国体護持が虚構であるとは、敗戦によって国の在り方が根本的な変更を受けているという意味で国体(=国の基本的在り方)は護持されなかった一方で、昭和天皇が表面上は無傷で在位し続けたことを指す。そして、その代償とは、日米安保体制の構築を中核としたアメリカに対する国家主権の自発的な譲り渡しである。この代償を払っても、国体護持の外観をつくることが、戦後日本の復興、ひいては日本国家・民族の存続にとって不可欠なのだ、というのが昭和天皇の考え——その考えが正しいのか否かはここでは問わない——であった。

天皇の戦争責任

「国体は護持された」という命題と「天皇に戦争責任はない」という命題は一体である。してみれば、あの言葉を口にのぼらせたのは、昭和天皇の驚愕だったのではなかろうか。「あなたは私をいまも天皇とみなしながら、私の戦争責任を口にするのか」

右のような私の推論を支える状況証拠が二〇一八年夏に公表された。侍従小林忍の日記である。これによって最晩年に至るまで昭和天皇が戦争責任の問題について葛藤を抱え続けていたことが示唆された。また同じく、七五年の例の言葉を発してしまった直後に、天皇は動揺のあまり心身に不調をきたしていたことが明らかにされた。やはり、昭和天皇にとっても、戦争責任の問題は、「言葉のアヤだ」と言って済ませられる事柄ではなかった。

そして二〇一九年、田島道治《たじまみちじ》（初代宮内庁長官）による「拝謁記《はいえつき》」の公開が始まった。最大の話題となっているのは、昭和天皇が懐いていた戦争への悔恨、そして国民へそれを伝えようとして果たせなかった、という経緯である。このことも、やはり昭和天皇が自身の戦争責任の問題を自覚していたことの証明ではある。ただし、今回NHKが大々的に特集したことで話題になっている「昭和天皇は国民に謝ろうとしていた」といった内容は、二〇〇三年に加藤恭子によって発見された「謝罪詔書草稿」と共通するものであり、この草稿もまた田島道治の遺品に含まれていた——したがって田島の起草した——ものだった。その意味で、「拝謁記」は、全く未知だった事実を提示しているわけではいまのところない。

この「謝罪詔書草稿」と言われる文書の核心部は、次のようなものである。敗戦と戦後の国土ならびに国民生活の荒廃を語った後、「静《しずか》ニ之《これ》ヲ念《おも》フ時憂心灼《や》クガ如シ。朕《ちん》ノ不徳ナル、深ク天下ニ愧《は》ヅ」とある。

この文書が作成された背景には退位の問題があった。戦争の責任をとって昭和天皇は退位すべきという意見は、敗戦直後から、左右を問わず提出されてきた。冨永望『昭和天皇退位論のゆくえ』(吉川弘文館、二〇一四年)によれば、退位論は戦後幾度か盛んに論議されたわけだが、論争が最も白熱したのは東京裁判の判決(一九四八年一一月一二日)前後の時期であったという。結局のところ「退位せず」との判断が下されるなか、A級戦犯全員が有罪となり、七人の元国家指導者に死刑判決が下る。それからわずか約四〇日後の一二月二三日(すなわち、皇太子の誕生日=平成時代の天皇誕生日)に、死刑は執行された。彼らの法廷での振る舞いと死は、「昭和天皇に戦争責任はなく、過ちを犯したのは国家指導者たちだった」とする物語に忠実な、天皇に殉ずるものであった。「謝罪詔書草稿」が生まれたのは、このような文脈で、天皇と側近が「何らかのメッセージを発する必要がある」と考えたことによる。つまり、「謝罪」は、かつての部下たちが刑場の露と消えるなかで天皇がその位にとどまることについての弁明の性格を有していた。

「戦後の国体」の帰結

この詔書を幻に終わらせたのは、当時の首相、吉田茂による強い反対だった。要するに、吉田は天皇と戦争責任を徹底的に切り離し、「天皇に戦争責任はない」という命題を害しかねないあらゆる動きを絶つために、この詔書の公表を禁じたのである。言い換えれば、「天皇は後悔し国民に対しすまないと思っている」という事実は、「国体護持の物語」を貫徹するにあたっての雑音であったのだった。

そして、「拝謁記」によって明らかになったことには、この構図はサンフランシスコ講和条約発効＝主権回復（一九五二年）の際にも反復される。戦争への反省と悔恨の念を表す文言を「独立回復時のおことば」に盛り込むことを強く望む天皇に対し、吉田は再び待ったを掛け、結局押し切った。かくして、長きにわたって昭和天皇の悔恨の念は隠されてきた。つまり、その存在は事実上タブーとして扱われてきた。思えば、昭和天皇の退位論も、リアルタイムでは公然たる論争の対象であったにもかかわらず、長らくそれは忘却にさらされてきた。あたかも禁じられた話題であったかのように。

いま生じている動向は何を意味するだろうか。一面ではそれは、代替わりと改元によって、つまり昭和天皇が先々代となることによって生じたことではあるだろう。しかし、ここで留意されるべきより重要な点がある。それは、吉田茂がこだわったように、退位の問題にせよ、天皇の悔恨にせよ、いずれもが「国体は護持された」という命題に傷を与えるものにほかならないことだ。これらのエピソードは専門家とその読者のあいだでは知られていたが、ＮＨＫのようなメディアが大々的に取り上げることで、タブーから公知の事実へと地位を変えつつある。それは、「国体護持の物語」がタブーを保持しきれなくなりつつあること、すなわち物語が失効しつつあること、虚構の崩壊と軌を一にしている。

だが、すべてのタブーが消滅したわけではない。残された最大にして最重要のタブーは、私の考えでは、豊下楢彦《とよしたならひこ》が究明した、日米安保条約締結の際に昭和天皇が水面下でアメリカ側に働き掛けを行なった件である。五一年の安保条約はサンフランシスコ条約と一体のものとして、すなわち、占領終結＝主権回復を本質的に無効化するものとして結ばれた。豊下の研究（『安保条約の成立』岩波新書、一九九六年）は、この「占領の延長」はアメリカから押しつけられたのではなく、昭和天皇が望み、能動的に手引きしたものだった、と結論した。これによって「菊と星条旗」の結合した「戦後の国体」の骨格が定まり、やがては「星条旗」が「菊」の地位を簒奪《さんだつ》するに至る。その帰結をいまわれわれは目撃しているのである。

「戦後の国体」は、一方では昭和天皇の免責（＝国体護持の虚構）と、他方では国家主権の自発的な譲り渡しによって成立した。前者をめぐるタブーは、見てきたように、すでにかなりの程度解除された。残るは後者のタブーだ。戦前天皇制の後継者たる特殊な対米従属体制がその内的腐敗によって破滅・崩壊の道を進むのと並行して、このタブーも遠くない将来に白日の下にさらされる運命にあるのだろう。

四　改元の政治神学――戦後民主主義と象徴天皇制の葬式

「令和」が始まる。新元号の意味内容について批評できるほど、私には漢語の教養がない。いまわれわれが何かを学びうるとすれば、それは「平成」の終わりと「令和」の始まりは、改元政治ショーによって染め上げられたという事実そのものからではないだろうか。そして、その学びうる教訓は、天皇制と民主主義の関係性といった原理的問題や民主主義の現状に大いに関わっている、と私はみる。

「昭和」から「平成」への改元の記憶に照らせば、鮮やかに浮かび上がるのは、今回の改元をめぐるプロセスには、改元に際して当然あるべきものと考えられてきた厳粛性や慎みのようなものが、徹底的に欠けている、ということだ。

もちろん、昭和天皇の逝去に伴う改元と、今回の譲位による改元では、大いに事情が異なる。終身在位を前提とした改元では服喪と改元が同時並行せざるを得ず、新時代を寿《ことほ》ぐムードは自ずと制限を受けた。だが、その事情を差し引いても、今次の改元を包んでいる軽躁的なムードは、平成の始まりのそれとの比較においてあまりに対照的であり、そこには考えられるべき対象が在るはずである。

とができる。

「平成」の始まり

「平成」がどのように始まったのかを思い起こしてみよう。元号「平成」を誰が発案し、どのように定められたかについては、いまだに不明な点が多い。なぜなら、それに関わったと見られる当事者たちが、基本的に口を閉ざしているからだ。後述するように、この秘密主義には「民主主義社会における天皇制」の本質がたっぷり詰まっているのだが、ここでも新元号の発表の翌日から早くも具体的選定過程がリークされ明らかにされた今次の改元との著しい対照性を見て取ることができる。

平成の発明者たちが改元の具体的過程についてペラペラと口外すべきでないと感じているのは、一面では伝統的な感覚によるだろう。すなわち、「元号＝天皇の時間」であるならば、顔の見える具体的な誰かが元号を決めている過程が見えてしまうと、それは天皇の権限を侵犯する行為に見えてしまう。ゆえに彼らは、「慎む」のである。

しかし、伊藤智永の著書『「平成の天皇」論』（講談社現代新書、二〇一九年）に紹介されていたエピソードを知って、「慎み」をもたらすもう一つの側面があることに、私は思い至った。同書によれば、「新元号＝平成」発表者として「平成おじさん」と呼ばれ国民に広く記憶された小渕恵三（当時、官房長官）は、そのことを終生大変誇りにしていたという。他方、当時の総理大臣、竹下登は、「平成おじさん」の役目を小渕に譲ったことを後々までしつこく悔やんでいたという。

このエピソードは、驚くべきものだ。栄達を極めた議会政治家たちが、たまたまめぐり合わせで回ってきたにすぎない新元号の発表者の役割というものに激しい執着心を持ち、それを果たすことに、ある意味では総理大臣を務めることを上回る栄誉を感じていたというのである。それはなぜなのか。

「例外状況」としての改元

天皇の逝去による改元という事態は、自由民主主義政体における「例外状況」（カール・シュミット）である。そして、シュミットいわく「例外は通常の状況よりも興味深い」。なぜなら、例外状況において、通常の秩序の土台を成しつつ普段は隠れている形而上学的な前提がその姿を垣間見せるからだ。

天皇の逝去＝改元がなぜ例外状況かといえば、それはシュミットの言う「委任独裁」のごとき状況をもたらすからだ。自由民主主義の通常の秩序の原理が「熟議を通じた（自由主義）多数者の決定（民主主義）」であるところに、天皇の逝去は一種の国家緊急事態として現れる。なぜなら、制度上、天皇が逝去すると同時に新元号を即座に定めないわけにはいかず、熟議をしている時間はないからだ。

実際のところ、当然政府は、昭和天皇の逝去に先立って、水面下で新元号を準備していた。そのプロセスに関わった者は、漢籍の知識という高度な専門性を要求されるがゆえに少数者であり、選挙による有権者の審判を受けた者でもない。つまり、新元号の制定は、実態としては少数者による密室での決定である。だからといって、元号の存在そのものに反対する意見はあるものの、その決定方法についての批判は、管見の限りではほとんど聞かれない。なぜなら、新元号の決定は、天皇の死という緊急事態がもたらすものであり、それが要請するのは委任独裁であるほかないからである。

そしてこれは、独裁であるから民主主義に反する、とは言えない。シュミットの功績のひとつは、自由主義と民主主義を親和的なものとしてとらえるのではなく、むしろ異質で背反する原理として峻別《しゅんべつ》しなければならない、と説いたことにある。いわく、自由主義は意見や利害の異なる者同士による討議・交渉・妥協の原理であるのに対して、民主主義は一致した意思決定の原理である。自由主義は差異を前提とするのに対して、民主主義は同質性を前提とする。ゆえに、自由民主主義（リベラル・デモクラシー）とは、実はキメラ的なものなのだ。

この洞察に従うならば、委任独裁は民主主義の一種である。ある一国の国民の意思を何人の人間によれば正しく代表できるか、という問いには答えがない。例えば、現在の日本の国会議員の定数は衆参両院合計で七一〇人であるが、それが日本国民の意思を正しく代表する必然的な人数であると考える根拠はどこにもない。何人の人間によれば国民の意思を正しく代表できるとするかは恣意的であり、代表者を一人ずつ減らしていったとしても、「ここまで減らせば代表できなくなる」と判断すべき決定的な限界は論理的に存在しない。だから、究極的には、たった一人で全国民の意思を代表することができる、と主張することもできる。実際に、シュミットの委任独裁の概念がもたらしたのは、「総統原理」、すなわち、ヒトラーただ一人が、ただ一人であるがゆえに（部分利害の代表者たちが対立を繰り返す自由主義原理に邪魔されることなく）、ドイツ民族の意思を正しく体現できる、という世界観であった。しばしば指摘されるように、ナチズムは民主主義の破壊によって生まれたのではなく、民主主義をあるひとつの方向に純化することによって、生まれたのだった。

新元号の制定過程を委任独裁の一種であると考えたとき、それに関わった当事者たちの慎みと喜びの、もう一つの深層が見えてくる。それはすなわち、民主主義の核心に触れるものであり、慎みは、天皇に対するものであると同時に主権者たる国民に対するものでもあっただろう。「天皇制と両立する民主主義」であるということになっている戦後民主主義体制において、元号は「天皇の時間」であると同時に「国民の時間」でもあり、その元号が指し示すことになる時代、その中身をつくり上げる主体は国民である。

それゆえ、誰がどのように新元号を決めたのかという具体的な事柄は、徹底して秘せられなければならなかったし、その発表も努めて事務的に行なわれなければならなかった。元号を日本国民が「われわれのもの」として受け入れることが可能になるためには、「元号を制定した具体的な誰か」の作為の痕跡は消去されなければならない。思えば、新元号の発表を小渕に委ねた竹下総理も、「ここで最高権力者が前面に出るべきではない」という慎みゆえの判断をしたのだろう。元号制度が戦後民主主義と齟齬《そご》をきたさないためには、新元号は「どこからともなく」やってこなければならないのである。

「一般意志」の起源

それが首尾よく果たされたとき、改元の当事者たちの委任独裁は、専制的独裁ではないものとなるばかりでなく、民主主義に基づく共同体の共同性の根源的前提に触れることになる。民主主義の原理を自由主義のそれと峻別《しゅんべつ》することにおいてシュミットの大いなる先達であったと見なすべき、ジャン＝ジャック・ルソーは、社会契約と一般意志の概念を語るに先立って、次のように述べている。

もし先にあるべき約束ができていなかったとすれば、選挙が全員一致でないかぎり、少数者は多数者の選択に従わなければならぬなどという義務は、一体どこにあるのだろう？（中略）多数決の法則は、それ自身、約束によってうちたてられたものであり、また少なくとも一度だけは、全員一致があったことを前提とするものである。

――ルソー『社会契約論』桑原武夫・前川貞次郎訳、岩波文庫、一九五四年

ここでルソーが述べているのは、人々が多数決原理に従う道理がどこから出てくるのかということだ。自らの意思が多数者によって否定された少数者がそれでもその共同体の命ずるところに従い、またその共同体にとどまるのだとすれば、多数者の決定に従うという約束を「少なくとも一度だけは」全員一致で取り決めたはずだ、と。もちろん、その「全員一致」を経験した者はどこにもいない。にもかかわらず、人がある政治共同体に居る時点で、常に既にこの約束をその人はしていると想定されるものである。言い換えれば、それは、「みんなの意思」としての一般意

志を民主主義に基づく共同体が形成し、実効性を持たせうるための、経験の領域の外にある前提、哲学的に言えば、超越論的前提なのである。

経験的領域、すなわち現実世界では、もちろん各人や集団の利害・意思は対立する。対立する者同士の間で討議・交渉が行なわれ、最終的な意思決定が多数決で下されたならば、反対者もその決定に従うというプロセスが可能になるためには、言い換えれば、各人の不一致を前提とする自由主義の原則を許容しながら政治的共同体が統合性を維持するためには、この超越論的前提が必要となる。

シュミットの「委任独裁」の概念がなぜ極めて危険なものとなったか、いまやわれわれは明瞭に理解できるであろう。それは、本来想定できるだけで現実には経験できないはずの「全員一致」を、アドルフ・ヒトラーという具体的な人物の意思（そして、人々のそれへの熱狂的な賛同・同一化）において実現可能であるとみなす思考回路に道を開くものだった。

そして同時にここで、われわれは、一般意志の前提となるメタレベルでの「全員一致」、すなわちルソーが「最初の約束」と呼ぶものが占める、共同体の政治的意思形成を可能にする論理構造における位置が、戦後民主主義における元号のそれと類似していることに気づかざるを得ない。「最初の約束」は、人が政治共同体に帰属しているだけで、常に既になしているものと想定されている。それは、その起源を問うことのできない――「どこからともなく」現れて、其処《そこ》にある――、政治共同体の意思の原基的な源泉である。元号もまた、「どこからともなく」現れ、国民に「共通の時間」という器を空の入れ物として（すなわち、その具体的中身を主権者たる国民が埋めるべきものとして）与えるのである。

いまやわれわれは、手練《てだ》れの政治家たちが、新元号の発表をめぐって少々異様なほどの感情的な反応と執着を示したことの動機も理解できるだろう。元号発表の儀式は、相争う利害の調停・調整に明け暮れる日々を送る議会政治家にとって、「全員一致」の共同体の根源的な政治的意思の体現者となることのできる、まことに稀有《けう》な瞬間（例外状況）にほかならない。この奇跡的な瞬間の主役を演じる栄誉に較べれば、議会政治家の頂点であるにすぎない総理大臣の地位に立つことなど、何ほどのものでもない、とさえ小渕や竹下は無意識的に感じていたのかもしれない。

そして、この「全員一致」があくまで超越論的なものにとどまるために、新元号の発表時に小渕が代読した竹下首相の談話もまことに簡潔なものだった。その内容の抽象性は、超越論的な「全員一致」「最初の約束」の抽象性に相即している。

元号の私物化

以上のように考察を進めてくると、昭和が平成へと代替わりしたとき、その過程を担った面々は、どれほど意識的であったかは不明だが、「民主主義社会における元号」、ひいては「民主主義社会における天皇制（君主制）」にはらまれた原理的な緊張に対する感性を持ち、おおよそ然るべき対処をしていたと感じられる。そして、こうして平成への代替わりを想い起こせば、今次の改元の異様さが鮮烈に浮かび上がる。

新元号「令和」発表の記者会見をテレビで観ていたとき、私の違和感が頂点に達したのは、首相談話の発表に引き続いて行なわれた質疑応答で、安倍晋三が「一億総活躍社会」という彼の政権の具体的政策を新元号に結びつけたときだった。民主主義体制における元号は、それを準備した当事者の作為の痕跡が消されて空《から》のものとして提示されなければならなかったはずだ。それが表象する時間は、主権者たる国民と「国民統合の象徴」である存在の今後の実践によってその中身が充塡《じゅうてん》されるべきものである。安倍はまさにこの原則を踏みにじった。

それゆえ、新元号発表の過程は、「私物化」の印象を強烈に与えた。「私が国家」と口走ったこともある安倍が私物化しているのは、本質的には国有地や公金だけなのではなく、元号を含む、国家と国民そのものである。ちなみに、改元の日付が五月一日に決められたのも安倍の意向であったが、それは「朝日新聞」が「四月一日改元」をスクープしたために、「朝日」嫌いの安倍が「特ダネをやってなるものか」との考えから五月一日に決めた、という説が有力である。この一件も、安倍による改元の私物化を雄弁に物語る。

この光景は、私が『国体論——菊と星条旗』にて提示した「戦後の国体」が腐朽を極め、無惨な屍《しかばね》をさらしながらもなお息絶えず、その自己保存運動を止めていない、という現況にふさわしいものだ。かつて、「戦前の国体」が崩壊の最終過程を驀進《ばくしん》していたとき（つまり、十五年戦争の末期）、特権階級以外の国民の命は限りなく粗末に扱われ、あたかもそれは如何様《いかよう》にも処分可能なモノであるかのようだった。

今日、それと全く同じ状況が生じているわけではもちろんない。しかし、われわれの眼前に広がっているもはやお馴染《なじ》みの光景、すなわち、一方には「安倍様の、安倍様による、安倍様のための改元」を心底嫌悪する人々がいるものの、他方では軽薄そのもののパフォーマンスに熱狂する群衆がいるという光景のなかで、政権支持率は上昇した。こうした状況は、小泉純一郎政権の際に明確化された「B層に依拠せよ」という自民党のメディア戦略の継続と洗練、その成功を表している。「自分を殴りつける者を喜んで支持する阿呆《あほう》どもに依拠すればよい」というシニシズムの果てに待つものは何か。今回の代替わりは、新時代の幕開けというよりもむしろ、戦後民主主義と象徴天皇制の葬式のように見える。

五　平成最後の日に

「平成」は天皇ご自身の決断によって幕を閉じる。「一億総中流」が過去のものとなった平成期は、「国民統合」の分解が止めどもなく進行してきた時代となった。二〇一六年夏の「おことば」で自らの考えを国民に直接訴え掛けるという天皇の思い切った行動には、この危機に対する切迫感がにじんでいたと私は思う。

「おことば」は、天皇たる者、ただ生きて存在しているだけでは不十分であり、「動き」、国民との交流を深め、それに基づいた「祈り」を実行することによってのみ、「国民統合の象徴」たりえるとの認識を強く示した。天皇の「動きと祈り」は、天皇の高齢化に伴い衰弱する。その力が弱まれば、国民統合は弱まってしまう。だから、体力の限界を迎えた天皇はその位を去り、新しい天皇が祈りを更新するのだ。譲位の決意にはらまれた「天皇の思想」の核心はそのようなものだったと思う。

それにしても、なぜ平成期に国民統合の危機がここまで深まったのか。それは、米ソによる東西対立と日米安保体制を前提とする戦後のいわゆる「対米従属レジーム」が、冷戦の終焉にもかかわらず無理やり延命されてきたことによる。沖縄・辺野古沖新基地建設問題に鮮明に表れているように、この体制は、国民の分断（＝統合の喪失）に対して何らの痛痒をも覚えず、専らその受益者たちの利害のために維持されている。

私は、自著『国体論――菊と星条旗』において、この腐朽を極めつつある体制を「戦後の国体」と呼んだ。「戦前の国体」が不条理な天皇崇拝を介して、無謀な戦争へと至った亡国の過程をなぞるかのように、「戦後の国体」も、自滅的衰亡の道を突っ走り、同時に社会の中身を腐らせている。

対米従属体制が国体化するとは、究極的にはアメリカが事実上の天皇の役割を担うことを意味する。二〇一九年二月の国会にて、安倍首相は野党議員に対して次の趣旨の発言をしている。「御党も政権を奪取しようと考えているのであれば、米国の大統領に対してもっと敬意を払うべきだ」と。身も蓋もなく言えば、「この国で政権を担当したければアメリカに媚《こび》を売れ」ということだ。このことを現職の首相が口に出したこと、そしてこの発言がさして問題視されないことに、今日の日本人にとってアメリカとは何であるのかが赤裸々に表れている。

こうした時代に、国民に向けて発された究極の問いかけが「おことば」だった。私たちに、互いの幸福を願う、一定のまとまりを持った国民であろうとする意思があるのか。日本人を、日本国を存続させる意思はあるのか。国民に統合の意思がもうないのなら、「国民統合の象徴」に存在の余地はない。惨めな時代の偉大な帝《みかど》は今日、表舞台から去りゆく。巨大な問いを私たちに預けて。

六　〈歴史〉以後としての平成時代

平成時代が終わろうとしているいま、平成時代を総括するという試みは、取り組んでみて意外なほどに難しいことに気づかされる。しかし、それはある意味で当然なのだ。歴史の転換を画する困難な時代は、後代の注目を集め、詳細な検討・吟味がなされる。例えば、日本近代史で言えば、十五年戦争とその前後の時代はそのような時代であり、多くの言及・研究がなされてきた。

平成時代もそのような時代になるだろう。あの昭和ファシズム期のことを知れば知るほど、「この時代の日本人は何という愚かな状態に落ち込んでいたのか！」とわれわれは驚愕・嘆息せざるを得ないわけだが、後代の日本人は、平成時代を分析して同じ感慨を催すだろう。われわれが落ち込んでいる悲惨さは、あまりに多様に過ぎて、一つ一つを数え上げようとする試みは、想像するだけで眩暈を催させる。

ただし、われわれが生きた平成時代の、数限りなく存在する記憶すべきこと、記録すべきことを遺漏なく列挙することは原理的にできない。なぜなら、われわれは自分自身がその中を生きている時空を対象化し尽くすことはできないからだ。だが、われわれは少なくとも、後代の人々に、この悲惨な時代に生きた人間が何を思い、何を感じていたのかについての手掛かりのようなものは、遺すことができるだろう。
しかし、ここにはさらなる留保が付けられなければならない。果たして、「遺す相手」、すなわち「後代の日本人」なるものは存在するのだろうか。三島由紀夫はあの割腹事件を起こす約四ヵ月前に次のように書いていた。

私はこれからの日本に大して希望をつなぐことができない。このまま行ったら「日本」はなくなってしまうのではないかという感を日ましに深くする。日本はなくなって、その代わりに、無機的な、からっぽな、ニュートラルな、中間色の、富裕な、抜目がない、或る経済的大国が極東の一角に残るのであろう。それでもいいと思っている人たちと、私は口をきく気にもなれなくなっているのである。

——三島由紀夫「果たし得ていない約束——私の中の二十五年」

三島がこの文章を発表したのは一九七〇年のことだが、言うまでもなく、現状はこの作家の悲観主義をも越えて悪化した。悲観的な三島がそれでも残るだろうと想定した経済大国の地位さえも失いつつある平成末期の日本に残っているのは、放射能で汚染された国土と、精気を失った人々の群れである。日々入って来るニュースは、この国の統治エリートたちのうち、「日本」を存続させようという意思を持っている者は少数派に違いないといういきわめて苦々しい事実を告げている。そして、これらエリート層の支配下にある「普通の人々」が、こうした支配に対して抵抗せず、違和感すら持っていないのだとすれば、生物としての最低限の生存本能の衰弱すら疑われる。この状態が続くならば、平成日本を「自らの歴史」としてとらえる人々は存在しなくなるであろう。

なぜ、平成時代はこのような時代でしかあり得なかったのか。本稿が時代の証言として書き遺すことができるのは、この問いに対する一つの仮説である。

平成の始まりと三つの終わり

平成時代が始まったとき（一九八九年一月）、ほとんど時を同じくして、三つの終わりがあった。

まずは、当然のことながら、昭和が終わった。「現人神」と「人間」、「大元帥」と「平和の旗手」、「統治権の総覧者」と「象徴」という二つの生を一つの身で生きた昭和天皇が没することで、「戦後」のイメージはひとまず完結したようにも感じられた。同年六月の美空ひばりの他界なども相俟って昭和時代を総括する機運が高まり、「激動の昭和」、「太平洋戦争、焼け跡から復興、高度成長、平和と繁栄の時代」といったフレーズが、報道や歴史ドキュメンタリーにおいて昭和時代と戦後を形容する表現として多用され、定型化されていった。

ここで指摘されるべきは、われわれはある意味で「ポスト・ヒストリー」を生きているということだ。二〇一一年の東日本大震災と福島第一原発事故を受けて、二〇二〇年東京オリンピック、二〇二五年大阪万博開催という処方箋が出てくる発想は、「焼け跡から繁栄へ」という物語以外に現在の日本人が、何らの歴史的想像力の源泉を持っていないことを証している。したがって、昭和と共に「歴史は終わった」のであり、平成はポスト・ヒストリカルな時代として経過してきた。

二つ目の終わりとは、東西対立の終焉である。一九八九年一一月のベルリンの壁崩壊、その翌年のドイツ再統一に引き続いて、一九九一年一二月にはソヴィエト連邦が崩壊する。第二次世界大戦終結以来続いてきた自由主義陣営と社会主義陣営の対決は、前者の全面勝利によって、決着がついた。偶然ではあるが、昭和の終焉と平成の始まりは、この過程の開始直前に位置している。

この大変動は、国際関係における日本の立ち位置を根本的に変更するものだった。要するに、戦後一貫して日本がとってきた日米関係基軸（日米同盟あるいは対米従属）路線の根本的な前提が消滅したのである。戦後綿々と継続されてきた親米路線は、アメリカが日本に恩恵をもたらしてくれることへの期待に依拠していたが、その期待の前提はソ連という日米共通の敵が存在することだった。一九七〇年代以降、アメリカ経済が衰退を露にする一方、日本経済は成長を続け、「ジャパン・アズ・ナンバーワン」（エズラ・ヴォーゲルの一九七九年のベストセラー著作の書名）とまでもてはやされるなか、一九八〇年代には日米半導体戦争に象徴されるように、アメリカから見て日本の経済力は圧し潰すべき脅威となっていた。九〇年前後の共産圏の崩壊は、日本の経済力を圧し潰すことを思いとどまる政治的理由が取り去られたことを意味した。

また、東西対立の終焉は、戦後日本のナショナリズムの構造的前提を変更するものでもあった。戦後日本の保守派の主流のスタンスは、「親米保守」、すなわち「保守」の前に「親米」という外国への好意ないし好感を示す接頭辞が付くという締りのないものだったが、それでもソ連が崩壊するまでは、一応の弁解の余地を持っていた。それは、不本意ではあるが、強大な共産圏への対抗上やむをえない一時的なものである、と弁明し得た。しかし、平成時代に忘却の彼方へと消えて行ったのは、この弁明である。このことは、後で見るが、戦後日本のナショナリズムが、本当のところは何を中核とするものであったのか、何に依拠するものであったのかを示唆するであろう。

三つ目の終わりは、戦後日本の経済成長の終焉である。日経平均株価がピーク値をつけたのは、一九八九年の大納会（一二月二九日）であったが、その後、湾岸戦争や公定歩合の引き上げを背景として景気は後退局面に入り、株価・土地価格の顕著な下落が起こった。内閣府の景気基準日付に従うならば、いわゆるバブル崩壊の時期は、景気後退期が始まる一九九一年三月頃であったと規定できる。

平成時代の初頭に生じたバブル崩壊と不況は、当時の感覚では周期的な景気後退の一局面にすぎないようにとらえられたが、今日の視点から振り返れば、明らかに戦後日本経済の根本的な局面転換を意味していた。図1にあるように、高度成長期（一九五六～一九七二年）の平均成長率が九・三%、オイルショックからバブル崩壊までの安定成長期（一九七三～一九九〇年）の平均成長率が四・二%であるのに対し、バブル崩壊以降から現在（一九九一～二〇一九年）、すなわち「失われた三〇年」あるいは平成時代のほとんどの時期の平均成長率は、わずか〇・九%である。

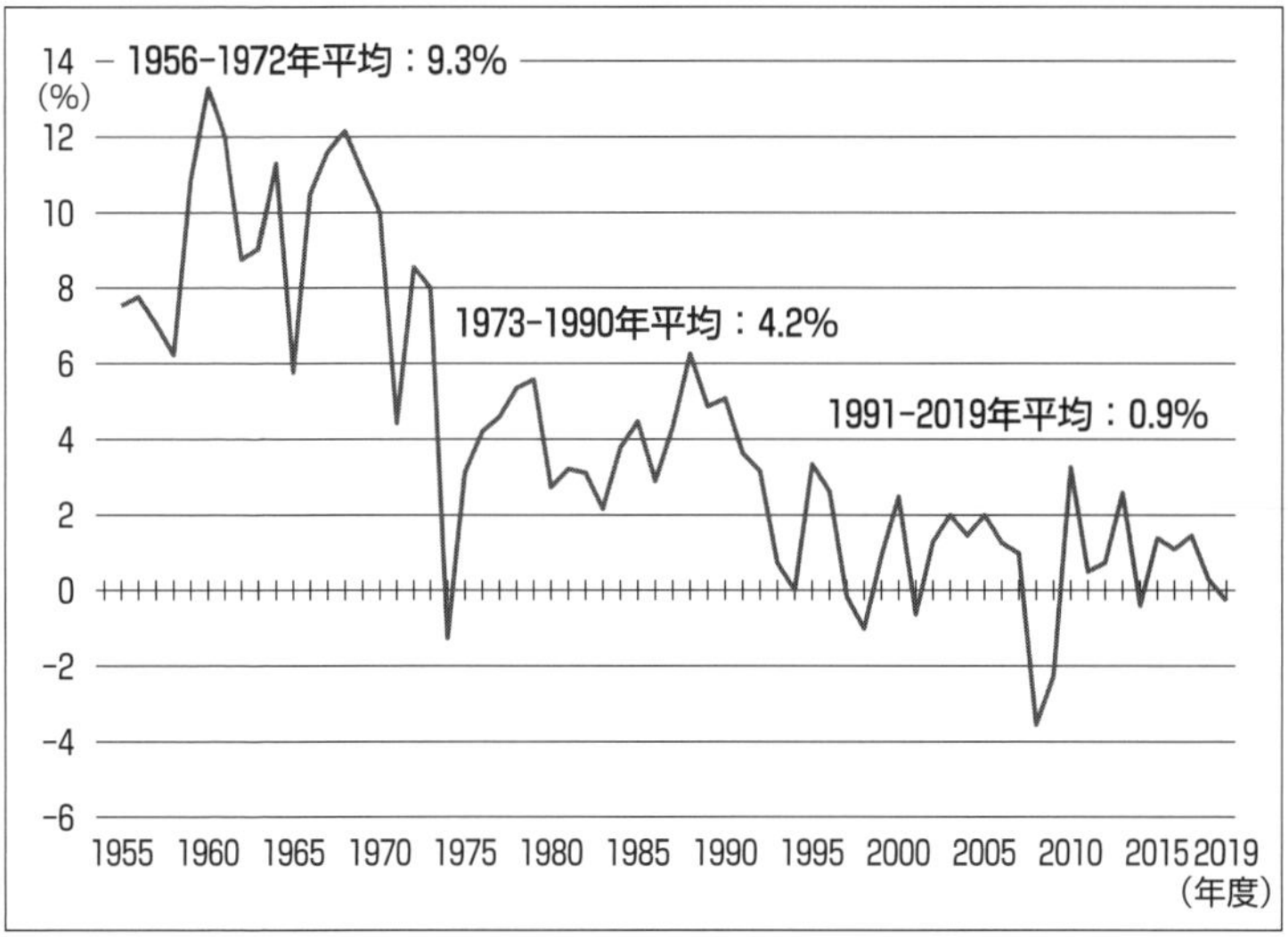

図１　GDP成長率の推移（日本）

年平均は区間内各年度成長率（実質GDP前年比増減率）の単純平均。
「社会実情データ図録」より作成。

冷静に見れば、この転換は来るべきものが来たということにすぎない。すなわち、ほぼ一貫して高い成長率をマークしてきた戦後日本経済がほとんど定常経済に近い低成長に落ち込んだわけだが、図2－1と図2－2を参照すればわかるように、それは日本経済がヨーロッパの主要国やアメリカと同様に成熟期を迎え、拡大し続ける局面を終えたことを意味した。

しかし、戦後日本にとっての経済成長は、「豊かになり生活が快適になること」以上のものを意味していた。それは一種のナショナル・アイデンティティですらあったと言える。ゆえに、平成時代という経済成長不在の時代は、日本人の自己同一性、存在の中核が失われた時代となり、同時に実現すべき理念を失っ

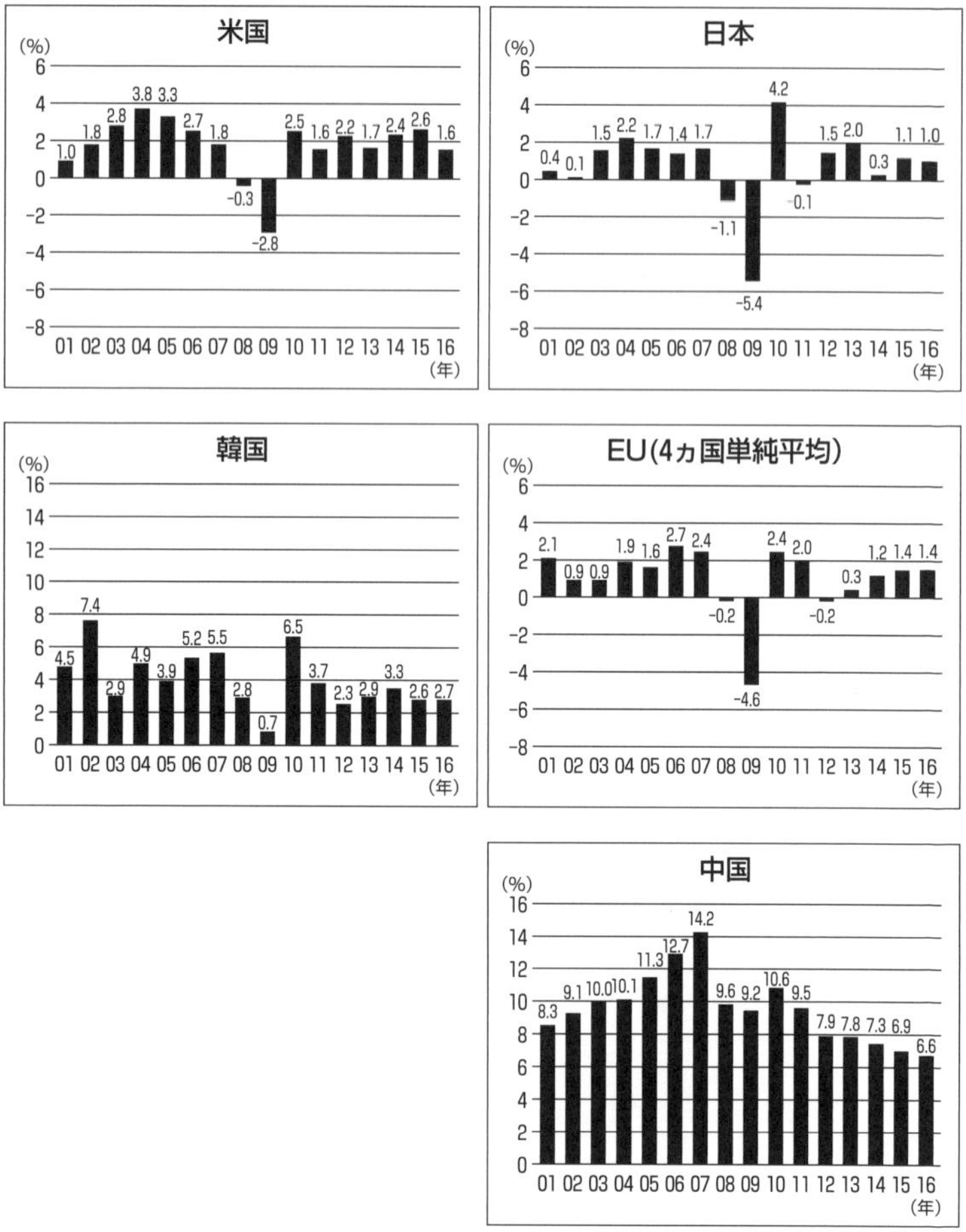

図2-1　近年の経済成長率の推移(主要国・地域)

日本・米国・EU 、および中国と韓国は同じ目盛り。
EU4ヵ国は英国、ドイツ、フランス、イタリア。
「社会実情データ図録」より作成。

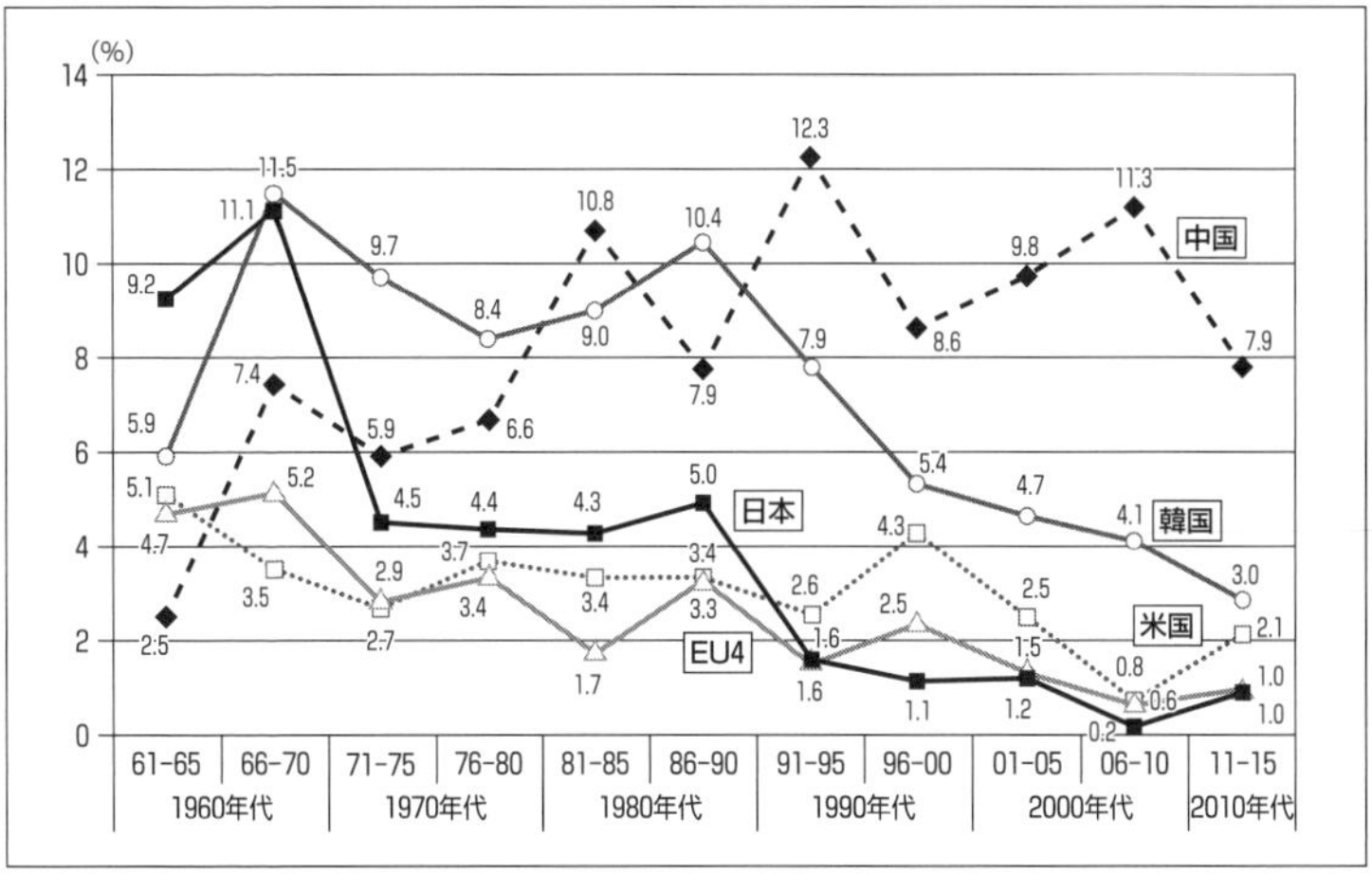

図2-2　年代ごとの経済成長率の推移（主要国・地域）

年代ごとの経済成長率は各年の成長率（実質GDP対前年増減率）の単純平均。
EU4ヵ国は英国、ドイツ（90年までは西独）、フランス、イタリア。
「社会実情データ図録」より作成。

た、その意味でも歴史を失ったポスト・ヒストリカルな時代となった。

ポスト・ヒストリーの時代

三つの終わりがもたらしたものをまとめてみよう。三つの終わりに共通するものは、ポスト・ヒストリー、すなわち「大文字の歴史」ないしヘーゲル的な意味での世界史の発展過程をすでに終えている、という状況である。無論それは、日本に特殊な状況ではないし、共産圏の崩壊による「歴史の終焉」（フランシス・フクヤマ）と昭和の終わりが時間的に重なったことは、全くの偶然による。

「歴史の終焉」論と同時に時代のバズワードとなったのは「グローバル化」であり、それによって国民国家は相対化される、あるいは論者によっては近代主権国家は消滅するという議論までもが世界中で盛んに語られた。後者の議論は極論にすぎるとしても、資本主義のグローバル化が国民国家の現実的および精神的な支配力を弱めてきたことに疑いはない。つまり、平成時代は、日本に限らず世界的な現象として「国民国家の黄昏」の時代であった。そして、近代社会の大多数の諸国民にとって、歴史とは良くも悪くも、当該国民の属する国民国家の歴史であった。してみれば、この時代状況において、歴史を自覚する枠組みが揺るがされ、人々が歴史的な方向感覚を見失う状態に陥ったのは、当然ではあったのだろう。

だが、東浩紀が「動物化」をキーワードとして論じたように、この方向失調状態は、日本においてとりわけ顕著なかたちで現れているように感じられる。言い換えれば、世界的に突出して、日本人はポスト・ヒストリーを生きているのではないのか。

平成末期の世相について、與那覇潤《よなはじゅん》は「歴史家廃業」を宣言しつつ、興味深い視点を示している。いわく、歴史家が探求の対象としてきた「歴史」(＝ヘーゲル的な意味での歴史)は、近年の人々の精神において消滅してしまったのであり、したがって歴史家は廃業せざるを得ない、という。與那覇は、現代日本のさまざまな「歴史ブーム」の興隆は一見歴史への関心の高まりを示しているように見えて、実はそれは逆に「歴史」の蒸発の表れであると見る。なぜなら、歴史ブームにおける歴史への関心は、「歴史」に本来備わっていたはずの「奥行き」を欠いているからである。いわく、「奥行きということばのニュアンスを、もうすこし具体的にいうと、現時点で私たちがもっている価値観や提示されている選択肢、そういったものの成立事情や背景をしることで見えてくる、相対化の感覚、ということになるでしょうか。どの価値観や選択肢をえらぼうと、歴史の流れにそれらが拘束されていることをしれば、けっして全能感は得られない。そういうわりきれなさ、『過去の影』のようなものですね」（與那覇潤『歴史がおわるまえに』亜紀書房、二〇一九年）。

確かに、平成の世から姿を消したのは、この「奥行き」だった。與那覇は、大ベストセラーとなった百田尚樹の『永遠の0』（二〇〇六年）をその典型例として示しているが、同書の特徴が、証言者に過去を証言させる体裁を取りながら、その証言者の言葉がすべて現代人のものとなっていることを指摘する。「『未知の過去をたずねる』形式をとりながら、じっさいにはどの証言者を切りとっても、現代人たる『著者の百田氏の分身』としか出会っていないのが、『永遠の0』に奥行きがない理由です。そして、だから読まれたのです」（同前）。

「歴史」の消滅に密接に関わるものは、「全能感」である。あらゆる本質的な闘争がすでに決着済みであり、人類は歴史の終着点にすでに到達したという意識からすれば、過去は、一見未知のようであっても、現代人の感覚・価値観に基づいて十全に表象再現可能であり、やはり同じ感覚・価値観から遠慮会釈なしに解釈・評価を下しうる対象となる。

逆に、與那覇の言う「奥行き」とは、そのような全能感の享受を人にできなくさせる何かである。われわれの未来が本質的に不確定で未知であるならば、究極的に何が正しく何が間違っているのかをわれわれは知り得ず、したがって過去も、有限なる現在のわれわれから裁断することはできない。このような有限性の自覚の消滅が、ポスト・ヒストリカルな歴史消費を可能にしたわけである。

あるいは、精神分析医の斎藤環は、「歴史の終わり」の後の時間は、「回帰」の契機を欠いた、「無限に延長可能な空間と化した『時間』の残骸である」（斎藤環『解離のポップ・スキル』勁草書房、二〇〇四年）と規定する。「歴史は終わった」という感覚は、時間の流れに本質的な断絶が刻み込まれることは金輪際決してないという感覚にほかならず、したがって、将来の時間は永久の均質性によって埋め尽くされる。これに対して、「回帰」とは、そのような均質性を破る何かを指すだろう。その典型例としては、大規模な政治変動・革命が太古のユートピアの再出現として感覚されることや、民族解放運動がその民族の歴史的起源や重大な出来事の再現としてイメージされることなどが挙げられるだろう。

個人のレベルでは、「回帰」するものとは、各々の経験に由来する自己同一性であろう。この契機が欠けたとき、人間は「成熟」することができなくなると斎藤は指摘する。「『成熟』とは、反復回帰する時間を受け入れることなのだ。こうした構造を否認し、無限に延長された空間の彼方に未来を表象すること。そのとき人は成熟を免れるかわりに、万能感と空虚さの源である空間的時間の中に封じ込められることになる」（同前）。こうした、言うなれば平成的な時間感覚が、この時代に大量発生した「引きこもり」や「自分探し」といった若年世代のアノミーの前提となっているのではないか、と斎藤は論じている。

ここで「万能感と空虚さ」の対概念として語られている「成熟」とは、ハイデガー用語で言えば、自己の〈被投性〉の自覚であり、かかる有限性の自覚（＝幼児的全能感の断念）を通した自らの欲望の確立を指すだろう。「私はかくかくしかじかの者以外の何者でもあり得ない」ことを受け入れ、そのような者として何をなすべきかを見出すこと——こうした過程こそ「成熟」にほかならない。

そして、疑いなく、平成時代は「成熟の拒否」が全面化に至る過程であった。そのことは、今日の大学のキャンパスの風景を一瞥するだけで了解できることだ。政治的・社会的メッセージを伝える媒体が消え、「成熟の拒否」の典型であるオタク文化的表象（ロリータコンプレックスを露骨に表出するもの）が「あられもなく」氾濫するようになった光景がそれを物語っている。私の知る限り、成熟の拒否をかくも大っぴらに（恥ずかし気なく）謳歌できる文明は、日本以外にはあるまい。

與那覇や斎藤の立論は、平成時代に進行した、宮台真司が言うところの「感情の劣化」とも関連するだろう。與那覇の指摘するポスト・ヒストリカルな歴史叙述の特徴のひとつは、ディテールに関する描写が欠けていることである。『永遠の0』について、與那覇はつぎのように述べる。

この、歴史をたずねているはずが、自分にしか出会わない「旅」になるという構成は、文体にもあらわれています。容貌について具体的な描写がほとんどないので、肝心の祖父・宮部久蔵も背が高いことしかわからず、女性の登場人物はただ「美人」だとしか書かれない。読む前から読者の頭の中にある、偉丈夫や美女のイメージを代入して、各自満足してくださいということですね。これも平成を席巻した、ライトノベルやケータイ小説に通じる特徴かもしれません。

——與那覇潤、前掲、『歴史がおわるまえに』

細部の描写には、「他者性」が宿る。すなわち、未知であるがゆえに概念に還元できないものが「ありのままに」描写せられ、そこからわれわれにとって理解することのできない他者の有り様が喚起される。そこには我有化できない「他者」としての歴史性が刻印される。あるいは、技術的な側面から言えば、それは感情移入を遅延させるための技法である。われわれは、とりわけ文芸作品を読むとき、多くの場合登場人物や語り手に何らかのかたちでの感情移入をせずにはいられないが、そのとき、そうした感情の動きが、登場人物の細部の描写を通じた間接的なものによってしか喚起され得ないものであることによって、「他者は理解し尽くすことができる」という万能感・全能感は断念させられる。

全能なるポスト・ヒストリカルな人間にとって、このような遅延や断念の過程、言い換えれば感情の成熟過程は無駄なものでしかなく、それが省かれることは、一種の効率化でしかなくなる。しかし、そうした「省エネ」の代償はとてつもなく大きい。作品の享受において、あるいは日常生活においても感情移入そのものが消滅することはない以上、それは複雑な過程を欠いたまなされるほかない。ゆえにそこから生じるのは、感情が成熟せずに単純化すること、その劣化である。

感情の劣化は、いわゆるネトウヨの増殖といった攻撃的な人格の大量——しかし、少数者にすぎない——発生についてつとに指摘されるが、このような逸脱的な事例と異なり一見無害なかたちで、はるかに広範に広がっている。例えば、マツコ・デラックスはティーンエイジャーのカリスマである（らしい？）西野カナ（歌手）に関して、次のような辛辣だが正論と言うほかない言葉を投げ掛けている。

「ありがとう、君がいてくれて、本当よかったよ……」なんて詞（中略）をどう解釈しろっていうのよ。どこに心の機微があるの？（中略）「ありがとう」ということを自分なりの言葉に代えて表現することこそが、作詞活動じゃないの？（中略）
あのボキャブラリーでよく歌詞なんか書こうと思ったものね（中略）。あんな3歳児でもわかるようなフレーズじゃないと、今の若い人たちは共感できないの？　そんなにアタマが悪いの？　そんなに想像力がなくなっているの？

――マツコ・デラックス『世迷いごと』双葉社、二〇一〇年

重要なのは、「心の機微」の表現が稚拙なのではなく、そもそも「心の機微」が存在しない、ないものは表現できない、ということだ。他者の感情の複雑な動きを感知して読み取ることは、訓練なしにはできないし、その読解能力を持たない者は、自らも複雑な感情を持つことはできない。昭和から平成にかけてのヒット曲の歌詞を検証してみれば、国民の文芸的リテラシーの崩壊的低下（「三歳児でもわかるようなフレーズ」の増殖）は明白であると思われるが、それは音楽産業の栄枯盛衰などよりもはるかに重大な事態、すなわち、日本人が感情を表現する能力が低下して

きたことではなく、感情そのものの質の低下を示唆するものであろう。水村美苗がベストセラー『日本語が亡びるとき』（筑摩書房、二〇〇八年）において主に警鐘を鳴らしたのは、グローバル化（英語化）のなかで知の媒体としての日本語が衰退する事態であったが、状況はおそらくより一層深刻である。「日本語が亡びる」という事態は、日本人の感情の活動そのものが劣化することをも意味している。

かくして、斎藤が言うように、ポスト・ヒストリカルな主体の全能感・万能感は、その反対物、完全な空虚さへと転化するのであり、それは最近の日本人の言語活動の端々に明瞭に表れている。例えば、「業平橋」という駅名を「とうきょうスカイツリー」に気軽に変更し、山手線の新駅に「ゲートウェイ」なる語を平気で充ててしまえる感性の登場は、資本による生活世界の全面包摂・植民地化の一端を示しているだけでなく、「歴史」の許を去った人間の自由（万能性）とかかる人間の空虚性を表している。

われわれがこのような存在になった時代、それが平成だった。

平成時代の歴史的位置づけ

右に論じてきた平成時代の空虚性はあまりに甚だしく、それを認識する者にとって、絶望感を催させるかもしれない。しかし、この時代を歴史的に位置づける、言い換えれば、ポスト・ヒストリカルな時代状況を「再歴史化」することによって、その内実は解明可能である。

私は、二〇一八年四月に刊行した『国体論——菊と星条旗』によって、明治維新以来の一五〇年の日本近代史の歩みを、「国体」が形成され、相対的な安定を獲得し、そして崩壊するという過程が二度繰り返される歴史としてとらえることができる、との仮説を提示した。平成がここまで悲惨な時代となった理由は、この歴史把握から明快に説明しうる。

『国体論』で展開した、「戦前の国体」と「戦後の国体」がそれぞれの形成・安定・崩壊の三段階を歩んできたとする史観の詳細は、すでに述べたので本稿では繰り返さない。ただ、ここで指摘しておきたいが、戦後日本が単にパワー・ポリティクスの次元においてアメリカの属国化しただけでなく、それが天皇制の構造を通じて行なわれたこと、アメリカが戦後日本にとっての事実上の天皇の機能を果たすに至ったことの帰結（その社会的・精神的インパクト）の全体像は、いまだ示されたことはない。

ひとまず言えるのは、この視角から平成を規定するならば、それが見るも無残な時代となったことの道理は明瞭に理解され得る、ということだ。大正時代を実質的に終わらせたと言われる関東大震災から敗戦に至る昭和前期と同様に、平成時代はその全体が「国体の崩壊期」にほかならない。昭和前期において「戦前の国体」の不条理が極限化したのと同じく、平成時代は「対米従属を否認する対米従属」という「戦後の国体」の不条理が露になりつつ極限化してきたのである。

「歴史」の回復

「アメリカの傘の下　夢も見ました」と歌ったのは、桑田佳祐だった（サザンオールスターズ「平和の琉歌」一九九六年)。まさに敗戦から昭和の終わりまでは、アメリカに従属しながら反発することで、「夢を見る」ことができた時代だった。内田樹は次のように書いている。

もともと六〇年代以降の高度成長期を担ってきたのは戦中派世代である。彼らを駆動していたのは「次はアメリカに勝つ」という敗戦国民としてはごくノーマルな「悲憤慷慨」の思いであった。

江藤淳はプリンストン大学に籍を置いていた一九六三年に中学の同級生とニューヨークで邂逅するが、商社勤めのその友人は酔余の勢いを借りて江藤にこう言う。
「うちの連中がみんな必死になって東奔西走しているのはな、戦争をしているからだ。日米戦争が二十何年か前に終わったなんていうのは、お前らみたいな文士や学者の寝言だよ。これは経済競争なんていうものじゃない。戦争だ。おれたちはそれを戦っているのだ。今度は敗けられない。」(『エデンの東にて』)

ここまで過激な表現を取らないまでも、一九七〇年代まで現役だった戦中派ビジネスマンたちには「アメリカと経済戦争をしている」という自覚は無意識的には共有されていたはずである。この対米ルサンチマンは、バブル期に広く人口に膾炙した「日本の地価の合計でアメリカが二つ買える」という言葉にもはっきりと反響していた。

——内田樹「平成が終わる」内田樹公式ウェブサイト、二〇一八年三月七日悲憤慷慨、失地回復、復讐。それらを単にネガティヴな感情としてのみ扱うことはできない。それらなくして、戦後の日本人が過労死をも厭わず経済大国化を志向することなどなかったはずである。さらには、「経済戦争」は、敗戦にもかかわらず、日本人が「世界史」のプレイヤーの立場にとどまるための手段だった。戦前の大日本帝国が懐《いだ》いた「アジアの盟主」、さらには「八紘一宇」を達成するというかたちで世界史の舞台に立つという物語は、敗戦によって頓挫したわけだが、「今度は敗けられない」戦いを経済の舞台で闘うことで、戦後の日本人は世界史の主体たりうる道を見出したということだ。

そして、平成時代のわれわれは、この物語を見失い、それに代わるものをいまだ手にしていない。換言すれば、われわれの依って立つ存在論的基盤を失ったままだ。平成がまだ始まったばかりの一九九一年、テレビＣＭの「二四時間戦えますか」のフレーズが大流行した、言い換えれば、さしたる違和感もなく受け止められたが、この言葉が今日使われるならば、それは単に、使い倒され、病気や自殺に追い込まれる不幸な労働者を連想させるだけである。

しかし、われわれは「アメリカの傘の下で見た夢」は、必然的に悪夢に終わるほかないことをいい加減に直視せねばならない。失地回復（経済成長）は、実質的な意味（日本製品へのアメリカ市場の開放・軍事的依存・アメリカの戦争による経済的恩恵等々）でアメリカに依存すると同時に、精神の次元でもアメリカに逆説的に依存していた。要言するならば、甘えながらの反発——それは、無惨なほど「赤子」にふさわしい精神態度であろう。

そして、この「子供の幸福」すらをも失ったいま、存在論的基盤を取り戻す最も安易な方法であるインスタントなナショナリズムへの傾斜が猖獗《しょうけつ》を極めている。平成末期は、右傾化や愛国主義の風潮が強まったが、それは世界各地で見られるように、グローバル化のもたらす社会不安への反動として、ある意味では必然的な現象ではある。

だが、平成日本で際立つ点は、このナショナリズムの現象が、まさにポスト・ヒストリカルな主体によって担われているところにあるように感じられる。それを証する例には枚挙に暇がないが、総じて見て取れるのは、「保守」だの「伝統」だのといったワードをむやみと口にしたがるくせに、その「伝統回帰」は、歴史に関する教養の獲得や伝統的感性の涵養といった「手間のかかる」手続きを一切捨象した、全くの口先にすぎぬものとして現れている、という状況である。そして、そのなかでも最も有害なものとして、誰かを「反日」として誹謗中傷することで愛国者を気取る、というほとんど戯画的なまでにサミュエル・ジョンソンの有名な「ならず者」の定義(「愛国心は、ならず者の最後の避難場所である」)に合致する現象が目立ってきている。

そしてこのジャンクなナショナリズムは、先に見た、斎藤環の言う全能感に満ちかつ空虚な主体によるナショナリズムにほかなるまい。斎藤が挙げていた、時間を「歴史」的時間たらしめるもの、すなわち時間性における「回帰」とは、個人のレベルでは、主体の自己同一性を自己の経験から吟味し維持しようとする努力、いわゆる「内省」であろう。そのような回帰の契機を含む時間性を必然化するものは、「死」であると斎藤は指摘している。なぜなら、「もしわれわれが不死であったなら、時間の概念をまったく必要としなかった」(斎藤環、前掲、『解離のポップ・スキル』)はずだからである。「死」とは人間存在の有限性そのものであるが、その自覚が内省をもたらし、内省が成熟を可能とする。そして、すでに見たように、このような有限性の自覚の欠如が、ポスト・ヒストリカルな主体性を特徴づけ、全能感に満ちていると同時に空虚な主体を構成する。

今日のインスタントなナショナリズムは、この空虚を埋めるために呼び出された何かである。主体が内省による自己否定の契機（すなわち、精神の弁証法的発展の契機）を欠いていることと相即して、この補填物もまた、「素晴らしき我が国の伝統」や「一点の瑕疵《かし》もない美しい我が国の歴史」といった、ただひたすらのっぺりとした無内容な空虚であらざるを得ない。そこには、「死」への意識、すなわち「日本」や「日本人」もまた歴史的構成体であり、何時の日にか消滅することもありうる、という意識はない——今日まさにこの可能性が顕在化しているにもかかわらず。

平成時代が制度的に終わることが、ポスト・ヒストリーの状況を自動的に終わらせるわけではない。しかし、その幕切れ、すなわち天皇自身が自らの時代の幕引きを異例の行動によって実現するという事態は、示唆に富むものではなかったか。

『国体論』で論じたことだが、天皇を行動へと衝き動かした深い危機意識が問い掛けたのは、突き詰めれば、「これ以上、天皇制は続くのか、それは必要なのか」という問いにほかならなかった。なぜなら、「戦後の国体」においてはアメリカが事実上の天皇の役割を果たしているというカラクリが表面化するなかで、その現実を日本人が肯定するならば、天皇の存在は必要がない。単なる税金の無駄遣いだからである。

この状況において、「天皇は動き力強く祈らなければ天皇たり得ない」とする天皇は、象徴天皇の存在はあの「のっぺりとした無内容な空虚」であってはならず、象徴天皇制は天皇の天皇たらんとする不断の努力によってのみ持続しうる、というテーゼを打ち出した。このテーゼが示唆するのは、「日本」そのものもまたそれを構築し続けようとする意思と努力によってのみ存続しうるのだということにほかならない。日本も天皇制も可死であること、このことの自覚によってのみそれらは生き延びる可能性を持ち、死への意識と死との闘争にのみ「歴史」はあることを、この思想は含意している。

天皇の退位意向を大方の国民が受け入れた動機は、これまでの天皇の精力的な仕事ぶりに対する感謝と好意といういささか素朴な感覚であっただろう。だがそれは、突き詰めれば、平成の天皇が積み重ねてきた「天皇の天皇たらんとする不断の努力」への敬意ゆえだったはずだ。われわれが「歴史」に復帰できるとすれば、その小さな入り口は、この素朴な感覚を意識にまで高めるところに開かれうるのではないだろうか。

第四章

沖縄からの問い　朝鮮半島への想像力

一　沖縄と国体——犠牲と従属の構造

「構成的外部」としての沖縄

戦後日本にとって沖縄とは何であったのか。哲学的な表現を用いるなら、沖縄とは「戦後レジーム」の「構成的外部」である。「構成的外部」とは、あるシステムが自律的に成立するために、システムの外へと排除したものを指す。つまりそれは、当該システムの外側にあるように見えて、実はそのシステムが成り立つための根幹的な役割を負っている。

戦後日本は「平和と繁栄」を謳歌してきたと言われる。それは、親米路線が長年にわたり安定的に追求された結果だ、と親米保守派は自賛する。他方、リベラル左派のあいだでは、憲法九条の平和主義により、やはり同じく「平和と繁栄」が実現された、と広く考えられている（例えば、枝野幸男立憲民主党党首は、二〇一八年八月一五日発表の談話において、次のように述べている。「戦後の日本は、憲法の平和主義のもと、焦土と化した国の復興に全力を傾注し、自由で平和で豊かな民主主義国家をつくり上げました」）。

だが、平和？　本土は、第二次大戦が終わるや否や憲法九条を戴《いただ》く「平和国家」へと素早く変身し、東西対立の激化にもかかわらずその看板を守れたのに対し、沖縄は戦争終結から三〇年近くもの間、軍事的要請がすべてに優越し、平然と人権を蹂躙《じゅうりん》する支配の下に置かれ続けた。

あるいは、非核三原則も忘れてはなるまい。本土が「持たず、作らず、持ち込ませず」という徹底的「反核」を国是《こくぜ》と定める一方、米軍統治下の沖縄は、核戦略の重要拠点に指定され、ピーク時には一〇〇〇発を超える核弾頭が持ち込まれていた。そして、沖縄返還時の核密約。アメリカは自国の核兵器がどこにあるかを明らかにしない方針を採っており、現在でも在沖米軍基地には、核兵器そのものか、少なくとも核兵器の運用施設があることは確実であろう。要するに、非核三原則とは、一個の笑い話である。

また、本土では「民主化」の掛け声の下に（外見的には）議会制民主主義が定着したが、沖縄は、一九七二年の返還＝本土復帰以前には、米軍の端的な軍事支配があったし、復帰以後も、民主国家であれば当然担保されるべき住民の主権（自決権）を簒奪《さんだつ》された状況にある。

「繁栄」も同様である。戦後日本の経済発展を支えた吉田ドクトリン（軽武装＋親米路線）は、沖縄に巨大な米軍基地を集中させることで可能になった。かつ、本土が重化学工業を基軸とする先進工業国化に成功する一方、米軍統治下の沖縄は産業の内発的発展を阻害され、基地依存経済が構造化されたのであった。

これらの本土と沖縄における対照的な様相は、両者が別々にそうなったのではない。本土における「平和・繁栄・民主主義」は、沖縄におけるそれらすべての不在に依存してきた。「平和・繁栄・民主主義」が戦後レジームの壮麗な外観である一方、その成立のためには、例外としての、否、見えない支柱としての、「平和・繁栄・民主主義」を完全に欠いた空間（＝沖縄）を必要としてきた。この意味において、戦後レジームにとっての沖縄とは「構成的外部」にほかならない。

ゆえに、名護市辺野古沖での米軍基地建設をめぐって沖縄の我慢が限界を超えたいま、どのような政治的立場からであれ、戦後という時代を「平和・繁栄・民主主義」と安易に特徴づけることには、欺瞞《ぎまん》性がつきまとう。親米保守派とリベラル左派は、「平和・繁栄・民主主義」の理由を、前者は親米路線（≒日米安保体制）に、後者は九条平和主義に帰することによって対立しているかのように見えるが、両者ともその肯定的な戦後観が「構成的外部としての沖縄」を排除することで成り立つ点で、共通している。両者の対立は、同じ対象を異なる角度から視ることで生まれるものにすぎない。

後述するが、日米安保体制と九条平和主義は、漠然とした意味においてではなく、政治史的事実を明確にたどれるかたちで、密接につながっている。言い換えれば、それは同一物の二側面である。今日の課題は、この「同一物」とは何であるかを把握することであり、同時にそれは、沖縄で顕在化している戦後レジームの危機の本質を摑むことにほかならない。

永続敗戦レジーム

戦後レジームとは、私の言う「永続敗戦レジーム」と同一である。「永続敗戦」とは、「平和と繁栄」としてとらえられてきた戦後レジームの正体を言い表すための概念である。詳しくは、拙著『永続敗戦論――戦後日本の核心』の参照を求めるが、それは、先の大戦での大日本帝国の敗北が持つ意味を曖昧にした歴史意識である。かかる歴史意識は「敗戦」が「終戦」と呼び換えられて流通していることに端的に現れているが、戦後日本人は「敗戦を否認」してきたのであり、これを可能にした最大の要素こそ、戦後の「親米」の名を借りた対米従属であった。東西対立の世界で、アジアにおけるアメリカの最重要パートナーに収まることで、比較的速やかな復興をはじめとして、戦後日本は敗戦の意味を極小化することができた。

戦後の日本人が「敗戦を否認」できたとは、つまりは幸福であったことを意味する。逆に言えば、「われわれは敗戦国の国民なのだ」と日常的に実感させられるような状況とは、取りも直さず不幸な状態である。戦後の日本人の多くは、比較的速やかにそうした状況から脱することに成功した。だがいま、その幸福の代償が政治と社会のゆがみとして全面的に露呈してきているのである。統治エリート（政官財学メディアの主流派）の領域では、それは、世界に類を見ないような卑小さを伴う自己目的化した対米従属として現れている。体制のそうした在り方の起源に遡れば、東西対立の激化を背景として「逆コース」政策へとアメリカの対日政策が転換するなかで、戦前の保守支配層は戦争責任の追及を逃れて復権する機会を摑んだ。だから彼らが「アメリカ様」に対して頭が上がる道理がない。岸信介の孫である安倍晋三に象徴されるように、現在も統治エリート集団の枢要部を占めているのは、右の経緯によって首がつながった者たちの末裔《まつえい》である。他方、一般的な社会現象としては、「敗戦の否認」は、先の大戦への真摯な反省と自己変革の努力の不在として現れている。われわれが実はあの戦争に負けていないのだとすれば、後悔の必要もなく自分を変える必要もないのだから。

この精神態度が、戦後民主主義を表層的にとどめた一方、「成長し続ける経済」という戦後日本の繁栄の前提は東西対立の終焉《しゅうえん》と同時期に崩壊した。そこで現れたのが、敗戦の結果もたらされた戦後民主主義的価値観に対する不満の鬱積であり、それが、「ポツダム宣言を詳《つまび》らかに読んだことがない」まま「戦後レジームからの脱却」を唱えるという奇行に及んでいる宰相に支持を与えている。その行き着く先は何らかのかたちでの「第二の敗戦」であるほかない。敗戦を正面から受け止めないためにダラダラと負け続ける――これが「永続敗戦」の含意である。

「国体」化した対米従属

こうした歴史意識に基づく体制を「永続敗戦レジーム」と私は呼ぶわけだが、先述のように、これを可能にしたのは戦後の対米従属、より正確には、古今東西類を見ないような異様で特殊な対米従属である。

ある国家が超大国に従属していること自体はありふれた現象だが、戦後日本の対米従属は、従属の事実がボヤかされている点に、重要な特徴がある。そこには、対米従属は対米戦敗北の直接的帰結であるが、敗戦を否認するためには、その帰結をも否認しなければならない、という構造的な動機がある。そして、そこから、「従属の事実を否認する従属」という類稀なる特殊な従属が生まれる。

その「特殊性」とは、究極的には天皇制に起因するものである。どういうことか？　明治維新以後に国家の公認イデオロギーとして形成された「国体」観念は、日本を「万世一系の天皇が永久に君臨する家族国家」であると定義した。天皇は、他の文明圏の、権力により「支配する」君主とは違って、臣民を我が子のように、「赤子《せきし》」として慈しむ日本民族（さらには、植民地諸民族）の「大いなる家長」であるとされた。

この構造が、戦後は対米関係に投影されたのだ。アメリカは「慈悲深き家長」として日本を従える。愛に基づく支配であるならばそれは支配ではない、という論理が従属の事実を否認する。ゆえに、「戦後レジーム」＝「永続敗戦レジーム」とは、同時に「戦後の国体」にほかならない。

沖縄と「国体」

ここで考察されるべきは、「戦後の国体」の形成とその歩み、そしてその崩壊において、沖縄がどのような役割を割り振られたのか、という問題である。

一九四五年八月のポツダム宣言受諾に際して、当時の国家指導部が最後までこだわった降伏の条件が「国体護持の保証」であったことはよく知られているが、その実質は何であったのか。敗戦と占領改革の時期における「国体護持の行方」は、昭和天皇の戦争責任の不問と象徴天皇制の導入によって決着された、と一般的には受け止められている。

だが、連合国の視点で考えると、事柄は単純ではない。「万世一系の天皇が永久に統治する日本国独特の国家の在り方」という国体観念は、第三者の視点から見て、戦時中の日本の在り方と重ね合わせると、「天皇という君主を頂点に戴く、極端な軍国主義専制国家」を意味していた。

ゆえに、ＧＨＱ（連合国軍総司令部）の五大改革指令（婦人の解放、労働組合の助長、教育の自由主義化、圧制的諸制度の撤廃、経済の民主化）に代表されるように、国体における天皇制ファシズム的要素の廃絶を戦後日本は強制されることとなった。

こうした改革が一定の成果を収めた、つまり「国家の在り方」が変革されたという対外的評価を得ることができてはじめて、戦後日本の国際社会への復帰（占領終結、サンフランシスコ講和条約─以下、サ条約─の締結）が許されたのである。そうでなければ、戦後ドイツがナチス第三帝国であるがまま国際社会に復帰するのと同じであって、そのような事態は到底あり得なかった。したがって、「国家の在り方」という意味での国体は、面目を一新したのであり、国体が護持されたとは到底言えない。ゆえに、マッカーサーが主導した天皇制の存続（国体護持）とは、多分に外面的なものである。

マッカーサーが国内外の世論、また米政府内での「天皇の責任を問うべし」という圧力を断固たる決意で押し返した端的な理由は、天皇を攻撃するよりも、天皇を活用した方が円滑な占領統治に有益である、という判断であった。

マッカーサー自身が骨子である「三原則」を提示して起草された新憲法の内容も、この文脈から理解される必要がある。「三原則」とは、「天皇を元首とする」、「戦争放棄」、「封建制度の廃止」であったが、「天皇を元首とする」（天皇が象徴として存在し続ける）と「戦争放棄」（完全な非武装化）は、密接に関連していた。天皇の責任を問う内外の圧力をかわすためには、日本を軍事面で徹底的に無力化することが必要だったのである。

かくして、GHQは、単に昭和天皇を免責するだけでなく、新生日本を「平和主義」で「民主主義」の国へと変える主導者の役割をも天皇に割り当てるようになる。こうしたアメリカの思惑に対して、昭和天皇は、「官民挙ゲテ平和主義ニ徹シ」と述べた「人間宣言」をはじめ巧みに応えた。

しかし、中華人民共和国の成立（一九四九年）と、朝鮮戦争の開始（一九五〇年）により東西対立が東アジアでも激化するなかで、外見的国体護持（天皇制の維持）と平和主義（徹底した非武装国家化）は、矛盾をきたす。すなわち、天皇にとって、戦前から存在した国体の不倶戴天《ふぐたいてん》の仇《かたき》としての共産主義は、いよいよ力を増してきたと認識された。そのとき、国体の守護神として要請されたのが米軍のプレゼンスにほかならなかった。豊下楢彦が明らかにしたように（豊下楢彦『安保条約の成立――吉田外交と天皇外交』）、占領終結後の米軍駐留継続は、昭和天皇による「天皇メッセージ」（昭和天皇が一九四七年九月、側近を通して連合国軍総司令部（GHQ）に対し、沖縄の長期占領を希望することを口頭で伝えた）にも後押しされて、アメリカが「われわれの望む数の兵力を、望む場所に、望む期間だけ駐留させる権利を確保する」（国務長官、ジョン・フォスター・ダレスの言葉）取り決めとして、日米安保条約がサ条約とセットで結ばれることによって実現された。

利用された沖縄

ここに深刻な矛盾が発生する。第二次大戦後のアメリカは、主要なものだけでも、朝鮮戦争、ベトナム戦争、湾岸戦争、アフガン戦争、イラク戦争と、ほぼ間断なく戦争をし続けてきた。そして、これらの戦争が、日米安保条約に基づく日本からの大規模な基地の提供なしに遂行し得なかったことは、自明である。つまり、矛盾とは、日本は一方で決して戦争をしないという「平和国家」の看板を掲げつつ、同時に他方で、常に何らかの戦争を闘っている国家の、その戦争遂行にとって不可欠な援助者である、という事実にある。

この矛盾は、ベトナム戦争当時までは、本土の日本人にとってもはっきりと意識されていた。だからこそ、ベトナム反戦運動は高揚し、運動は社会の好意的な視線によって支えられていた。しかしその後、矛盾は、覆い隠され意識されなくなった。

この矛盾を覆い隠す役割を背負わされたのが沖縄であった。そのプロセスは、大戦終結直後から始まっている。アメリカが凄惨な地上戦の果てに占領した沖縄は、講和条約によって日本の主権が回復されたがゆえに、国際法的にきわめて曖昧な、極度の無権利状態に置かれることとなった。サ条約では、沖縄に対する日本の「潜在主権」を認めつつ、統治の実権は全面的にアメリカに帰せられたからだ。同時にアメリカは、「いかなる領土の変更も欲しない」と宣言した大西洋憲章（連合国の行動綱領、一九四一年）以来の無併合の大方針に拘束されており、沖縄を一時的にではあれ併合するわけにはいかなかったため、沖縄は国際法的に定義困難な地位に留め置かれた。その結果、沖縄は、日本の領土でもなければアメリカ領でもなく、ゆえに両国の憲法が規定する人権保障がいずれも機能しないがために、軍事的要請が制約なしに貫徹される空間と化した。その具体的表れが、「銃剣とブルドーザー」による軍用地の強制収用であった。

かかる明白な人権蹂躙を、アメリカは何時まで続けるつもりだったのか。答えは「無期限」である。一九五三年に、時の国務長官、ダレスは、「極東に脅威と緊張の状態が存する限りアメリカは琉球諸島に対する統治権を行使し続ける」と、宣言した。この宣言は「ブルースカイ・ポリシー」と呼ばれ、「一点の雲もなく空が青くなるまで沖縄は返還されない」ことを意味した（古関彰一・豊下楢彦『沖縄　憲法なき戦後――講和条約三条と日本の安全保障』みすず書房、二〇一八年）。「極東に脅威と緊張の状態が存する」か否かを判断するのは、無論アメリカである。

虚構の沖縄返還

それでも一九七二年に沖縄返還が実現するのは、日本の本土および沖縄での復帰要求の高まりと、アメリカの事実上の沖縄領有、否、領有よりもさらに過酷な自由軍事利用への国際的な批判の視線を、アメリカも意識せざるを得なかったためである。アメリカ政府内（特に国務省筋）からも、沖縄支配を自由・人権・民主主義等のアメリカの国是を汚すものとして批判する声があがっていた。

かくして、施政権の返還は一応実現した。そして、敗戦から現在に至るまで、沖縄をめぐる日米間交渉の歴史は、沖縄における軍事的フリーハンドを手放したくないアメリカ側の意思と、沖縄を文字通り取り戻そうとする日本側の意思の衝突の過程であるかのように一見思われる。

しかし、それは外観にすぎない。古関彰一と豊下楢彦が『沖縄　憲法なき戦後』で検証したように、米軍による沖縄支配に終止符を打つために、日本外交があらゆる手段を動員したことはない。具体的には、返還以前に、サ条約が認めた日本の潜在主権を根拠に沖縄の軍事植民地的状況の不当性を国連の場で問題化する、という手段は検討さえされなかった。また、東西対立終焉以後、在日米軍の最大の駐留根拠（対ソ連）が失われた以上、大規模な駐留削減の提案も可能だったはずが、一九九六年の日米安保共同宣言は、日米同盟がアジア太平洋地域の安定の基礎であるという論理によって、在日米軍の兵力規模維持を宣言した。これは、「ブルースカイ」（極東に脅威と緊張がなくなること）は、存在せず、今後も存在しない、つまり、実質的に「沖縄は返還されない」と宣しているに等しい。

このような、自発的な従属の実態、従属の事実を否認する従属の虚構性は、沖縄の現実において暴き出されてしまう。米軍絡みの事件・事故の頻発に対して実効的対策が一向にとられないのは、日米地位協定の不平等性ゆえであり、かかる不平等条約による支配に日本国民が服している現実は、沖縄では覆い隠せない。だが、逆に言えば、本土の多くの米軍基地が沖縄に移されたことによって、右の虚構は本土では現実として通用する。「戦争と絶縁した平和主義の日本」という虚構と「世界最強の軍国主義国家の援助者＝子分」という現実は、「アメリカに愛されているのであって従属などしていない本土」と「アメリカによって力ずくで支配されている沖縄」というかたちで空間上に転態《てんたい》されるのである。

この構造が固定化され変わらない理由の筆頭は、本土の人間がほとんど意識していない差別であろう。ここでは、第二の理由として、このような戦後沖縄の状況をつくり出した経緯の一端を昭和天皇が担ったこととの意味を指摘したい。

昭和天皇は日米安保条約締結を働きかけたのみならず、一九四七年に「天皇メッセージ」をアメリカ側に伝え、米軍による沖縄占領を五〇年間よりもさらに長く継続させることを希望する意思を表した。天皇の考えでは、国体を護持する（＝皇統が持続する）ためには、平和主義の国是と同時に、共産主義の脅威に対抗するための国土の要塞化が必要だったのである。この矛盾を解消すべく指定されたのが、「日本でもなくアメリカでもない」沖縄であった。

「天皇メッセージ」がどれほどの政治的実効性を持ったかについては、まだ十分に解明されていない。ただし、その直接的効力よりも重要なのは、昭和天皇の考え方が戦後日本の統治エリート集団の全般的な意思とシンクロし、一般化していった点にある。この事情を踏まえると、とにもかくにも施政権が返還され、東西対立も終焉し、日米間の国力格差も戦後直後とは全く異なった状況になったにもかかわらず、沖縄を不変の構造に押し込め続けている無意識化された動機に、われわれは直面する。つまりそれは、「昭和天皇がお決めになったことだから、変更できない」ということではないのか。

「戦後の国体」と闘う沖縄

いま、「戦後の国体」は明白に崩れ始めている。「天皇陛下のように日本を愛してくれるアメリカ」という幻想は、東西対立にその根拠があった。アメリカは日本をアジアにおける最重要の同盟国と見なして、恩恵を授けた。しかし、東西対立の時代はとうに終わった。にもかかわらず、対米従属の合理性が失われた時代（ポスト冷戦期）においてこそ、親米保守派が支配する戦後レジームの対米従属姿勢は、より露骨なものとなってきた。もはや存続不可能になったレジームの終焉を無限延期することで自己保身しようとする、統治エリートの身勝手な努力が安倍政権として今日結晶している。かくて、一九四五年に愚行と欺瞞の果てに「国体」が一度崩壊したのと同様に、「戦後の国体」もまた、統治の破綻というかたちで崩壊の道を歩んでいる。

そうした状況下で、「戦後の国体」の構成的外部としての沖縄から発せられた声は、今日の日本の政治状況の本質を衝くものとなり、故翁長雄志県知事の発言は、的確で鋭利な戦後レジーム批判として現れた。「事件事故が相次いでいても、日本政府も米軍も無関心なままでいる。日本政府はアメリカに必要以上に寄り添うなかで、ひとつひとつの事柄に異を唱えるということができていない」（二〇一七年一二月）。「安倍総理が『日本を取り戻す』という風に（中略）おっしゃってましたけど、私からすると、取り戻す『日本』のなかに、沖縄は入っているんだろうかなというのが、率直な疑問です」、「『戦後レジームからの脱却』とよくおっしゃいますけど、沖縄では戦後レジームの死守をしている」（二〇一五年四月）。

本土の日本人が安倍政権に支持を与え続けてきたことは、これらの指摘を却下してきたということであり、「戦後の国体」を依然として支持しているということでもある。しかし、いまオール沖縄が戦いを挑んでいる「戦後の国体」とは、本来は、現レジームの特権階級（例えば、「家柄の良さ」だけで二度も総理大臣を務めさせてもらえるような特権階級）の構成員を除くすべての日本人にとって、打倒すべき敵なのである。

二　追悼・翁長雄志沖縄県知事――その闘いの意味、闇を切り裂いた言葉

二〇一四年一一月一六日の夕刻、テレビのニュース特番を見ていた時の高揚した気持ちを、私は鮮明に記憶している。チャンネルはＢＳのＴＢＳであり、アンカーは後に立憲民主党所属の国会議員となる杉尾秀哉氏が務めていた。開票開始早々に出た「翁長雄志《おながたけし》氏当確」の知らせを伝える杉尾氏の表情には沸き立つ感情が現れており、解説の一人として出演していた前泊博盛《まえどまりひろもり》氏（政治学者・沖縄国際大学教授）の表情がみるみるうちに生気に満ちていった様子は、もう一人の解説者――誰であったか忘れたが、代表的な「安保ムラ」の住人であった――のうつろな表情と好対照をなしていた。二〇一二年末に安倍晋三政権が成立して以来初めてまともなニュースに接した喜びを私はかみしめていた。

翁長知事誕生から四年弱、「日本で最も勇敢な男」（米フォーブス誌）は逝った。この間の翁長知事の闘い、オール沖縄の闘い、沖縄県民の闘いの過程は、日本国家の民主主義・法治主義の崩壊の凝縮された過程でもあった。安倍政権は、知事選や国政選挙を通じて沖縄の人々が表明した「辺野古に基地はつくらせない」という意志をあらゆる手段を動員してくじく一方、モリカケ問題の発生とその対処に象徴されるように、統治それ自体を崩壊させた。

私の考えでは、この二つの事象は別々の事柄ではない。安倍政権は、私が「永続敗戦レジーム」あるいは「戦後の国体」と名付けた、「従属している事実を否認する特殊な対米従属レジーム」の最高形態である。「最高」と呼ぶのは、この体制こそ「戦後レジーム」の正体であり、それがもはや維持不可能になっているにもかかわらず、無理やりにそれを継続させていることの結果として、限りなく強引で逸脱した政治手法に頼らざるを得なくなっているからである。それにより、翁長県政が苦汁をなめさせられたこの四年弱は、このレジームが腐敗を深め、崩壊する自己をますますむちゃくちゃな仕方で支えようとしてきた期間でもあった。

それでは、「彼ら」は勝利を収めたのだろうか？

断じて「否」と言わねばならない。このように状況が過酷であるからこそ、翁長知事の言葉は、本質をうがった、闇を切り裂く光となった。「米軍に関する事件事故が相次いでいても、日本政府も米軍も無関心なままでいる。日本政府はアメリカに必要以上に寄り添う中で、ひとつひとつの事柄に異を唱えるということができていない」、「日本政府には（米軍基地が引き起こす問題を解決する）当事者能力がない」（二〇一七年一二月）。「安倍総理が『日本を取り戻す』というふうに、二期目の安倍政権からおっしゃってましたけど、私からすると、日本を取り戻す『日本』の中に、沖縄は入っているんだろうかなというのが、率直な疑問です」、「『戦後レジームからの脱却』ということもよくおっしゃいますけど、沖縄では戦後レジームの死守をしている」（二〇一五年四月）。

「日本政府がアメリカに必要以上に寄り添う」、すなわち言うべきことを言わずに卑屈なご機嫌取りに徹するのは、戦後日本の対米従属は根底的には暴力を基盤とする「支配」ではないという虚構を維持するためであり、この虚構を拒絶する沖縄は国民統合から除かれる（「取り戻す『日本』」のなかに沖縄は入っていない）——こうした政権の赤裸々な本音を翁長知事の発言は射抜き続けた。

安倍政権を支持し続けた本土の国民が理解していないのは、政府・支配権力の沖縄へのこうした態度は、国民全体に対する態度を濃縮したものにほかならない、という事実だ。米軍基地に関して、なぜ沖縄が過酷な仕打ちを受けてきたのか。それは、究極的には、米軍にとって沖縄が「戦利品」だからであろう。そして、戦利品であるという状態は、何も沖縄に限ったことではない。日米安保条約・日米地位協定は日本全国に適用されるものである以上、沖縄が経験してきた基地のもたらす危険・脅威は、かつては本土でもしばしば実感され、今日ではごく稀にしか表面化しないものとなったが、本質的には沖縄におけるのと全く同様に存在し続けている。そして、沖縄への基地の集中、封じ込め、過剰負担こそが、この構造を不可視化させてきたのであった。

戦利品として支配されているという事実を否認し、支配者に進んで取り入ることによって地位と権力を維持してきた勢力、これが今日、「日本を取り戻す」だの「戦後レジームからの脱却」だのといった譫言《うわごと》を口にしてウケている、というのが不可視化の果てに現れた本土の末期的な状況である。その実相は、翁長氏が指摘したように、なりふり構わない「戦後レジームの死守」、より具体的には彼ら対米従属体制内エリートの自己保身であり、そのためには一般国民のどんな犠牲も厭《いと》わないというものである。彼らにとって、国民あるいは国家全体は、どう処分しても構わない「私物」にほかならない。

翁長氏は「沖縄には魂の飢餓感がある」と言った。それは本来、すべての日本国民が――自らの運命を自らの掌中に握ろうとするならば――感じて当然のものなのだ。翁長氏は先駆者としてそのことを教えてくれた。この教えが伝わり続ける限り、四年弱の激しい闘いの果てに途半ばで斃《たお》れた翁長氏は、決して敗者ではない。

三　朝鮮戦争と戦後の国体

ゆらぐ「戦後の国体」

嫌韓に反韓に断韓。ネトウヨだけでなくフツーの人まで、明けても暮れても、話題は韓国のことばかり。しかし、隣国叩きにウツツを抜かしていられるのもいまのうちだ。私の見るところ、この状況は「戦後の国体」がいよいよゆらいでいるという文脈を露にする現象である。

「戦後の国体」とは何か。詳細は拙著『国体論――菊と星条旗』の参照を願うが、その要点は次のようなものである。戦前の天皇を頂点とする国家体制（＝国体）は、敗戦に伴う民主化改革によって破壊されたということに建て前上はなっている。しかし、これまでも再三指摘されてきたように、民主化改革は「逆コース」により不徹底なものに終わり、戦前の指導者たちが「親米保守派」となって各界において復権した。そのような指導者として最も著名な人物が東条英機内閣の閣僚であった岸信介であり、その孫、安倍晋三が超長期政権を実現したことに現れているように、この体制は戦後日本の屋台骨として長年機能してきた。

この親米保守が中核となる対米従属体制を私は「戦後の国体」と呼んでいる。なぜならば、この体制は日米安保条約を基礎として単に親米の根本姿勢をとっているだけでなく、大日本帝国が「天皇とその赤子（＝国民／臣民）」の愛の共同体＝一大家族という擬制に依拠していたのと同型の、「敬愛に基づく友好関係」という物語に依拠しているからである。「天皇陛下は国民を我が子のごとくに愛してくれる」という物語が国際関係へと投射され、「アメリカは日本を愛してくれている」という都合のよい妄想へと交代した。つまり、アメリカが事実上の天皇として機能する、従属の事実を否認する（相思相愛であって政治的関係ではない！）従属を指して、「戦後の国体」と呼んでいるのである。

その国体がゆらいでいるとはどういうことか。戦前の国体は、明治維新の一八六八年を起点と見ると、一九四五年の敗戦まで、七七年間のうちに形成・発展を経て崩壊に至った。他方、一九四五年に始まる戦後体制は、対米従属を基礎として復興、経済発展を実現させ、そしていま、無能・不正・腐敗の三拍子揃った政権が打倒されずに継続し、統治そのものが崩壊しつつあるというかたちで、破滅に向かっている。二〇二二年には、戦後も七七年目を迎える。つまり、戦前の国体と戦後の国体が並行した軌道を描いているとすれば、国体の二度目の死の過程を、われわれは経験しつつあるのだ。

だが、この死の過程は奇妙に引き延ばされてきた。すなわち、「天皇陛下のように慈悲深いアメリカ」という擬制は、東西対立構造のなかにその根拠があった。アメリカは、昨日の敵であった日本を、アジアにおける自由主義陣営の最重要パートナーとして位置づけ、軍事要塞として活用しつつ、諸々の便宜を図った。戦後日本の経済成長、経済大国化は、それによって可能となったのだった。ソヴィエト連邦という共通敵があった限りにおいて、米日は基礎的利害を共有していた。しかし、そのような構造はすでに三〇年も前に崩れ去った。とすれば、一九九〇年代以降、日本としては自らの立ち位置を定義しなおさなければならず、対米従属は相対化されねばならなかったはずが、逆説的にも、対米従属の構造は弱まるどころか、強化に次ぐ強化が重ねられて、今日に至る。けだし、国体は天壌無窮だからである。

朝鮮戦争がつくった「この国のかたち」

だが、今日生じてきている状況変化は、ついに「戦後の国体」を終焉に向かわせるものとなるだろう。キーポイントは、朝鮮戦争の終結の見通しにある。

「戦後の国体」が形成された要因は、広くは東西対立という大構造であったが、東アジアの情勢というより限定的な文脈においては、朝鮮戦争の勃発《ぼっぱつ》であった。一九五〇年六月二五日、朝鮮民主主義人民共和国が事実上の国境線であった三八度線を越えて侵攻、一時は半島の武力統一まであと一歩のところまで迫る。米軍を主力とする国連軍が韓国につき反撃を加え、他方、中国の人民解放軍が北朝鮮に義勇軍を送り、全体で四〇〇万人とも五〇〇万人とも目される犠牲者を生んだ三年間にわたる激しい戦闘の末、結局のところもともとの国境線であった三八度線を境界線として停戦となり、現在でもこの停戦状態が続いているわけである。

これらはすべて、あくまで海の向こうで起こったことだ。だがしかし、朝鮮戦争の勃発とその帰趨こそが影響を多方面に及ぼし、戦後日本の「国のかたち」を形成したという事実は、どれほど強調してもし過ぎることはない。

第一に、それは「逆コース」の流れを確固たるものとした。朝鮮戦争が始まる前から、無論GHQは反共的であった。占領開始以降、リベラルな信条を持ち、社会主義にさえもシンパシーを懐いた分子を含んでいたGS（民政局）と、保守派で強硬な反共主義を奉じるGⅡ（参謀第二部）とが、GHQ内外で激しい主導権争いを繰り広げたが、朝鮮戦争が始まる前に、闘争は後者の勝利で決着がついていた。その意味で「逆コース」はすでに本格化していたのだが、共産中国の成立が秒読みとなり、朝鮮動乱も目前に迫る状況の下で、一九四九年には国鉄三大謀略事件（下山事件、三鷹事件、松川事件）が発生するなど、反共主義の策動はいよいよ激しいものとなってくる。そして、朝鮮戦争が実際に始まると、レッドパージが開始され、一万人もの人々が職を追われた。

その一方で、サンフランシスコ講和条約発効（一九五二年四月二八日）を機に、岸信介に代表される、戦犯容疑者を含む旧支配層が公職追放を解除され、各界の指導的地位へと今度は親米主義者として舞い戻ってくる。岸は、巣鴨プリズンに収監されていた当時、「自由主義と共産主義の闘いが激しくなれば、自分にも再起の目が出てくる」という趣旨のことを日記に書きつけているが、まさにその通りの展開となる。ここにおいて、旧ファシスト勢力を含む親米保守派のヘゲモニーが確立されるのである。

第二に、今日にまで続く「戦後憲法と軍事力保持」の問題が、ここから発生した。在日米軍が朝鮮半島に大量動員されるなか、アメリカは日本に対して再軍備を要請する。しかし、吉田茂首相は、当時の国情（経済状況ならびに反戦世論）に照らして再軍備は到底できないと判断し、これをかわそうとする。この対応に対するアメリカの不満は強く、両者の妥協の結果として、警察と軍隊の中間的な性格を有すると当初はされた警察予備隊が創設されることとなる。周知のように、警察予備隊は自衛隊の前身である。

また「平和憲法」の下秘密裏に、海上保安庁の掃海艇による機雷除去作戦への協力や米軍基地内労働者が部隊と共にそのまま移動したケースなど、朝鮮戦争には日本人が参戦しており、犠牲者は少なくとも五七名にのぼると言われる。これらの事実は近年クローズアップされつつあるが、逆に言えば、タブーとなっていた。

この第二の点は、日米安保体制の誕生にも密接にかかわっている。日米安保条約はサンフランシスコ講和条約と同時に、またそれと不可分のものとして結ばれた。朝鮮戦争の発生という文脈においてこそ、占領が終結するにもかかわらず米軍の駐留が続くという事態の正当化に、日米の支配権力は首尾よく成功することができた。朝鮮戦争がなくても、アメリカは日本の主権回復後の米軍駐留継続を求めたであろうが、その場合、ポツダム宣言に定められた連合軍による占領が終わった後もなお軍事占領に準じる状態が続くことに対する内外からの批判は、はるかに大きなものとなったであろう。

かくして、「憲法九条と自衛隊」という矛盾以上に深刻な、憲法が戦争放棄を定めた国に世界最強の軍隊が大規模に駐留し続け、世界を股にかけて軍事作戦を展開するという矛盾の起源はここにある。そして、朝鮮戦争のために、在日米軍は二重の駐留ステータスを得ることにもなった。すなわち、日米安保条約に基づく在日米軍としてだけでなく、国連軍としても駐留する、という地位である。

第三に、再軍備が憲法との整合性の問題を放置した中途半端なものにとどまったことと並行して、「逆コース」の性格が徹底的なものにはならず、〝それなりに〟自由民主主義的な体制が可能となった。朝鮮戦争を契機としてアメリカの占領政策における脱軍国化・民主化から反共の砦化への転換が確定し強化されたものの、その転換は徹底的なものにはならず、非共産党系の左翼弾圧、言論や学問の厳しい統制、旧軍人の大々的な復権・登用といった極限的に反動的な政策にまでは、「逆コース」は進まなかった。言い換えれば、戦後民主主義が可能になった。

このことの意味は、「歴史のイフ」を想像してみるとわかりやすく見えてくる。仮に、北朝鮮が朝鮮戦争に完全勝利して半島の武力統一に成功していたならば、どうなったであろうか。そのときには、アメリカにとっての東アジアにおける最終防衛線は三八度線ではなく、対馬海峡に置かれ、日本の本土が海を隔てて共産主義陣営に対峙する最前線となる。もしそうなっていたならば、共産主義陣営へのシンパシーを公言する政治勢力が活発に活動し、労働組合を影響下に置き、国会や地方議会に多数の議席を保有するなどということを、アメリカは許容したであろうか。あるいは、「敵性思想」たるマルクス主義が、多くの大学（官立大学でさえも）で自由に研究され公然と教授されるという状況を許容したであろうか。さらには、本格的な再軍備の要求を断り通すことができただろうか。

これらすべてに対する答えは「ノー」でありうる。すなわち、仮に北朝鮮による朝鮮半島統一がなっていた場合、日本の戦後民主主義は全く成り立ち得なかった可能性がある。その際には、共産主義政党はもちろん、社会主義政党も禁止され、学問や報道の自由は死に、旧帝国軍人や旧ファシストが再登用され、権威主義的独裁体制が聳《そび》え立ったであろう。日本以外の東アジアの親米国家たる韓国や台湾（国民党政府）では、現にそのような体制がアメリカの後ろ盾によって成立した。沖縄もまた同じ構図のなかでアメリカから韓国・台湾と同様に「最前線の地」として認定されたがために、日本の戦後民主主義空間から除外されたのだった。

ゆえに、朝鮮戦争の帰趨がどうであっても、日本本土においては同様のむき出しの暴力に基づく親米保守専制体制が構築されたはずがない、とする理由はない。筋金入りの軍閥嫌いだった吉田茂は、そのような体制を拒んだかもしれない。しかし彼が本格的再軍備や旧帝国軍人や旧ファシストの復権に抵抗し続ければ、その身は危ういこととなっただろう。また当然、大衆的な抵抗が大規模に起こったであろうし、それに伴って大量の血が流れる事態ともなったであろう。

つまり、日本の戦後民主主義の存立は、朝鮮戦争が膠着して引き分け状態になったことに依存していた。ゆえに、戦後民主主義の質という観点から見た場合、朝鮮戦争の発生とその帰趨はきわめて両義的に機能したのだった。それが「逆コース」路線を強化したという面では、戦後民主主義の深化を阻害したが、共産主義勢力の拡大が三八度線で食い止められたという面では、それなりの自由民主主義体制を可能にしたのである。敗戦を否認し「過去の克服」のための真剣な努力を払わない、しかし外面的にはそこそこに自由主義と民主主義が実現されているように見える体制、これがすなわち戦後日本の「国のかたち」であるが、それは右に述べた地政学的構図を背景として生まれたのであった。

第四の要素として、朝鮮戦争の経済面での影響を指摘しておかねばならない。国力の限界を完全に超過した戦争を強行したことのツケと激甚な戦災の爪痕に苦しんでいた日本経済は、朝鮮戦争による特需の一撃によって、混迷から脱け出した。さらに、この一撃は、復興が軌道に乗るきっかけとなっただけでなく、高度成長、経済大国化という戦後日本の驚異的な経済発展の始発点ともなった。そして、この経済的成功こそが、「日本は敗戦国であっても敗戦国ではない」という「敗戦の否認」を中核とする国民的な歴史意識を成り立たしめたのであった。このように、政治経済両面で、朝鮮戦争は戦後日本の在り方の歴史的起源そのものであり、「戦後の国体」とは「朝鮮戦争レジーム」にほかならない。

「朝鮮戦争は終わってはならない!」

そしていま、戦後日本の屋台骨を形成した朝鮮戦争の終結が、いつの時代にも増して現実味を帯びてきた。このことこそが、昂進を続ける日韓緊張の本質的背景としてとらえられなければならない。いまそれが起こっていることは、安倍晋三や文在寅《ムンジェイン》といった政治家のキャラクターというような偶然的要素によるものでは全くないのである。

一方の当事者たる安倍政権は、本質的にどのような政権なのか。私は、事あるごとに、安倍晋三の「保守主義」とは、世襲によって譲り受けた権力の手段を選ばない死守である、と指摘してきた。ゆえに、「戦後レジームからの脱却」のスローガンとは裏腹に、彼のやって来たことは

「永続敗戦レジーム」あるいは「戦後の国体」の死守である。このレジームにおける特権階級に偶々《たまたま》生まれついたがゆえに極端なまでに暗愚であるにもかかわらず二度までも最高権力者の地位を与えられたのだから、この彼にとってはこの上なく素晴らしい体制、権力の構造を自ら進んで壊すなどあり得ない。

だが、「戦後の国体」はソ連崩壊と共に土台を喪っている。もう三〇年も前に土台を喪った建物をどうにかして立たせ続けるために、政治手法が強引なものとならざるを得ないのである。その代表例が、集団的自衛権の行使を容認するという憲法解釈の大変更を閣議決定によって行なったことだ。事実上の改憲に等しいことが閣議で行なわれてしまったのである。ゆえに、ひとことで言えば、安倍政権の行なってきたことの本質は、死に物狂いの現状維持であり、それは無論、安倍晋三個人の意思によるものではなく、政官財学メディアに至るまでの全領域で主流を占める親米保守勢力の集合的意思、そして彼らによる宣伝の洪水にどっぷり浸からされている大衆の意思によって支えられている。

以上の観点から朝鮮半島危機とその展開に対する安倍政権の対応、そしてそれに引き続く日韓緊張を見てみれば、その一挙手一投足は首尾一貫して解釈可能である。

二〇一七年から一八年にかけて米トランプ大統領と金正恩委員長が罵り合いを続け、核戦争の可能性まで示唆されるなか、当然のことながら、国際社会は冷静さを取り戻すよう両者に呼び掛けた。そのとき、世界でただ一国、日本だけが「トランプ大統領に一〇〇%賛成！」「異次元の圧力を！」「北朝鮮と国交のある国は断交を！」等々と宣言したのだった。その後、展開は急転し、米朝首脳直接対話が実現、行きつ戻りつを繰り返しながらも、一触即発の事態は不可逆的に遠ざかって、現在に至っている。その間も、世界がとりあえず安堵のため息を漏らすなかで、日本政府だけが「安易な対話に反対」「制裁緩和に反対」といったメッセージを送ってきた。

ここで注意せねばならないのは、日本政府が反対している事柄は、制裁緩和や対話路線といった個別的事象ではなく、本質的には朝鮮戦争の終結である、ということだ。朝鮮戦争終結宣言が出されることは、北朝鮮がまさに熱望していることだと見られるが、これが実現すれば、同国の置かれている状況は一変する。米日を含む周辺国は、北朝鮮国家と正式の国交を結ぶことになり、通商関係も飛躍的に発展することになる（日本との間では、当然賠償問題も発生してくる）。金正恩体制は、先軍政治から並進路線（軍事の重要性と経済発展の重要性を等価とする）への転換を打ち出しているが、北朝鮮がこれまでどれほど極端な軍国主義政策をやってきたかに鑑みれば、金正恩指導部の本音がどこにあるのかは明らかであろう。経済発展を実現するためには「開国」しなければならず、「開国」するためには、朝鮮戦争を終結させなければならない、という論理連関がここにはある。

安倍政権は、まさにこの企図に反対しているのである。いわく、拉致問題・ミサイル問題・核問題の包括的解決が、国交正常化の前提である、と。確かに、三つの問題が包括的に解決されるのは理想的である。しかし、三つの問題は、朝鮮戦争が終わらずに休戦状態のまま六〇年以上が経過するという異様な状況において発生した事象である。したがって、論理的には、「包括的解決」を目指すならば、三つすべての根本原因を取り除くべく、朝鮮戦争の終結に向けて日本外交は努力すべきであろうが、実際にやっていることはその逆である。

日韓緊張の本質

だが、紆余曲折、諸々の困難はありながらも、朝鮮戦争が終結に向かっているという大きな流れが存在することは、誰にも否定できない。盛んに拳を上げ下げしたトランプ大統領の振る舞いは物議を醸し、「朝鮮戦争終結の立役者となってノーベル平和賞を狙っているのだ」といった噂も囁かれたが、個人的野心がどうだったのであれ、トランプの米大統領としての最大の功績は、「北朝鮮問題は朝鮮戦争に片をつけることなしに解決できない」という真実を強く意識させたことである。つまり、客観的情勢として、「ならず者北朝鮮とは交渉などできない！」と主張し続けることは不可能になってきた。そこで一挙に前景化してきたのが、日韓の間での軋轢《あつれき》、緊張である。

経緯は次の通りである。発端は戦時徴用工補償問題における韓国大法院の判決、ならびにその適用にあった。植民地時代および戦時における、大日本帝国および企業等による諸々の非人道的行為に対する補償の問題は、きわめて複雑な問題であるので、ここでは詳論できない。一点のみ指摘しておくなら、今次の件について、新日鐵住金（二〇一九年四月に日本製鉄に商号変更）は二〇一三年の段階で、和解による問題解決を図るべく水面下で検討を進めていたと報じられている。この動きに待ったを掛けたのは、日本政府（安倍政権）であった。つまり、日韓緊張が高まるための下準備を、政権は長い時間をかけて行なっていたと言える。この問題そのものは従軍慰安婦問題などと性質が似た、歴史認識や「過去の克服」の問題の一部とみなせようが、軋轢は、二〇一九年七月に日本政府が半導体原料の輸出規制に踏み切ったところから異なる次元に突入した。引き続いて日本は、韓国を輸出手続きにおける「ホワイト国」から除外、これに対して韓国政府はＧＳＯＭＩＡ（日韓軍事情報包括保護協定）の破棄を通告し、緊張は高まる一方となった。

「異なる次元に突入した」というのは、輸出規制やホワイト国除外の決定が、安全保障の問題と絡めて理由づけされたからである。そこに込められたメッセージについて、ソウル大学教授の南《ナム》基正《ギジョン》は「ハンギョレ新聞」日本版ウェブサイト上で、次のような解釈を与えている。「韓国がホワイト国から除外されないためには、南北和解と朝鮮半島平和プロセスに日本の要求を反映しろという要求を盛り込んだ主張」であり、「対北朝鮮制裁の維持を根幹にした日本の朝鮮半島構想に韓国が賛同しなければホワイト国から除外するとし、二者択一を要求している」。

この解釈はまさに本質を衝いている。歴史認識問題が経済分野に飛び火したとか、文在寅は選挙対策で振り上げた拳を下ろせなくなったのだ、といった日本のコメンテーター連中がしたり顔で垂れ流している解釈は、安全保障の問題を日本政府が持ち出したことの意味を全くとらえていない。事は朝鮮戦争終結の問題にはっきりと関係づけられたのである。

そもそも通商におけるホワイト国認定とはどのような意味を持っていたのだろうか。それは、安全保障の面で日韓は最も基礎的な利害を共有している、という前提と一体を成していたはずである。つまり、朝鮮戦争が継続しているという事情によって、アメリカをハブにするかたちで日韓は事実上の同盟関係にあり、この事実を基礎としてホワイト国認定がなされてきたはずだ。してみれば、安全保障面での危惧から韓国をホワイト国から除外するという決定は、「日韓は安全保障の面で基礎的利害をもはや共有していない」という立場表明を含意する。そして、朝鮮戦争が終結に向かうプロセスが本格化するなかで、この立場表明はなされたのである。だから、日本が韓国に伝えたメッセージは次のようなものであるほかない。「朝鮮戦争が終わってしまうのなら、お前たちはもうわれわれの同盟者ではない。むしろ敵だ。それでもいいのか？　だから、朝鮮戦争を終わらせるな。お前たちがどうしてもそうするというなら、お前たちを経済的に焦土化してやる」。

しかも、このメッセージを伝えたことを日本政府も国民も自覚していない。GSOMIA破棄という文在寅の反応は、「はい、わかりました。私たちはもう同盟者ではありませんね」という返事にすぎない。これに対して驚愕しているという日本政府側の反応は、底なし沼のような無知性と、「そんな返事など返せるわけがない」という傲慢な侮りとの腐臭を放つ化合物にほかならない。

以上の展開を見てくると、朝鮮半島危機から日韓緊張まで、日本政府の対応はある意味できわめて首尾一貫していることが看て取れよう。危機とその緩和の局面においては「朝鮮戦争が終わってしまうくらいならば、再開されたほうがマシだ！」と叫び、宗主国の首領にいくら働き掛けても甲斐がないと見るや、今度は韓国に矛先を向けて「朝鮮戦争を終わらせるなんて承知しないぞ」とやっているわけである。

ここに浮かび上がるのは、朝鮮戦争終結に対して安倍政権の懐いている存在論的な不安だ。それは不可解だろうか？　否である。この不安は、すでに見たように、歴史を繙《ひもと》けばもっともなものなのだ。「戦後の国体」の歴史的起源の消滅は、その運営者たちの権力基盤の歴史上の故郷が喪われることを意味する。「この国のかたち」をつくり上げたものが消え去るとき、そこから甘い汁を吸い上げてきた面々の最期の時もまたはっきりと視界に入ってくる。

　われわれの課題ははっきりしている。このゆらぎをいかにして「戦後の国体」の最終的解体へとつなげ、安倍晋三をこの体制の最後の相続人とするかを考えることだ。

四　戦後日本にとっての拉致問題

拉致事件再考

二〇二〇年六月五日に横田めぐみさんの父、横田滋氏が亡くなった。八七歳だった。

このニュースは、北朝鮮（朝鮮民主主義人民共和国）による拉致事件の解決への途が一向に見出されない現状にあらためて注目を集めることとなった。やや大局的に振り返るならば、この事件は、「戦後の国体」の終わりとその無限延長という奇妙な状況がつくり出されるに際して、決定的な役割を果たしたように思われる。

思い出してもみよう。この奇妙な状況の象徴であり、ある意味ではその権力構造の中心を占めている人物＝安倍晋三が、その極端なまでの無能性にもかかわらず二度にわたって権力の頂点に上り詰めることができたのは、まさにこの拉致事件への関わりによって彼が獲得した名声ゆえであった。そして、当の問題は解決していない。解決される気配もない。解決する意思があるのかすら疑わしい。要するに、安倍は、横田氏ら被害者とその家族をしゃぶり尽くした。

だが、大局的に見るならば、安倍晋三の個人的資質の問題は小さな事柄にすぎない。第二次安倍政権がこれほどまでの長期政権となり、もはや「統治機構の崩壊」と目すべきレベルにまで腐敗が進行し失政に失政を重ねているにもかかわらず、それでも倒れないという現実に鑑みるならば、真の問題は、拉致事件への関わりを通じて安倍が得た名声ないし政治的正統性の重みなのだ。そうした重みが与えられたのは、拉致事件が刺激した戦後日本国民の「政治的無意識」ゆえであり、その「無意識」が解読されなければならない。拉致事件は、戦後を終わらせると同時に戦後を無限延長したいという日本人の矛盾した欲望を顕在化させ、二度にわたる安倍政権というかたちでその欲望を具体化したのである。してみれば、拉致被害者とその家族をしゃぶり尽くしたのは、なにも安倍晋三だけではない。日本人一般がそうしたのである。一体われわれは、何を「享楽」したのか。

右派の享楽

拉致事件が表面化した当時を思い起こしてみよう。一九八〇年代から囁かれていた北朝鮮国家による拉致工作の社会的認知度が一挙に高まってきたのは、九〇年代半ばから後半にかけてのことであった。これを受けて、一九九七年には超党派の国会議員による「北朝鮮拉致疑惑日本人救援議員連盟」(通称：拉致議連、二〇〇二年に「北朝鮮に拉致された日本人を早期に救出するために行動する議員連盟」に改称)が結成され、翌九八年には民間団体の「北朝鮮に拉致された日本人を救出するための全国協議会」(通称：救う会)が結成される。被害者家族当事者たちによる「北朝鮮による拉致被害者家族連絡会」(通称：家族会)が結成されたのも同時期(一九九七年)である。そして、二〇〇二年九月、小泉純一郎首相の訪朝、日朝首脳会談において、拉致事件が事実であることが白日の下にさらされた。金正日総書記が一三名の拉致を認め、そのうち生存者はたったの五名、残る八名は死亡というニュースの衝撃は、日本列島を震撼させたと言うにふさわしかった。

個人的な記憶をたどると、当時の私は修士課程在籍中の大学院生であったが、人並みに衝撃を受けたと同時に不可解の念を禁じ得なかった。なぜなら、この拉致工作なる作戦が、北朝鮮国家にとって何の利益になるのか理解に苦しむものだからである。そして呆然《ぼうぜん》としたと同時に、一種の暗い予感を漠然と感じていた。それは、この事件を契機として、当時すでに始まっていた「右傾化」と呼ばれるナショナリズムを大っぴらに肯定する傾向は大変な追い風を受けることになるだろう、という予感であった。この予感が的中したことは言うまでもない。

小泉訪朝以後、拉致被害者五名の帰国、その家族たちの呼び寄せ、死亡したとされた人々の遺骨の鑑定などといった出来事が進行し、日本の世論はさらに沸騰した。そのなかで、小泉訪朝の第一義的な目的であったはずであり日朝平壌宣言に盛られた国交正常化という課題は消し飛ばされ、それとともに植民地支配の歴史をどう清算するのかという問題も消し飛んだ。

そうした経緯において、拉致事件について熱心に取り組んできたと目されてきた政治家たちによる事件の政治利用が露骨なものとなってくる。その典型が、拉致被害者家族の改憲キャンペーンへの動員、具体的には、彼らの口を通じて「憲法九条が拉致問題の解決を遅らせている」といった戦後憲法批判をさせたことである。北朝鮮による拉致工作の被害を受け、解決できていないのは日本のみでなく、したがって憲法九条と拉致問題は基本的に無関係であるのは言うまでもない。だから、こうした九条批判はまさに「ためにする」批判なのだが、家族会事務局長を務めた蓮池透は、こうした政治家による政治利用と救う会による家族会への右派イデオロギーの注入について、生々しくまた率直に証言している（蓮池透『拉致被害者たちを見殺しにした安倍晋三と冷血な面々』講談社、二〇一五年）。

石井妙子『女帝　小池百合子』（文藝春秋、二〇二〇年）に紹介されているエピソードは、さらに凄まじい。二〇〇二年一〇月一五日、拉致被害者五名が帰国した際、飛行場に集まった拉致議連の議員たちは、被害者たちが飛行機のタラップを降りてくると、「家族の再会の瞬間を邪魔しないようにしよう」という制止を振り切って、我先にと被害者のもとへ押し寄せて行ったという。報道陣が構えたカメラに自分の姿を映すために。拉致事件に「熱心に取り組んでいる」という印象を大衆に与えることがどれほど貴重な政治資源になるか、またそのなめてきた辛酸の過酷さゆえに批判困難な存在となった拉致被害者家族が、右派的主張を拡散するにあたっていかに利用価値があるかを、右派の議会政治家たちはまことに敏感に察知していた。

端的に言えば、右派政治家たち（そしてその「勇ましい」姿勢に声援を送った者たちも）は、憤り、悲しみに同情を寄せる面持ちをしながら、その実、欣喜雀躍していた。なぜなら、拉致行為は金正日総書記も認めた文句なしの悪であり、日本人はその純然たる被害者であるという構図によって、戦後日本が背負わされてきた十字架、すなわち「日本は植民地支配と侵略戦争を行なった加害者である」という命題が覆される（かのように感じられる）からである。拉致というその被害当事者にとっては不条理極まりなく圧倒的な苦痛であった出来事が、ある種の日本人にとっては「解放」だったのである。

左派の享楽

こうした状況において、対抗言説の動向はどうなっていただろうか。「北朝鮮許すまじ」という雰囲気が圧倒的な勢いを得るなかで、それを批判ないし相対化しようとする言論は、当然劣勢を強いられた。かつ、そうした言論の担い手であるはずの左派の一部は、極めて不都合な立場に追い込まれていた。なぜなら、拉致の実行を金正日総書記が認めるまで、「拉致被害は疑わしい」あるいはさらに「拉致被害など反共主義者のでっち上げだ」といった主張を展開していた者もいたからである。

当時の記憶をたどってみると、私にとって、「朝鮮民主主義人民共和国が拉致などという野蛮な犯罪行為に手を染めるわけがない」というような主張は、単に意味不明であった。北朝鮮の体制が極度の個人崇拝と世襲に基づく、つまりスターリン主義と天皇制のアマルガムのごとき異形の体制であることは、あまりに明白だった。ゆえに、拉致の実行を金総書記が認めたときの私の驚きも、北朝鮮国家の不道徳性に対する驚きではなく、彼ら自身にとって何の利益も見込めそうにない工作に手を染めていたその不合理性に対する驚きであった。

もうひとつ、当時の対抗言論の一部に対して持った違和感を挙げておきたい。それは、「拉致被害と過去の植民地支配が与えた被害・苦痛とを比較すれば、後者の方が圧倒的に大きいのだから、拉致問題など取るに足らない」といった論旨の主張であった。こうした主張が左派の陣営からなされたことには、驚きを禁じ得なかった。植民地支配による加害も拉致もどちらも重大な人権侵害である。人権の絶対性、その尊重の絶対的義務を強調する者が、過去の我が方が犯した人権侵害を引き合いに出すことによって、より近い過去に起きて現在まで引き続いている人権侵害を無視しうると主張するのは論理破綻である。あえてこの立場に固執するならば、その者は金輪際「普遍的人権」など口にすべきではないとの感を私は懐いた。道理を説くならば、それは、植民地支配による加害も拉致も等しく国家悪であると同時に、別個の出来事として扱われ、そのどちらもが批判され、責任追及がなされ、償いがなされなければならないという主張であるほかない。

ところで、右派の欣喜雀躍、左派のほとんど無意識的な倫理的頽落《たいらく》について、当時リアルタイムで分析と批評を加えていたのが、太田昌国であった。その著書『「拉致」異論』は、拉致事件が引き起こした熱狂が日本を覆った時代に折に触れて書かれた文章を集めたものである（初版は二〇〇三年七月に太田出版より刊行。二〇〇八年三月に、増補版が河出文庫より刊行。二〇一八年九月に増補決定版が現代書館より刊行）。

『「拉致」異論』の読みどころのひとつは、かつては左派陣営に属していた経歴を持つ北朝鮮通の人士が、拉致事件との関わりを通じて、あるいはもっと以前から、北朝鮮の体制ならびにそれを賛美する日本の左派勢力に対して違和感と疑問を持つようになり、やがては救う会の中核を担うようになって、その挙句、歴史修正主義・排外主義に冒され北朝鮮への憎悪をひたすら焚き付けるきわめて凡庸な右派イデオローグ兼運動家へと堕していった過程の分析である。

長年の北朝鮮・韓国への関わりによって日本有数の「朝鮮半島通」と目され、救う会会長を務めた佐藤勝巳に関する記述がとりわけ印象深い。佐藤は、一九二九年新潟県に生まれ、日本共産党に入党し、高校中退後就職した会社では労組専従を務めた。その間、在日朝鮮人の帰還事業に参加し、在日コリアンへの差別反対運動にも参加している。だが、喧伝されている北朝鮮の社会主義建設の成果と自身が実体験を通して見聞した北朝鮮の現実との乖離に強い違和を感じるようになった佐藤は、共産党を離党し、北朝鮮についての幻想を振りまき続ける日本の進歩的知識人――もちろん、彼らが「見てきた」北朝鮮の「実像」は、北朝鮮当局によって用意周到に演出されたものだった――に対する疑問と批判を提起するに至る。それは折しも、北朝鮮において金日成崇拝が著しく強化された一九七〇年代のことであった。

その後、在日コリアンの反差別・権利獲得運動からも佐藤は撤退するが、太田の見るところ、佐藤の言説が決定的に変質し、粗雑な国民性論・民族性論を振り回すレイシストのそれへと転落するのは、一九九一年の著書からである。その背景には、運動経験における嫌気を催させるさまざまな出来事の記憶のほかに、ソ連・東欧圏の「現存社会主義体制」の崩壊があったと考えられる。現存社会主義体制に対する幻滅を比較的早期に自覚していた佐藤が、九一年になってあらためて「転向」を果たすのは不可解ではあるのだが、いずれにせよ以後の佐藤は、拉致被害問題に深くコミットし、家族会の右傾化において及ぼした影響も大きかったと察せられる。拉致問題が日本社会で表面化してからは、救う会の会長として、また対北朝鮮強硬派の論客として著名な存在となったが、晩年には救う会内部での不明朗な会計（会資金の私的流用疑惑）をめぐって他の救う会幹部との間で非難の応酬が起こったこともあった。二〇一三年に八四歳で亡くなる。

右のような佐藤勝巳の軌跡について太田は次のように記述している。

朝鮮・朝鮮人との新しい関係をうちたてるために、かつて真摯《しんし》な試行錯誤を行なっていた人物がいた。彼は、甘い北朝鮮論を書く進歩派知識人や左翼に対する先駆的な批判を行なった。金日成の主体思想に対しても、比較的早い段階で的確な疑問を提起していた。その人物は、いま、もっとも醜悪な、反省なき植民地主義のイデオロギーをふりまいている。彼の、この現在の言論に付き合う必要は、まったくないだろう。反駁することも愚かで、虚しい水準の議論でしかない。

——太田昌国『増補決定版:「拉致」異論』現代書館、二〇一八年

太田に導かれて佐藤の言説内容の変遷を追うと、その落差は眩暈を催させるほどのものだ。ある時期まで、佐藤は価値ある問題提起を確かに行なっていた。その主たる内容は、左翼内部の事大主義に対する批判であった。問題は、こうした健全な批判精神を持っていた人物が、なぜ、どのようにして、凡庸で有害きわまりなく、批判精神の欠片もない精神態度を身に着けるに至るのか、というところにあるだろう。

拉致事件の表面化・公認によって右派の懐く「敗戦の否認」の欲望が爆発する機会を得たことをわれわれは確認したが、左派に関しても同じように「欲望の分析」がなされるべきである。健

全だった時代の佐藤が批判していたのは、「スターリニストの欲望」であると言えよう。その欲望とは、「われわれは歴史の必然性、絶対的正義の側におり、反対者は外れている」と考えたくなる欲望である。進歩的知識人がこの欲望にとらわれやすいことは、多くの保守主義者が指摘してきた通りだ。この欲望の存在抜きに、多くの名だたる知識人が、北朝鮮のプロパガンダを信じ込み、個人崇拝をはじめとする体制の異様さを見抜けなかったわけはない。今日「金王朝」と蔑称される、元来のマルクス主義とは何の関係もない体制原理の異様さや主体思想の不気味さを先駆的に指摘していた佐藤は、「欲望から身を引き離して虚心に現実を見るべきだ」と語っていたわけである。

だが、右に見たように、「左派の享楽」を批判していた佐藤は、一九九〇年前後を境に、「右派の享楽」に耽溺《たんでき》してしまう。そして、佐藤がその典型を示す、享楽を恣《ほしいまま》にする右派の姿を目の当たりにした左派は、「世論状況のバランスを取るべきだ」という意図のもとに、植民地支配の未清算を指摘することによって拉致事件による人権侵害を相殺しようとする。しかし、すでに述べたように、それは論理破綻であり、左派が自らの立脚点を自分で掘り崩すことでしかない。右派の側は、そうした左派の自己矛盾を見てさらに怒り狂い、右派イデオロギーの正当性をますます強く確信する。まさに悪循環である。

そこに欠けているのは、右派左派どちらの側にも存在してきた自己正当化の欲望（右派と左派の違いは「正当化」の内容を、前者は歴史修正主義に、後者は共産主義イデオロギーに依拠させることにしかない）とその享楽に対する自覚と批判であった。

享楽に流れ込む回路

小泉訪朝からすでに一八年もの月日が経った。拉致問題が日本にとって何をもたらしたのか、その解決に熱心だと評されてきた政治勢力が本質的には何を望んできたのか——すでに結論は出たと言えるだろう。

この一八年の間に、北朝鮮の側では代替わりが起こり、核開発とミサイル開発は格段に進んだ。二〇一七年から一八年にかけては、金正恩委員長と米トランプ大統領との間で激しい罵倒合戦が展開され、朝鮮半島有事の現実性が格段に高まった。その後、急転直下の米朝対話、南北対話が実現し、朝鮮戦争終結の可能性が語られた瞬間もあったが、結局のところ画期的な成果には到達できず、緊張の根本的除去への展望は開けないまま現在に至っている。

その間、日本では第二次安倍政権が驚異的な長期政権と化したが、拉致問題解決の糸口を見出すことは全くできないばかりか、日本の朝鮮半島問題におけるプレイヤーとしての重要性は失われる一方となった。この政権は朝鮮半島危機が危険水域に達した際には「アメリカと一〇〇％共にある」と宣言し、緊張緩和後には朝鮮戦争終結宣言が出されないよう必死の努力を図った。「戦後の国体」の歴史的故郷としての朝鮮戦争を何が何でも終わらせたくない、終わってしまうくらいならば再開した方がマシだ、という赤裸々な本音を満天下に示したのである。その本音の本質は、何が何でも対米従属体制を終わらせたくない、言い換えれば、主体性を失った状態を是が非でも続けたいというものにほかならないのだから、プレイヤーとして重んじられなくなるのはあまりにも当然のことであった。拉致事件解決への具体的取り組みが、「トランプ大統領にいつける」こと以外には事実上何もなくなっているという今日の状況は、まさにこの主体性の全き喪失を象徴して余りあるものだ。

いまにして思えば、拉致事件の公然化は「戦後」を能動的に超克する機会になり得たはずだった。当時の日本政府が拉致問題解決と同時に——しかも当初は拉致事件に優先して——実現しようとした日朝国交正常化は、かつての日中国交正常化と異なり、米国の後追いをして行なわれたものではない、独自外交だった。もし仮に、過去の清算、拉致問題、国交正常化、朝鮮戦争の終結（それは、核兵器の問題さらには日米安保体制の存在意義にもかかわってくる）といった複雑に連関した諸問題を日本が関係諸国を巻き込みつつ能動的に解きほぐすことができたとすれば、それは東アジアの秩序の再編をもたらす行為に不可避的になったはずであり、それはとりもなおさず、日本および東アジア全域での「戦後の終わり」を画する行為になり得た。

もちろんそれは簡単なことではない。だが、重要なのは、こうした展望を当時の日本の外交当局者や政府首脳陣がどれほど明確に持っていたのか、言い換えればどれほど困難な、だが巨大な意義を持つ挑戦をしているのかについて確たる自覚があったのか、ということではなかろうか。後に小泉純一郎は次のように語っている。

あのときに交わした日朝平壌宣言には、「国交正常化交渉を再開する」と明記しました。私は、帰国したらすぐにその準備に入ろうと思っていました。向こうも交渉が再開されれば、日本から多額の支援を得られると期待していたようです。アメリカがアフガニスタンで対テロ戦争を仕掛けた頃でもありました。北朝鮮はブッシュ大統領に「悪の枢軸」と名指しされたことに危機感を強めていたので、私は首脳会議の席で「核の開発をしないで、戦争の準備をやめれば、経済的に豊かになる」と金正日氏に直接決断を迫りました。あのまま日朝交渉が再開されたら、対話のなかで拉致問題も全面解決に持っていこうと考えていました。

——小泉純一郎『決断の時—トモダチ作戦と涙の基金』集英社新書、二〇一八年

「対テロ戦争」を掲げた9・11以降のアメリカが北朝鮮を「テロ支援国家」指定したという文脈で日朝国交正常化の試みがなされたことの重さを、当時の国民は理解していなかったし、いまも理解されていない。指導者であった小泉の言葉からも、日本が「北朝鮮への敵視を強める」というアメリカの大方針に逆らって北朝鮮と交渉するという覚悟が存在したとは感じられない。そして、小泉が勧めたという北朝鮮が「戦争の準備をやめる」とは、究極的には朝鮮戦争に終止符を打つことを意味し、それは日米安保体制の根幹を揺るがすことになるという認識を、小泉が当時もいまも持っていたのか、いるのか、全く定かではない。おそらくは持っていなかったからこそ、拉致被害の実態の一端が明らかになり、日本の世論が沸騰するなかで、「国交正常化を通じた拉致問題の解決」という方針は呆気なく放棄され、「拉致問題の解決なくして国交正常化はない」という方針への速やかな転換が生じたのだった。

そして、最初の小泉訪朝の翌年、年明け早々にアメリカは対イラク戦争に踏み出す。仏独をは

じめとする国々から激しい批判を浴びたイラク戦争に日本政府が速やかに賛同し支援した動機について、当時の新聞記事は次のように指摘している。

知米派の外交官はこう振り返った。「極秘で進めた日朝首脳会談が米国の逆鱗に触れ、日米同盟に亀裂が入った。このトラウマ（心的外傷）がイラク攻撃支持の是非論にも投影されたということだ」

日米の結束を誇示した日本のイラク攻撃支持表明は、小泉訪朝で傷ついた日米同盟の基盤修復プロセスでもあった。

――「毎日新聞」二〇〇三年三月二九日

つまり、イラク戦争支持は、アメリカの許可を得ずに日朝国交正常化を試みたことの「償い」であったわけである。それでは、そこには、イラク戦争の件でアメリカに貸しをつくることと引き換えに対北朝鮮外交では独自路線を行く担保を得る意図が込められていたのだろうか。それも到底定かではない。

いずれにせよ、小泉によるイラク戦争の肯定は、国際的孤立に苦しんだ米ブッシュ大統領にとってありがたい助け舟となった。後にブッシュが政権末期の小泉首相を破格の待遇でアメリカに招き歓待したのは、この時の恩義に報いるためだった。だが、日朝国交正常化路線は放棄された――自主外交は挫折した――のだから、イラク戦争支持の報いとしてわれわれが得たのは、「日本の首相が大統領の面前でエルヴィス・プレスリーの物真似をさせてもらうこと」でしかなくなった。もちろんその光景は、「日米首脳間の素晴らしき蜜月関係」として演出され、報道され、消費された。結果的に日朝国交正常化を果たせなかった小泉が、ブッシュとの友情を良き想い出として権力の座を去って行った姿には、「挫折の否認」がはらまれている。

そしていまとなっては、日本外交が日朝国交正常化をかつて真剣に目指していたという事実に現実味が感じられないほどである。拉致問題が与えた衝撃は、日本国民をして主体的に状況を克服することに向かわしめたのではなく、憤りに我を忘れさせただけだった。主体性を持ちたくない、主体たり得ない状態を永続的に享受したいという「戦後日本的な、あまりに戦後日本的な」欲望への固着を一層強化する結果を、それはもたらしただけだったのである。

その端的な犠牲者は拉致被害者とその家族であろうが、「安倍政権の批判は慎め」と彼らが語るとき、そこには自らの痛みの真の原因を名指すことすら抑圧されている痛ましい姿が浮かび上がるのである。

五　日韓・歴史意識の衝突とその超克

「戦後の国体」の末期の光景

二〇一九年から、日本における韓国嫌悪の空気は一線を越えた。最大のイシューは、徴用工補償問題に端を発したホワイト国認定の除外という事実上の経済制裁である。

認定除外と同時期には、あいちトリエンナーレ「表現の不自由展・その後」の中止（結果的には中断）という事件も起こった。それは、展示内容に対する抗議の声が会場へのテロ予告にまでエスカレートした結果であったが、自らネトウヨ運動家と一緒に抗議活動に参加した名古屋市長河村たかしはこの暴力を非難しないことによって暗に是認し、政府（文化庁）はそうした空気に後押しされて、一旦交付決定された助成金を取り消した（後に減額の上交付へと判断を転換）。これらの暴挙が可能になったのは、「表現の不自由展・その後」において最も問題視されたのがほかならぬあの「少女像」（正式名称は《平和の少女像》、金運成《キムウンソン》＝金曙炅《キムソギョン》作製）であったからだ。

民族としての、あるいは国家としての韓国・朝鮮への敵対感情・差別感情の表出は完全に常軌を逸したレベルに達し、「韓国相手ならば何を言ってもよい」という雰囲気が充満している。その象徴が、この間毎日のようにテレビ画面に現れる元駐韓大使である。この人物は『韓国人に生まれなくてよかった』と題する著作を持つが、元外交官の肩書を持つ者が「ヘイト本」とみなされるほかないタイトルの書物を刊行して注目を浴び、悦に入っている光景は、この国がどこまで堕ちたのかを明白に物語っている。在特会は自らの運動を「国民運動」と称していたが、それは「正しかった」。ヘイト言説は「極端で奇矯な人たち」によってのみ担われるものから、少しだけ薄めれば公共電波に乗せうるものへと格上げされたのである。ヘイト言説が日常化した後に来るのはヘイト犯罪、物理的暴力だ。日本社会はいまそうした瀬戸際にいる。

状況は末期的だ。しかし、それはロジカルでもある。なぜなら、われわれは「戦後の国体」の崩壊過程、文字通りの「末期」を生きているからだ。

「戦後の国体」とは、戦前の天皇制国家体制(=国体)の構造が敗戦を機にその頂点を天皇から米国へと入れ替えながら生き延びてきたことをとらえるための概念である。この「戦後の国体」という独特の対米従属体制は、焼け跡から経済大国へという戦後日本の経済的大躍進の基盤となった一方で、体制成立の大前提であった東西対立構造の崩壊後も生き延び続けることにより、日本の対外関係を不健全なものとしてきた(一方ではアメリカへの隷従、他方ではその反動/コインの裏面としてのアジア諸国への傲慢)だけでなく、対内的には民主主義の空洞化、より端的には、本来民主主義体制の主役たるべき主権者としての国民の精神的劣化をもたらしてきた。その成れの果てに現出している光景が、静かに佇む少女の像を正視できずに怒鳴り散らす人々と、そうした人々の歓心を買うことで支持を固めようとする不正と腐敗にまみれかつ無能な超長期政権である。まことに「末期」にふさわしい光景ではある。

なぜここまで上手くいかないのか。なぜとりわけ日韓関係において、ここまで危機が昂進するのか。私が展開してきた「永続敗戦レジーム」や「戦後の国体」といった戦後日本をとらえるための概念が指し示す状況が成立するにあたって、戦後の朝鮮半島情勢は決定的な役割を果たした。したがって、このレジームの帰趨もまた現在および未来の朝鮮半島情勢の行方と強く関連している。だから、これらの関連性を理解できれば、現在の惨状の出現が、不可解なものというよりむしろロジカルな帰結であることをも理解できるはずである。

徴用工問題にしても従軍慰安婦問題にしても、事柄は一見歴史認識問題、すなわち歴史上の出来事をどう解釈するのかという問題であるかに見える。そして、そうである限り、日本国民と韓国国民は完全に一致した歴史認識を持ちうるはずがなく、お互いの主張は平行線をたどるほかない、各国民は各国民の「物語としての歴史」を持つのだから、と。後に検討するが、日韓基本条約における植民地時代の法的性格に対する日韓の解釈のように、それぞれがそれぞれに信じたい物語を信じるしかないのだ、と。

だが、いま問題となっているのは、さまざまな個別事象に対する認識の基盤となるメタ認識なのである。それを私は、「歴史意識」と呼び、戦後日本の基幹をなす歴史意識を「敗戦の否認」であると指摘してきた（『永続敗戦論――戦後日本の核心』および前掲『国体論』）。この歴史意識を可能にし、かつまたそれが支えてきた体制が「永続敗戦レジーム」であり「戦後の国体」である。

つまり、ある国民の一般的な歴史意識とは、その国家が置かれた特定の歴史的状況において形成する体制の関数である。

そしていま訪れているのが、「戦後の国体」の完全な耐用年数切れ、崩壊の時代である。安倍政権とは、その本質において、歴史に逆行しながら「戦後の国体」を手段を選ばず維持する努力であり、安倍の動機は、世襲によって手に入れた「戦後の国体」の領袖の地位が彼個人の虚栄心を満たすものだということに尽きる。この知性において愚劣を極め品性において下劣を極めた宰相を戴く政権が超長期政権となったのは、日本国民の多くもまた、安倍同様に、「日本はアジアで唯一の先進国（戦前の言葉で言えば「一等国」）」であるといういまや通用し得ない虚偽意識に耽溺しているからこそ、これに支持を与えてきたからであろう。

しかし、われわれの歴史意識は否応なく変容を迫られるだろう。その突端が日韓の間での歴史をめぐる摩擦として現象しているのである。

「友邦ではなくなる」との脅しの滑稽さ

だが、なぜ、ほかならぬ日韓関係においてなのか。この問いに答えるために、直近の朝鮮半島情勢の推移とそれに対する安倍政権の対応を振り返ってみよう。

二〇一七年から一八年にかけて、北朝鮮の核実験・ミサイル発射等の行為はエスカレートし、これに米トランプ大統領が激しく反応することによって、緊張は高まった。対立は両国家首脳の罵倒合戦へと展開し、両者から核戦争の可能性への言及すらもが飛び出すに至った。

とりわけ、二〇一七年九月一九日の国連演説でトランプ大統領が「北朝鮮の完全な破壊」に言及した際には、世界中から驚きと憂慮の声が上がった。各国首脳がトランプ発言の行き過ぎを批判しつつ、緊張緩和を呼び掛け、対話の糸口を見つけようと試みるなかで、世界でただ一人、「米国と一〇〇%共にある!」「もっと圧力を!」と叫んだ国家元首がいた。もちろんそれは日本国総理大臣、安倍晋三である。さらには、日本国政府は、北朝鮮と正式の国交を持つ国々に対して国交を断絶するよう説いて回ったのであった。

当時の軍事的緊張がどのような水準に達していたのかについては、いまはまだ不明な点が多い。ただ、在日米軍、そして自衛隊は、「有事」発生に備えた態勢を相当程度とっていたことは疑い得ず、そのことを自衛隊の最高司令官たる日本の首相が知らなかったはずはない。そして、北朝鮮に課された経済制裁が高度に強化された状況で、「さらなる圧力」は何を意味したのか。それは実際に戦端が開かれてしまうことを当然含むであろう。

安倍晋三を筆頭とする政府与党の政治家たちが、当時「軍事衝突は絶対に起こらない」、あるいは「起こっても日本が被害を受けることは決してない」と確信していたのだとすれば、それが何の根拠に基づくのか、私には見当もつかない。おそらくは何の根拠もなかったのであろうと推測するが、こうした軍事的火遊びへの熱中と対照的に、政権のみならず日本の主要メディアからさえも、この軍事的緊張を根元から絶つための提案は、全く出てこなかった。朝鮮半島有事とは要するに朝鮮戦争の再開にほかならない。したがって、この危機の本質的解決とは朝鮮戦争の終結であるということは、最低限の論理的思考さえできるならば、自明である。北朝鮮国家が、拉致事件をはじめとした無法な行動を長年繰り返し、餓死者を出しながら核ミサイル開発に邁進するという異様な国家戦略を採ってきたことも、朝鮮戦争があくまで休戦中であり、したがってあくまで戦時にあるという背景を抜きにしてはあり得なかった。北朝鮮が「危険な無法者」から「普通の国」になれないのは、彼らから見れば、米韓日の圧倒的な軍事力によって包囲された状況にあるからである。

こうした脈絡には一向に注意が払われない一方で、軍事危機のさらなる高まりを煽る言動が赤裸々に物語ったのは、日本の戦後レジーム（＝戦後の国体）の本音だった。それはすなわち、朝鮮戦争は終わってはならない、終わってしまうくらいならば、再開してくれた方がよい、という命題にほかならなかった。

そして、二〇一八年の春以降、緊張の一方的な昂進から一転して、南北首脳会談、さらには二度にわたる米朝首脳会談が実現し、当座の危機が解消される過程で、この本音の存在はより強く証明された。というのは、この過程で米朝間の合意によって朝鮮戦争終結が宣言されるのではないかという推測が飛び交ったが、それと同時に、日本政府は終結宣言が出されることのないよう水面下で米国に盛んに働きかけていることが繰り返し報道された。またこの間、米韓合同軍事演習の縮小や中止にも、日本政府は反対してきたことが伝えられている。

かくして、結局のところいまだ朝鮮戦争終結宣言は出ず、いわゆる非核化のプロセスも現在暗礁に乗り上げており、当面の先行きは不透明な情勢にあるが、そうしたなかで際立って明瞭になったのは、日本の親米保守政権が朝鮮戦争の終結をまさに心の底から嫌がっている、という事実である。「朝鮮戦争は終わってはならない」という命題は、北朝鮮から核ミサイル攻撃を受けるリスクを冒してまで現に追求されたのであった。

緊張の高まりが明らかに過去のものとなった感が強まった二〇一九年夏に、韓国大法院における徴用工訴訟判決への事実上の対抗措置として、日本政府が問題を歴史認識の領域から通商の領域へと拡大・転移させた（半導体生産に不可欠な高純度フッ化水素等の輸出規制の発動）ことは、以上の文脈上で理解されるべきである。

きわめて重大なことには、いわゆるホワイト国認定からの韓国の除外を、日本政府は、徴用工補償判決の問題と建前上切り離し、ほかならぬ安全保障問題と結びつけた。韓国は軍事利用可能な物資の管理が杜撰で、日本から産業用に輸入された原料等が北朝鮮をはじめとする「ならず者国家」に流入しているとの疑義を提起することで、韓国は安全保障の領域において信用ならない国である、と宣言したのであった。

この宣言の重大さはどれほど強調しても足りない。というのは、日韓両国民の深層の感情がどうあれ、日韓両国は、朝鮮戦争の継続という事実により、米国をハブとして、安全保障上の最も基礎的な利害を共有する関係、すなわち同盟的な関係にあったはずだからである。係争中の問題の安全保障領域への結びつけは、この関係性の否定であり、したがって日韓は安全保障上の基礎的利害をもはや共有していない、という宣言を意味する。

ソウル大学教授の南基正は、この論理の本質を端的に指摘している。「ハンギョレ新聞」ウェブ版が伝えた彼の言葉は、次のようなものである。「韓国がホワイト国から除外されないためには、南北和解と朝鮮半島平和プロセスに日本の要求を反映しろという要求を盛り込んだ主張だ」、「対北朝鮮制裁の維持を根幹にした日本の朝鮮半島構想に韓国が賛同しなければホワイト国から除外するとし、二者択一を要求している」（注1）。

ここで言われている「日本の要求」や「日本の朝鮮半島構想」とは究極的には何を意味するだろうか。南がそれを説明しないのは、それらが自明であるからだ。すでに見たように、「日本の朝鮮半島構想」とは、朝鮮戦争が永久に終結せず継続することにほかならない。したがって、日本から韓国に放たれたメッセージは次のように読み取られたであろう。すなわち、韓国文在寅政権が「日本の朝鮮半島構想」に反して朝鮮戦争終結・南北和解に尽力する限り、日韓は友邦ではない。かつ、通商領域への移行（韓国半導体産業の狙い撃ち）は、その実効性はともかくとして、韓国経済に対する最大限の打撃を明白に意図したものだった。「日本の朝鮮半島構想」にとっては、朝鮮戦争終結はあってはならず、分断国家の統一もあってはならない。この構想に逆らうならば、「経済的に焦土化してやる」というわけである。

ホワイト国認定除外の決定に対して文在寅政権がGSOMIAからの脱退をもって応えた（結局は貫けなかったが）際には、日本国内では「そこまでやるのか」という驚きの声が多数上がったが、私に言わせれば、驚きの声が上がること自体が驚くべきことだ。日本政府は韓国に対して「われわれはもはや安全保障上の友邦ではない」と通告したのに対して、文政権は「はい、そうですね」と応えたにすぎない。自分が何を言っているのか理解していないということは、愚かさのこの上ない証である。

朝鮮戦争終結への恐怖

「戦後の国体」の指導部にとって、朝鮮戦争終結を嫌悪する心理はいまや極限にまで達しており、それはほとんど形而上学的な恐怖感と化していると言える。「終わってしまうくらいならば、日本の国土目がけて核ミサイルが飛んでくる方がよい」というのだから。

こうした心理を解釈する仮説は諸々あるだろう。朝鮮戦争の終結とやがては果たされるであろう南北統一、そしてそれに伴う在韓・在日米軍の縮小や撤退によって、東アジアの地政学的状況は不安定化し、日本の安全保障上のリスクは高まるから、といった説明である。しかし、東アジア情勢の不透明性をどれほど重視したところで、核攻撃を受けるリスクを積極的に引き受ける道理などあるはずがない。

だが、朝鮮戦争終結に対するこの一見不条理な恐怖の正体は、「永続敗戦レジーム」、「戦後の国体」としての戦後レジームの成立史を参照してみれば、容易に見透すことができる。すなわち、「鬼畜米英」を国民に叫ばせていた戦前戦中の国家主義者たちが「親米保守派」として復権を許され権力中枢の地位を占める「戦後の国体」が、かたちをとり始めたのは逆コース政策においてであり、打ち固められたのは朝鮮戦争の勃発によってであった。

朝鮮戦争が始まったという文脈においてこそ、公職追放者（天皇制ファシズムの担い手たち）の追放解除が進み、レッド・パージは激化した。国鉄三大謀略事件の発生や、本格的再軍備へと後には至る警察予備隊の設置もこの文脈に位置している。GHQ内での民主化重視派（民政局＝GS）と反共軍事要塞化を推進する派（参謀二課＝GⅡ）との主導権争い＝暗闘も、朝鮮戦争勃発によって後者の勝利が最終的に確定したのであった。対日講話条約（サンフランシスコ講和条約）が急速に準備されると同時に、日米安保条約が結ばれたのも、もちろんこの文脈にある。

Ａ級戦犯として巣鴨プリズンに拘束されていた岸信介は、東西対立激化のニュースに接して「この対立が深まれば自分にも浮かぶ瀬がある」旨を獄中記に記しているが、この予測は全く正確であり、現実のものとなっていった。岸が不起訴となり釈放され、サンフランシスコ講和条約の発効とともに公職追放解除、短期間のうちに保守陣営のキーマンとなっていった過程は、アメリカ（特にＣＩＡ）との接触をその中枢としていまもって謎に包まれている。だが、この「謎」の背景として朝鮮戦争の勃発があったことに疑問の余地はない。つまりは、朝鮮戦争こそ、戦後日本の「国のかたち」を決めた出来事だった。それは「戦後の国体」の歴史的起源にほかならない。

このことと関連して、この体制の物理的担保たる在日米軍は、二重のステイタスによって日本に駐留し続けている。そのひとつは日米安保条約であるが、いまひとつの資格は、朝鮮戦争における国連軍としてのそれであり、現在でも横田基地に「朝鮮国連軍後方司令部」が置かれている。また、国連軍地位協定第五条に基づき、キャンプ座間、横須賀海軍施設、佐世保海軍施設、横田飛行場、嘉手納飛行場、普天間飛行場、ホワイトビーチ地区（沖縄県うるま市）の七ヵ所の米軍基地が国連軍施設に指定されている。朝鮮戦争の終結は朝鮮国連軍の解散を意味し、在日米軍の駐留根拠の二本柱のうちの一本が引き抜かれることを意味するのである。

安倍晋三が、こうした「国のかたち」の形成の象徴的事例たる岸信介の孫であることは、その振る舞いの動機を十分に説明する。現在の体制が朝鮮戦争を契機として形成された骨格に基づいている以上、その終結は、現体制の正統性を直撃するのであり、したがってこのレジームに依存し、そのもとで高禄を食んできた勢力にとっては「断じてあってはならない」ことなのである。

親米保守支配層が手段を選ばず護持しようとしていることの体制が、「菊と星条旗」が結合した「戦後の国体」と呼ばれるに値する理由のひとつは、その成立を昭和天皇が望み、積極的に関与したものとみなしうるからである。朝鮮戦争が休戦に向かいつつあった一九五三年四月二〇日に、昭和天皇は次のように述べている。

「朝鮮戦争の休戦や国際的な緊張緩和が、日本におけるアメリカ軍のプレゼンスにかかわる日本人の世論にどのような影響をもたらすか憂慮している」

「日本の一部からは、日本の領土からアメリカ軍の撤退を求める圧力が高まるであろうが、こうしたことは不幸なことであり、日本の安全保障にとってアメリカ軍が引き続き駐留することは絶対に必要なものと確信している」（注2）

この昭和天皇の言表には、米軍の駐留が継続することへの嫌悪感は微塵もなく、米軍が去ってしまうことへの恐怖、言い換えれば、共産主義の勢力拡大への恐怖がきわめて強く滲んでいる。共産主義への対抗上米軍駐留が「絶対に必要」だという論理を傷つけないためには、朝鮮戦争は是が非でも終わってはならない、というのである。

そして今日、「共産主義の脅威」は完全に過去のものとなった。にもかかわらず、「同じ恐怖」にこのレジームの支配者たちは恐れおののいている。あるいはそれは、「昭和天皇がお決めになったこと」を変更することは「恐懼措く能わずして」できない、ということなのか。

それはどうあれ、今日確かであるのは、「戦後の国体」、「永続敗戦レジーム」の基盤となってきた歴史意識は、徐々に通用しなくなってきているという現実である。米国に対する敗戦の事実を認めすぎるほど認めることの代償として、対アジア諸国に対する敗戦の事実を全力で否認するというこのレジームの歴史意識は、戦後日本の経済発展がもたらした国力の優位性によって可能になったものだった。「アジアで唯一の先進国」という明治維新以降日本が獲得した地位は、敗戦にもかかわらず、戦後は米国のアジアにおける第一の同盟国となることによって、揺るがなかった、あるいは速やかに再獲得されたのだった。

だが、かかる地位は、もはや完全に失われた。ゆえに、このかつての地位によって可能になっていた歴史意識もまた、必然的に退場を迫られている。だから、どのような犠牲を払ってでも朝鮮戦争は終わってはならないという命題は、ひとつの証明である。それは、「戦後の国体」としての戦後レジームが完全にその成立根拠を失い、それが懐いてきた歴史意識が維持不可能になった状況に直面したこの体制の支配層が、己の自己保身の欲求に身を焦がしつつ、新しい状況に対応する能力を持たない、その無力な姿をさらけ出させているのである。

日韓、二つの歴史意識

歴史認識の基盤となるメタ認識を、本稿では「歴史意識」と呼んできた。それは、個々の事件や出来事に対する認識を配置したり評価を与える際の座標の機能を果たす、「大きな物語」と言い換えてもよい。ある国の国民の懐くナショナルヒストリーの物語が別の国のそれと衝突しない限りにおいては、問題は起こらない。問題は、両者が矛盾し対立する場合である。その際に、ある国民が自らの望む歴史意識（＝物語）を国境を越えてどれほど流通させることができるかは、その国の置かれた地政学的状況や、相対的かつ総体的な国力にかかっている。要するに、多分にそれは政治的なものである。

大問題となっている徴用工補償問題は、そのようなのっぴきならない衝突の事例である。日本側から繰り返し主張されているのは、戦時を含む植民地時代の補償の問題は、一九六五年の日韓基本条約と同時に結ばれた日韓請求権並びに経済協力協定によって解決済みだとする見解である。

私の知る限りでは、この日本側の見解を斥けようとする韓国側の根本的な動機は、一九六五年の国交正常化交渉とその結果そのものが不当なものだ、という歴史意識である。周知のように、独立後の韓国は、権威主義的体制、軍事政権と民主化勢力との激しい相克・闘争の歴史を歩んできた。そして、盧武鉉《ノムヒョン》政権の誕生とその挫折を経た後、盧武鉉の側近であった文在寅を首班とする政権が朴槿恵《パククネ》大統領糾弾の大規模な大衆運動を背景として成立したことによって、同国は不可逆的な民主化を遂げた、という歴史意識が今日きわめて有力なものとなっている。

ゆえに、極端な言い方をすれば、文政権は旧体制を打倒した革命政権なのである。ロシア革命時のボリシェヴィキ政権がツァーリ政府の対外債務を「それは腐敗した不正な政府が勝手に借りたカネであって、ロシア人民の借金ではない」という論理によって踏み倒したのと同様に、革命政権は旧体制のなした約束に拘束されない――文政権はそこまで踏み込んではいないものの、こうした歴史意識は疑いなく存在する。なぜなら、徴用工補償問題（のみならず、従軍慰安婦問題など日帝植民地時代に関する問題全般）は、突き詰めれば一九六五年の条約の正統性という問題に行き着かざるを得ないからだ。

日韓基本条約およびそれに付帯する諸協定についての包括的解釈は私の手に余るが、ここで少なくとも指摘できるのは、この条約の成立過程は二つの歴史意識が激しく衝突する場であった、ということだ。すなわち、韓国併合と植民地支配について、日本側は当時の国際法に照らして合法的に行なわれたとの見解を譲らず、韓国側は韓国併合条約そのものが圧迫下で結ばれた不正・非合法なものだとする見解を打ち出した。この点をめぐって両者の妥協は困難を極め、交渉は長引いた。最終的には、一九六一年五月一六日に5・16軍事クーデターを起こして権力を掌握した朴正熙《パクチョンヒ》が、国内の反対を押し切って条約調印にこぎ着ける。

その際に、歴史解釈の問題は、いわゆる玉虫色の解決が図られた。日韓基本条約第二条には、「千九百十年八月二十二日以前に大日本帝国と大韓帝国との間で締結されたすべての条約及び協定は、もはや無効であることが確認される」とある。この「もはや無効であることが確認される」を、日本側は「過去の条約や協定は、当時においては法的に正当で有効であったが、（現時点から）無効になると確認される」と解釈し、韓国側は「過去の条約や協定は、不法で不正なものだったのだから、（当時から）そもそも無効であったことが確認される」と解釈し、両者はお互いに相手の解釈について踏み込まないことが黙契された。つまりは、両国はそれぞれに、自分たちの信じたい歴史を信じるということである。

韓国側の歴史意識（＝物語）における矛盾を指摘するのは、論理的には容易である。日韓併合条約そのものがそもそも不当であったというが、当時の大韓帝国皇帝純宗《スンジョン》がそれに署名したではないか、と。

これを無効とする論理は、自国の主権を他国に譲り渡す約束をするような国家元首は、そもそも元首たり得ないので、そのような条約に調印した時点でその者はもはや元首ではなく、かかる者がなした約束は無意味であり無効である、という論理であり、歴史意識であるほかないであろう。

そしてこのような歴史意識は、韓国の憲法、すなわち建国理念に流れ込んでいる。同憲法は建国以来九回の改正を経ているが、その前文で表明されている、大韓民国が一九一九年の3・1独立運動とそれを契機に発足した臨時政府をルーツとするという自らの歴史的位置づけは、一切変更されていない。言い換えれば、現在の大韓民国は、一九一〇〜四五年の間に朝鮮半島を実効支配していた大日本帝国の後継者なのではなく、大日本帝国による支配を認めない独立運動と臨時政府の後継者であるとの自己認識を一貫して持っている。この歴史意識は、「韓国併合はその当時においては合法だった」とする日本側の歴史認識と正面から対立する。

当時において国際的に公認され実効性を持った条約ではなく、鎮圧された独立運動と国際的承認をほとんど得られなかった亡命政府に基づく正統性の系譜を優先するという歴史意識は不条理であり、国際的には到底通用し得ない、と日本の常識では感じられるかもしれない。

しかし、例えば第二次大戦時と戦後のフランスの歴史を見れば、こうした歴史意識は絶対に通用しないなどとは言い切れないことがわかる。フランスがナチス・ドイツに降伏し、ヴィシー政権が成立したとき、フランスは紛れもなく敗戦国だった。しかし、ドイツの傀儡と化した祖国政府を認めないド・ゴール将軍がレジスタンス運動を司る「自由フランス政府」を結成し、それがやがて「フランス共和国臨時政府」、そして第四共和政のルーツとなってゆく。純軍事的な観点から見れば、フランス人が自国を独力で解放したとは到底言えない。しかしにもかかわらず、この過程でフランスは戦勝国の立場を得たのである。歴史意識の次元で言えば、戦後のフランスは、ヴィシー政権のフランスに接続したのではなく、降伏しなかったフランス、すなわちその成立時においては無力で形式的なものにすぎなかった亡命政権に接続したのである。この歴史意識を国際的に通用させることができたのは、フランスの文化的なものも含めた総合的な国力に帰せられるであろう。

成立時の形式性と無力さという点において、自由フランス政府と大韓民国臨時政府に大きな差はない。だが、その後実体を有するに至った政府が自らの歴史意識を国際的に通用させる能力には、大きな差があったと言うべきであろう。朴正熙は、建国の理念を貫けず、正式の賠償も断念することで、実を取る（無償三億ドル、二億ドルの借款、三億ドル以上の民間借款）ことを決断した。

それは、政治的な混迷がうち続き、経済発展において北朝鮮から大きく水をあけられるという厳しい状況によって強いられたものだった。歴史解釈においては、同じ文言を日韓それぞれが自国流に解釈するという決着に甘んずるほかなかったのが、当時の韓国の国力であったのだった。

歴史意識のパワーポリティクスを越えて

日韓基本条約から五六年が過ぎた。二〇一八年の統計で、一人当たりGDPは、日本が四万一五〇一ドル、韓国が四万二一三五ドルであり、ついに順位が逆転した。経済面での国力にもはや差はなく、むしろ日本は追い越されつつある。この「平等化」を背景として、今日の「歴史意識の衝突」は発生している。韓国は、面子を捨てて手に入れた「実」を元手として達成された経済発展に基づき、自らの歴史意識を国際的に流通させうる国力を蓄えてきたわけである。「朝鮮戦争は終わってはならない!」と拳を振りかざす（しかも、あくまで米国の肩越しに）日本政府の姿勢には、その表面上の強硬さとは裏腹に、自らが保持してきた歴史意識が通用しなくなりつつあることから生ずる焦燥と「戦後の国体」を護持する以外に何の展望も持ち得ないという絶望的な無気力が滲んでいる。

「支配階級の思想はどの時代にも支配的な思想である」（マルクス＝エンゲルス『ドイツ・イデオロギー』）をパラフレーズすれば、「支配的国家の歴史意識はどの時代にも支配的な歴史意識である」と言えるだろう。日韓の国力が拮抗するなかで、われわれが当面確実に予期できるのは、両国間で歴史意識をめぐる衝突が多々生ずるであろうということだけだ。

ただし、右に縷々述べてきた歴史意識とその衝突の問題は、つまるところパワーポリティクスの問題であり、われわれが本来歴史に期待することのできる、叡智、自己理解と他者理解、共感や連帯の可能性といったものとは別次元にある。われわれは、歴史意識と無縁でいることはできないが、その影響力を自覚することはできるし、自らの歴史意識を他の物語に開かれたものへと改めることもできるはずである。

それは如何にしてか？　私の個人的な経験を紹介したい。『永続敗戦論』が韓国で翻訳出版されたこともあり、釜山のある大学から招かれ、講義を行なうこととなった。『永続敗戦論』の内容をひとしきり説明した後、質疑応答の時間となったが、現地の韓国人学生からは実に直球の質問が寄せられた。いわく、「なぜ、戦後日本は過去の過ちを直視して反省できないのですか」と。

その実行がどのような困難を抱えてきたのかを戦後日本のナショナリズムの内的構造から私は説明してきたわけだが、それでもなお質問者には釈然としない思いがあったのだろう。そこで私は次のように答えた。

日本の近代化は、西洋の外圧に直面するなかで何とかして独立を保つことを意図して始まった。最終的にそれは、一九四五年に悲惨な敗戦という結末を迎えることとなった。朝鮮半島の人々から見れば、その全過程は自分たちへの危害でしかなく、全否定の対象となるのも致し方ない。だが、われわれ日本人は、「あれは全部ダメだった」とは言えない。なぜなら、そう言ってしまえば、われわれは自分たちの歴史のある部分を丸ごと失ってしまうことになるからだ。われわれは自らの歴史を抽象的に全否定することはできないのだ。だから、戦後日本で心ある人は、ずっと葛藤し続けてきた。われわれは確かに正当な動機から近代化の歩みを始めたはずなのに、いつの間にか道を踏み誤って最終的には悲惨な過ちを犯した。一体いつから、どうして、われわれは間違えたのか。このことを考え続けるということに、戦後日本のある種の倫理がかかっていた。いま日本社会から失われつつあるのは、この葛藤であり、そのことはきわめて危険な兆候である。それは日本社会の倫理的基盤が失われることを意味するからだ。

この答えに質問者が納得してくれたかどうかはわからないが、私が求めたのは、われわれの抱えてきた葛藤、それをできる限り内在的に理解してほしい、想像してほしいということだ。同じ要求は、当然われわれの側にも寄せられる。この間、日本の言説空間、マスメディア空間で洪水のように流通してきたものは、まさにこうした理解・想像力を欠いたものだった。その典型が、文在寅政権（進歩派・民主派政権）＝反日政権というステレオタイプである。

私の理解する限りでは、韓国の民主派政権の対日態度が厳しいものになる傾向は、戦後韓国の置かれた歴史的および地政学的状況によって然らしめられたものだ。日本の敗戦によって独立を回復した時点の韓国は、ナショナリズムを高揚させつつも、各界の指導者層の多くが日帝植民地時代に育成された植民地エリートによって占められていた。

韓国の近代化の礎を築いた朴正熙のキャリアはその典型である。一九一七年に生まれ、満州国陸軍軍官学校、日本の陸軍士官学校で教育を受け、関東軍および満州国軍に勤務。日本敗戦の後、韓国軍に入隊するが、この間、朝鮮戦争前夜にあって、南朝鮮労働党に密かに入党しており、そのことが発覚して一九四八年一一月一一日に逮捕される。獄中で転向し、南朝鮮労働党の内部情報の提供と引き換えに助命され、軍に復帰、前述のように一九六一年にクーデターにより権力を掌握する。開発独裁体制を敷き、一九七二年には「十月維新」と称する自己クーデターを起こして、憲法改正を強行、独裁体制を強化する。一九七四年には暗殺未遂事件が起こり、自らの代わりに陸英修《ユギョンス》夫人を目の前で射殺され、一九七九年一〇月二六日、民主化要求デモの鎮圧を命じるなかで側近によって射殺された。まことに壮絶と言うほかない生涯であり、その功罪をめぐっては韓国国内でいまだ論争が絶えないという。

「功」の部分は、何と言っても、産業を発展させ戦後の韓国を貧困から脱却させた点に求められる。そして、その際の発展の手段は、日本との密接な関係にあった。日韓国交正常化に伴って経済協力金を獲得しただけでなく、「日本から機械部品や素材など生産財を輸入して、豊富で低廉な良質の労働力をもって第三国へ輸出をはかる」(注3)輸出重視政策を確立することで高度成長を実現させたのであった。

同時に、この関係は、国交正常化による「請求権資金」が「日本国の生産物および日本の用役」の提供に対して支払われると定められたことを筆頭に、韓国の政治経済エリートと日本との癒着による利権構造を生み出した。日本支配の時代に日本の教育を受けた世代のエリートたちが、植民地時代から連続する日本とのコネクションを利用して権力と富を独占する権威主義的な支配構造――これが民主化運動が長年闘った対象であった。ゆえに、韓国の民主派の言う「親日」とは、基本的にこの構造を批判的に名指すものであり、日本に対して好意的という意味ではない。この文脈において、民主化とはこの構造からの脱却、したがって一種の「脱日」を意味せざるを得ない。それが日本では、「反日」と受け取られるわけである。

他方で、朴正熙に象徴される「親日派」の側から見ても、彼らは日本に心情的好意を持っているという意味で親日たらんとしたわけではない。日本との関係の活用は、共産主義陣営への対抗の必要性と貧困と無力から脱するために余儀なくされた選択であった。したがって、「文在寅率いる民主派＝反日、朴正熙の系譜を継ぐ保守派＝親日」と定式化する日本の一部世論は、全く滑稽でしかない。それは、隣国の歴史を内在的に理解しようとする意志の不在、知的怠惰の表れにほかならない。

だが、現代の日本を覆っているのは、まさにこうした怠惰である。右に述べたように、韓国の民主化運動は、体制や社会の民主化だけでなく、植民地時代の残滓の清算という意味を持っていた。国力の蓄積がその清算をなしうるだけの段階に達し、それを実行しているのである。このこととの対比において、日本の状況は悲惨と言うほかない。戦前の残滓を清算するどころか、自己利益のために戦前天皇制国家の改訂版たる「戦後の国体」の維持延命を図る権力（＝安倍政権）が、無気力に肯定され続けているのである。この状況が克服されることなくして、日韓関係が改善に向かうことは全く望み得ない。

他方、韓国の民主化の抱える課題について、私はコメントするほどの知識を持たない。ただし、次のことは確実であるように思われる。民主化（＝旧体制の破壊）が進展すれば、「親日批判」の社会的役割は終わるはずである。そうなれば、いわゆる「反日ナショナリズム」の出番は少なくなり、日本の近代の歩みに対する内在的理解の可能性は広がるであろう。そしてそのとき、日韓両国民は相互理解の新しい局面に立つことができる――ただし、われわれ日本人の側にその用意ができていること、それが条件となるだろう。

（注1）日本、「ホワイト国」リストを武器に北東アジアの安保を揺さぶる（二〇一九年七月一六日）。http://japan.hani.co.kr/arti/politics/33899.html

（注2）豊下楢彦『昭和天皇の戦後日本――〈憲法・安保体制〉にいたる道』岩波書店、二〇一五年。

（注3）姜尚中・玄武岩『大日本・満州帝国の遺産』講談社学術文庫、二〇一六年。

第五章

歴史のなかの人間

一　戦後七五年を直視する

「転び公妨」をする教育者

「戦後七五年」を語る前に、大手報道機関のほとんどが無視している、最近起きた事件を取り上げよう。

二〇二〇年七月八日の朝、一人の高校生が逮捕された。都内の単位制高校に通うこの男性（二〇歳）は、目黒区立の中学校付近で登校中の生徒に対してビラまきをしていたところ、同中学校の高橋秀一副校長により「常人逮捕」されたのである。「常人逮捕」とは、刑事訴訟法の定めにより、目の前で犯罪が起き（現行犯）かつ急を要する場合、一般人がその犯人を逮捕できることを指す。では、彼は何の罪を犯したのか？「東京新聞」の報道（七月一八日朝刊）は、逮捕時の状況を次のように伝える。

「男性は八日午前八時ごろ、周辺を巡回していた同中の五〇代の男性副校長からビラ配りを注意された。その後、スマートフォンで撮影しようとした男性を遮った副校長の右手にスマホをぶつけ、職務を妨害しようとしたとされる」。配っていたビラの内容は、付近の都立高校での新型コロナ禍の下での水泳指導の危うさを批判し、高校での自治委員会の結成を呼び掛けるものだった。

同記事中で男性の弁護人である土田元哉弁護士は次のようにコメントしている。「中学校と直接関係のないビラを校門から離れた公道で配るのは、平穏な学校生活を妨害するものではなく、執拗な注意は教職員の適正な職務とは評価しがたい。憲法で保障された表現の自由を侵害している。何らかの身体接触を公務執行妨害とするでっち上げ事件ではないか」

土田弁護士が指摘しているのは、高橋副校長は典型的な「転び公妨」の手法で常人逮捕に及んだのではないか、ということだ。「転び公妨」とは、公安警察官がデモ等を弾圧する際に、自ら転ぶなどして公務執行妨害を演出することで運動者を逮捕する公安警察「伝統の技」だ。副校長にケガはなく、したがって男性は即座に釈放されるのが妥当な措置と言えようが、実際は翌九日に東京地検に送られ、一〇日間の勾留が決定、さらに一七日には「勾留理由開示公判」が東京地裁で行なわれ勾留延長の判断が下された。二八日にようやく釈放されたが、処分保留で起訴の可能性がある。

「戦後」をやり直す

さて、戦後〇〇年というコラムを書くことに、私はためらいを感じる。いつの間にか「戦後」という時代は終わっていた。「戦後」という言葉にはさまざまな意味がかぶせられてきたが、そこには、われわれの生きる時代は、戦前戦中の国家・社会・人間の在り方の負の部分に対する反省の上に成り立っているという共通了解があったはずである。だが、近年日本社会全般でこの了解は崩れ落ちたのだ。

思えば、教育の世界も敗戦によって抜本的出直しを経験した。軍国主義教育によって若者を戦場に送ったことへの悔恨から戦後の教育は再出発し、学校教育は民主主義社会の基礎であるとの理念が確立された(はずであった)。

そしていま、公安警察のまね事をして高校生を警察に引き渡す「教育者」が、われわれの目の前にいるのだとすれば、今日の公教育機関が一体どのような状況にあるのか、われわれは最高度の警戒をもって注視する必要がある。この高橋副校長が現代の教育者の典型であるのかどうか私は知らないが、日々伝わってくる学校に関するニュース(地毛証明書やらアベノマスク着用の強制やらツーブロック、ポニーテール禁止やらといった耳を疑いたくなる事柄)は、今日の教育者の主流派的価値観と現場の空気を物語っているのだろう。下着の色検査など強制わいせつとして通報されるべき案件である。上位者へのへつらい(マゾヒズム)と管理への熱中(サディズム)の異様な混合物——これが民主主義の何たるかを「教える」という。悪い冗談でしかない。

建前の上では、ここ数年「主権者教育」の必要性が盛んに唱えられ、文科省もキャンペーンを打ってきた。そしてその効果は果てしなくゼロに近い。それは当然であって、「あなたたちは主権者なんですよ、その自覚を持ちなさいね」などというお題目が主権者をつくり出すことなど決してないからだ。主権者sovereignの原義は「この上なき」という意味であり、「あなた方はこの上なき者になりなさい」と「上から」命ずるなどナンセンスの極みにすぎない。

われわれは現実を直視せねばならない。「戦後」はすでに死んでいた。それはあの反省の忘却、愚劣・卑劣・不正への退行を意味する。ただし、この状況は再出発のための好機でもあるのだ。主権者教育に見られるナンセンス、つまりは戦後民主主義なるものの虚偽性に対する無自覚もまた「戦後」の一面であった。そしていまこうした「緩さ」が存続する余地はなくなったのだ。「戦後」が終わることで、人々の主権者への生成は不正と抑圧に対する憤りと抵抗からしか生じ得ない、というキツイ真実への直面をわれわれは強いられる。その意味で、あの副校長は見事な主権者教育を行なっている。われわれは「戦後」を本当の意味で始め、獲得する好機に立ち会っているのである。

二　中曽根康弘の逡巡

中曽根康弘について考えることは、戦後日本の保守主義とは何であったかを考えるに等しい。中曽根は多くの著作を遺しており、そのなかで自らの政治が何を目指したのかが詳細に語られている。少なくとも、中曽根は、自らの言葉で自らの目指したものを明瞭具体的に語ることのできた（語ることがとにもかくにも存在した）日本では数少ない政治家であった。一九九六年に出版された、佐藤誠三郎と伊藤隆のインタビューによる浩瀚《こうかん》な回顧録『天地有情』（文藝春秋）を繙くと、中曽根は自らが目指した政策理念の実現をかなりの程度自分の目で見ることができたという意味で、稀有なほどに幸運な政治家だったとみなすことができる。

その政策理念とは、新自由主義だけではない。中曽根は、「集団的自衛権の行使」を強調し、かつそれは「限定的使用」であるべきだと説いているのだが、二〇一四年に実現したのはまさにこのことであった。そして、教育改革への情熱も繰り返し強調されているが、二〇〇六年に教育基本法は改正され、大学改革は進行し、大学入試の大改革も現在大いに話題を呼んでいるわけである。

これだけですでに明らかであろうが、中曽根の掲げた理念は大いに実現されてきたのだが、それはことごとく理念の戯画としてであったのであり、このことは、日本の戦後保守の宿命であったように思われる。中曽根にとって、集団的自衛権行使は経済大国としての責任を果たし、日本の国際的声望を高めるはずであった。しかし現実には、対米従属のより一層の深化、独立性のさらなる喪失、したがってその卑屈さへの軽蔑をもたらすものとしてしか現れていない。教育改革がもたらしたのは、現場の過労と混乱でしかなく、入試改革に至っては、果てしない腐敗と制度の崩壊にほかならない。

こうした虚しい結果にしかたどり着かないことの理由を、私は年来、戦後日本の親米保守の欺瞞性、とりわけ、戦争責任の免責と引き換えに親米派へと転身した旧体制の指導者層が戦後日本の中枢を構築したこと、その結果として、そもそもは敗戦と東西対立の帰結としてもたらされた対米従属体制が、アメリカが事実上の天皇のごとき存在となり天壌無窮に君臨してしまう「戦後の国体」と化したことに見出してきた。ただし、右の理路は当然、大局的な見取り図である。重要なのは、七五年を過ぎた戦後の全期間を通じて、「戦後の国体」がどのように生成変化を遂げてきたのかという点にあり、中曽根という具体的な人物像を通してその過程を探ることにある。

中曽根は、戦後親米保守政治家では、第二世代に当たる。吉田茂、鳩山一郎、石橋湛山《たんざん》、岸信介から、戦前戦中から国家や社会の指導的立場に身を置いており、戦後は五五年体制構築の立役者となった世代を第一世代とするならば、一九一八年生まれの中曽根は戦争責任という点で、第一世代とは全く立場が異なる。岸信介が東条内閣の一員として対英米開戦を命じたとき、中曽根は一介の中尉として軍艦に乗り込んでいたのであった。

中曽根の回顧録を読むと、先行世代の親米保守派の戦争責任問題について、中曽根が割り切れない感情を持っていたことがわかる。とりわけ、岸信介が巣鴨プリズンから釈放された後、早々に復権してきたことに対しては相当の反感を懐いていたことが窺われる。そして、この感情は、とどのつまりは昭和天皇の戦争責任の追及につながる。その発露が、一九五二年の国会における事実上の退位勧奨発言だった。

これらすべてが東西対立の急迫のなかであやふやになったこと、このことが戦後日本の国の在り方に巨大な意味を持っていることを、中曽根のような世代の人間は左翼ならずとも確信していた。『天地有情』の最終盤に現れる次のような言葉は、彼の複雑な心境を物語っている。

「極端にいえば、たとえば天皇があのとき退位していれば、岸さんも政界に出ることがなかったかもしれない。そして、一皮剝けた新しい日本が出現していたかもしれない。しかし、対ソ政策として、日本を復興させるため、マッカーサーはそういう既成勢力を温存して共産主義に対決させようとした。それに対し、われわれも共産主義の勢いがひじょうに強かったので、ある程度は妥協して手を握らないといけないと考え、追放解除に賛成し、天皇制護持を堅持し、天皇在位や退位は天皇自らの自由意思で決めることだという姿勢をとってきたわけです」

岸らの復権も、天皇の引き続きの在位も中曽根にとって不本意であったという本音がここには明瞭に現れている。「しかし」と中曽根は続ける。

「一方で、昭和天皇が在位したからこそ、安定を維持し、日本をここまで繁栄させることができたと思う。また、（中略）追放解除者の力があったからこそ日本は何とか持ちこたえることができ、繁栄への基礎をつくることができたと思う。そういう意味において、妥協したことはよかったのかもしれないという判断もあり得ますね。はたしてどちらがよかったのか、いまの私にはまだ判断できませんが（後略）」

この判断の前で逡巡し続け、ついには判断できなかったのが、戦後日本だったのではないか。そして、そうだとすれば、中曽根康弘はきわめて戦後日本的な政治家であり、その時代を代表する一人としてふさわしいのである。

だが、このような逡巡が意識されているうちはまだマシだ。中曽根が没したことにまさに象徴されるように、世代は交代し、戦後日本の「平和と繁栄」は巨大な誤魔化しの上に成立してきた、という感覚が無意識の領域にも存在しない世代が中心を占めるようになってきた。そのとき何が起こったか。

アメリカからの要求に応えて集団的自衛権の行使を容認し、大量の戦闘機を言い値で買っても、対北朝鮮交渉では完全に蚊帳の外に置かれ、さらには「思いやり予算」の四倍増を要求されても、なぜ愛想笑いを浮かべていられるのか。それは、あの逡巡を克服する時機を逃したことの帰結なのである。ここで言う克服とは、あの戦争の責任問題に片をつけ、それによって「保護国」とは異なる日本の国際的な立ち位置を、普遍的な理念とともに世界に対して示すことであった。それは、日本経済の地位が最も高いとき（まさにそれは中曽根政権期である）にこそ、行ない得たことだった。しかるに、この時機が逸された結果、中曽根が思い描いたような、集団的自衛権の行使容認によって日本が安全保障分野で国際秩序に貢献するというヴィジョンは到底成り立ち得ず、対米従属を続けたいがために東アジアにおける冷戦（朝鮮戦争）の存続をひたすら願うという矮小の極みの路線を遮二無二追求するに至っている。

教育改革も、現行制度の弊を本気で除去しようとするならば、戦後の教育システムの平等主義を部分的にではあれ、否定しなければならない。そしてそのような大胆な方針を打ち出すためには、戦後社会を越える理念を提出せねばならないが、そのような難事を避けて通るために、有害無益でしかない似非改革が休むことなく続くのである。

あるいは、中曽根が提唱した、「常識的な歴史観に立脚し、国際感覚を前提としたナショナリズム」は、今日、不全感に苛まれた日本人の心を慰める排外主義という麻薬として現れるに至った。

かくして、中曽根の理念はすべて、その戯画として、空しい茶番として演ぜられつつある。それは、あの中曽根の逡巡が乗り越えられず、ただ単に放置され忘却されていったことの帰結なのである。

三　西部邁の六〇年安保体験

二〇一八年一月二一日、保守派の重鎮、西部邁氏が自ら命を絶ったと報道された。生前の西部氏には、二度しかお目にかかったことがなく、一緒に仕事をさせてもらったことは一度しかなかったのだが、記憶に残っていることは多数ある。氏の著作である、六〇年安保で最も過激に行動したブント（共産主義者同盟）の仲間たちのシルエットを列伝風に描き出した回想録、『六〇年安保――センチメンタル・ジャーニー』（文春学藝ライブラリー、二〇一八年）は、私の愛読書である。

晩年、特にイラク戦争以降の西部氏は、「真正保守」の立場から「親米保守」を批判するという姿勢をますます強めていたように見受けられた。アメリカのグローバリズムと覇権主義に対する批判も強調されていた。それらは、ともすれば「先祖返り」に見えるかもしれない。西部氏は六〇年安保の闘士であったのだから。

しかし、それは単純な話ではない。西部氏の『六〇年安保』を読み返すと、あらためてあの出来事は何であったのかを考えさせられるのだが、「歴史のイフ」を想像してみたくもなるのである。仮にあのとき、左翼が分裂せず、大同団結してあの大衆動員をさらに急進的なものとしていたらどうなっただろうか。言い換えれば、岸信介政権の退陣にとどまらない方向へと騒乱が進行していたら、どうなっていただろうか。その場合、自衛隊の治安出動があったであろうし、それでも収拾がつかなければ、在日米軍が出動しただろう。そうなれば、犠牲者は一人（樺《かんば》美智子）には到底とどまり得なかっただろう。こうした事態は空想ではなく、ロジカルな推論である。例えば、一九六五年九月三〇日にインドネシアで起きたクーデター未遂は、本質的にはそのような事態である。

実際には、六〇年安保において（正確にはそれ以前に）左翼は分裂した。西部氏が青春を懸けたブントが密《ひそ》かに資金提供を受けていたのは、右翼フィクサーの田中清玄からであり、その資金の大本の出所は経団連であったともいわれる。財界は岸の交代を願っており、岸を嫌悪する田中は追い落としと、また左翼の分裂を促進することで共産党の弱体化をもたらすという一石二鳥を狙っていたとみられる。

そうした裏事情を当時詳らかには知らずに、あるいは知ってはいても、ブント幹部として突っ走るしかなかった西部氏は、回想録のなかで安保闘争を「空虚な祭典」と呼ぶ。そこにはもちろん、苦々しさが立ちこめている。いわく、ブントは「要するに、馬鹿な若者の集まりにすぎなかったのだ」。しかし同時に、「ブントの享受した自由、開放、明朗は破格の水準に達していた」。その開放性は、彼らが、戦後民主主義体制の右も左もインチキにすぎないと正面から言ってのけたところにあったのだろう。戦前の共産党員であり獄中転向者であった田中清玄にしても、権謀術数だけを意図したのではなく、このような「馬鹿で元気のよい」若者たちへの共感からブントを援助したと思われる。

だが、ブントが（あるいは左翼が分裂せずに）あのとき本当に「インチキ」を暴ききったならば、インチキの背後から現れ出る「リアルなもの」とは、先に述べた地獄絵図だったはずである。西部氏は、当時にあってはおそらく直観的に、その後は確たる知識に裏づけられて、そのような構図を知悉《ちしつ》していた。それゆえ、「保守転向」した後の氏の言説は独特の屈折を帯びることとなる。

他方、三島由紀夫は、一九六九年に六〇年安保の再来を熱望し、その期待が裏切られたとき、あの衝撃的な自決へと進路を固めた。「リアルなもの」が決して露呈しないであろうこの国に見切りをつけたかのように。そしていま、屈折という戦略によって空虚に耐え続けた西部氏の闘いも、終わったのである。

六〇年安保の犠牲者は一人だった。それは僥倖だったと言うべきだ。しかし、あのとき「リアルなもの」が露呈していたならば、それは膨大な犠牲を出したであろうが、今日の日本はここまでおかしな国にはなっていないのかもしれない。そしてまた、「リアルなもの」がいずれいつかは露呈する――例えば、米朝全面戦争勃発とそれへの日本の余儀なき関与というかたちで――運命にあるのならば、その際に払われるであろう犠牲がどの程度の大きさになるのか、それは誰も知らない。歴史のバランスシートがどう帳尻を合わせられるのかは、誰にもわからないのである。

四　廣松渉の慧眼

廣松渉が「東北アジアが歴史の主役に　欧米中心の世界観は崩壊へ――日中を軸に『東亜』の新体制を」と題する文章を「朝日新聞」に寄せたのは、一九九四年三月一六日のことだった。

廣松がかねてから、戦前戦中の「近代の超克論」や「世界史の哲学」に強い関心を寄せ、一九八〇年には『〈近代の超克〉論』を上梓していることに鑑みれば、最晩年の彼が一種の《アジア主義的本音》を遺言のように公表した（実に、廣松が世を去ったのは一九九四年五月二二日のことであった）ことに、不可解なものはないのかもしれない。だが、「『東亜』の新体制」という、大東亜戦争のスローガンを連想させる廣松の言葉遣いが当時の論壇にもたらしたのは、驚愕と当惑であったと私は思う。つまり、「なぜ左翼の中の左翼である廣松渉が右翼的な大東亜戦争肯定論をぶつのか」といった戸惑いが広がるばかりで、ほとんど誰も、廣松の問題提起の意味を理解できなかったのである。

当然のことながら、廣松の所論は、先の大戦における日本の行動を肯定したり賛美したりするものではなかった。廣松は、「東亜共栄圏の思想はかつては右翼の専売特許であった。日本の帝国主義はそのままにして、欧米との対立のみが強調された。だが、今では歴史の舞台が大きく回転している。／日中を軸とした東亜の新体制を！　それを前提にした世界の新秩序を！　これが今では、日本資本主義そのものの抜本的な問い直しを含むかたちで、反体制左翼のスローガンになってもよい時期であろう」と書いている。それは、戦後日本が、冷戦下での対米従属構造に基づき、かつて植民地支配や侵略した国・地域と、ハブ・アンド・スポークの関係を取り結ぶことによってのみ、すなわち米国との関係を必須の媒介とした上でのみ、関係を築いてきたことを批判する竹内好《よしみ》等の視点を引き継ぐものであった。

要するに、戦前戦中の日本は、直接アジアと対峙した結果、非道へと堕ちていったが、戦後は米国という媒介を通すことで直接的な対峙を避けた。アジアとの連帯の失敗の歴史を曖昧に忘却する一方で、明治以来のスローガンたる「脱亜入欧」の夢を経済大国化によって叶えたわけだが、これらすべてを可能にした大局的構造としての東西対立が消え去ったとき、「平和と繁栄」の外観の下に隠されていた歪みがやがて表面化するのは必然であった。今日の親米保守政権の目を覆うばかりの迷走は、この歪みを是正できないことの不可避的帰結にほかならない。

だからこそ、廣松渉のこの短い論文の先見の明には、今日目を瞠らざるを得ない。廣松は、論文の前半部で、彼の専門領域であった哲学的世界観の転換に言及し、「新しい世界観や価値観は結局のところアジアから生まれ、それが世界を席巻することになろう」と断言している。この予言は、いまだその実現の端緒すら見えていない。それは、廣松も言及している通り、「世界観や価値観が一新されるためにはそれに応ずる社会体制の一新を必要条件とする」からであり、ここで脱却されるべき世界観・価値観とは、西洋に起源を持つ産業資本主義文明のコロラリーにほかならないからである。廣松は、マルクス主義者として、「新しい世界観」とは、ポスト資本主義の社会形態を基盤にすることを通してのみ成立しうると考え、かかる社会形態に逸早《いちはや》く到達すべきは「東亜」である、と論じたのであった。

この予言が成就される気配はいまだない。しかし廣松は、そうならざるを得ない理路を次のような言葉で、言い表していた。「アメリカが、ドルのタレ流しと裏腹に世界のアブソーバー（需要吸収者）としての役を演じる時代は去りつつある。日本経済は軸足をアジアにかけざるをえない」。九〇年代半ばの段階で、世界経済の「グローバル・インバランス」の状況とその矛盾がやがて露呈せざるを得ないことを指摘した慧眼には、驚くほかない。日中をはじめとするアジア諸国がモノをつくり、米国に無際限にカネを貸すことでそれを買い上げてもらう（借金返済のあてはバブルに依存する）というブラックホールのごとき構造は、二〇〇八年のリーマン・ショックによってその歪みを露呈させたのである。

しかし、廣松のこの言説のアクチュアリティを認識するためには、二〇〇八年まで待つ必要は本来なかった。一九九七年にはアジア通貨危機が発生し、マハティール首相率いるマレーシアがＩＭＦに逆らうことによって危機を脱する。そのマハティールは、冷戦構造が崩れるや否や東アジア共同体構想を提起し、日本にその旗振りをするよう求めていた。日本は、これに応えず、アジア通貨危機への対応としてのアジア通貨基金構想も米国を恐れて頓挫させた。これら一連の出来事は、「永続敗戦」の最も近い起源である。廣松とマハティールのヴィジョンは、金融装置の肥大化を通じた労働の収奪によって資本主義を無理矢理に延命させるという構造に対する根源的な批判として、重なり合わせることができるはずだ。

「失われた二〇年」(否、実際は「三〇年」である)によって本当に多くのものが失われた。九〇年代の好機が失われたことの意味は実に重いが、われわれはこの厳しい状況にあっても、確かな遺産を持っているのである。

五　アジア主義の廃墟に何が見えるか──『虹色のトロツキー』論

ロマンティックな対象としての満洲国

「満洲国」。戦後日本の言論界では幾度も「満洲国ブーム」が起こってきた。このことに対して、批判的な姿勢を取る人々も当然いる。近代日本の大陸アジア（朝鮮・台湾も含む）への長きにわたる関わりのうち、わずか一五年ばかりの歴史的経験を特権的に扱うことはバランスを欠いており、恣意的であるという批判である。満洲国に対して高度に批判的な考察を加えるとしても、それを特権的な語りの対象としていること自体が、あまりにもナショナルな語りの枠組みにとらわれてしまっているのではないか……（注1）。

こうした批判を裏づけるのは、満洲国に対する語りが往々にして二パターンの典型に収斂《しゅうれん》してしまうという事情である。すなわち、一方には「近代日本人の最大の冒険的事業としての満洲国」というロマンティックな語りがある。そしてもう一方には、こうした語りに対する批判として、「現実の満洲国」という偶像破壊的な語りがある。満洲国において人生を過ごし何事かをなした世代が退場し始めるにつれて前者の語り口は退潮し、後者のスタンスが優勢を占めつつあるように、いまは見える。

だが、私の関心は、「満洲国ブーム」の反復をもたらすもの、かかる反復を強いるものに向いている。それが一面では、日本人の自己愛的なナショナリズムであることは間違いないが、「ナショナリズムは〈創られた伝統〉であり、有害である」ということ数十年来なされてきた啓蒙的ナショナリズム批判の営みがおよそ大衆性を獲得できないばかりか、憎悪の対象となっている現実に目を向ける必要がある。ゆえに、おそらくなされるべきは、ナルシシズムの昇華なのである。「表向きのスローガンや、一部の人々の真剣な理想主義とは裏腹に、総体としての満洲国はやはり傀儡《かいらい》国家以外の何物でもなかった」という散文的な語りを超えた語りが求められている。ナルシシズムを外界の現実によって叩くのではなく、それを内側から解体しうるような語りが。

私の見るところ、かような困難な語りに取り組んでいるのが、安彦良和《やすひこよしかず》の漫画作品、『虹色のトロツキー』である。本稿では、同作品の作品世界に即しつつ、反復を強いてきたものの内側に入り込んでみたい。

『虹色のトロツキー』の作品世界

『虹色のトロツキー』の内容をあらすじのみ簡単に説明しておく必要があるだろう。

同作品は、一九九〇年から一九九六年にかけて雑誌連載された。時代設定は、一九三八年六月（つまり、日中戦争開始後ほぼ一年の時点）に始まり、一九三九年のノモンハン事件に終わる。主人公のウムボルト青年は、日本人の父とモンゴル人の母を持つ混血である。ウムボルトは、少年時代に両親を「トロツキーに似た人物」によって目の前で殺害されているが、その記憶ははっきりしたものではない。物語は、ウムボルトが日本軍人たちの企む「トロツキー計画」に巻き込まれ、翻弄されるのと同時に、元軍人で満鉄に籍を置きながら工作員として活動していた彼の父を殺したのは本当のところ誰であったのかという謎解きと仇討は果たされるのか、をめぐって展開してゆく。

物語は、辻政信（注2）がウムボルトを出来たばかりの建国大学（注3）に特別編入させるところから始まる。辻は、石原莞爾《かんじ》の意を体して、「トロツキー計画」にウムボルトを引き込むことを目論んでいた。なぜなら、殺されたウムボルトの父は、当時の流刑先のアルマアタから密かに外出したトロツキーと新彊《しんきょう》の奥地で極秘裏に接触していた、と思われるからである。石原らは、トロツキーを目撃したと考えられるウムボルトを介して、トロツキーへの渡りをつけようとしている。では、「トロツキー計画」とは何か？　それは、すでに一九二九年にソ連邦を追われ、トルコ、フランス、ノルウェーを転々とし、やがて終焉（一九四〇年）の地となってしまうメキシコへと追い込まれていたトロツキーを、満洲国へと招き（！）、建国大学で教鞭をとらせよう（!!）という計画にほかならない。このプランは作者の創作ではない。石原莞爾自らの発意によって創立された建国大学は、既成の大学とは全く異なるものとして構想されていた。研究と教育方法の刷新、理論と実践の融合統一、学閥や権威主義の打破を通して「建国の指導原理」を創造すること、そして学生には満洲国内の各民族およびその他アジア諸国の出身者を迎え、完全に平等な教育を行なうことが志向された。かくして、建国大学は、「民族協和」を満洲国において実現するための人材を育成するための機関であると同時に、それ自体がこの国是の実践の場として構想されていた（注4）。そして、この驚異的なまでに革新的な大学の講師招聘候補者リストには、トロツキーの名が実際挙げられているのである（注5）。

ウムボルトは、石原に見出される以前は師範学校生として抗日運動にコミットしており、日本の憲兵による拷問も受けている。憲兵隊の許から彼を救い出したのは、辻であった。こうした経緯から、ウムボルトは日本に対する嫌悪を懐きつつも石原＝辻の要求を無下に拒絶することはできない。だが、間もなくウムボルトは、「トロツキー計画」を阻止せんとするソ連の秘密警察によって捕らえられてしまう。窮地を救ったのは、抗日運動におけるウムボルトの先輩格であり、コミンテルンともつながりを持っている「孫逸文」とジャムツであった。その後のウムボルトは、仲間たちと共に抗日聯軍と関東軍がせめぎ合う地帯をさまよった挙句自ら馬賊となり、抗日武力闘争に身を投じる。さらには、謝文東（注6）の許に馳せ参じ、厳冬の北満洲で戦果を挙げることになる。しかしながら、こうした土着的なレジスタンスの闘いは、関東軍に追い詰められ、もはや限界に達しつつあった。そのようななかで、ウムボルトの許に安江仙弘《のりひろ》大佐（注7）が現れる。安江の目論見は、あまりに冒険的でソ連を刺激する「トロツキー計画」を阻止することにあり、そのために協力することをウムボルトに迫る。ウムボルトはこれを受け容れ、興安軍（注8）少尉となることも受け容れる。

満洲の奥地へと配属されたウムボルトは、ほどなくして安江から上海行きを命じられる。何と上海に「トロツキー」がいるというのだ。この「トロツキー」が本物であるかどうかを確かめよ、というのが任務である。この任務の性格は込み入っている。すなわち、安江の考えでは、ウムボルトの父と関東軍が接触していたトロツキーはそもそも本物ではなく、スターリンの用意した影武者であったに違いない、というのだ。これは、スターリンにとって一石二鳥を狙いうる策略である。一方では関東軍を混乱させることができ、他方では、日本側にトロツキーとの接触の経験をさせることにより、「帝国主義日本との内通」というトロツキーの「罪状」に客観的信憑性を与えることもできる……。安江の見方では、上海に現れたのは、この偽トロツキーである。ゆえに、ウムボルトが上海の「トロツキー」に会い、これが両親を殺したトロツキーと同じ人物であると認められるならば、関東軍がかつて試みたトロツキー工作がスターリンによって用意された罠にすぎないことが明らかになり、またこの工作の焼き直しである石原らの「トロツキー計画」も雲をつかむような虚しいものであることが明らかになる、というわけである。

上海の「トロツキー」は、もちろん偽物であった。このそっくりさんは、おそらくはかつての影武者であろうが、いまは演芸場でトロツキーの演説の物真似をやって喝采を浴びたり、阿片の取引に手を染めながら、上海ユダヤ人社会で暮らしている人物にすぎなかった。ウムボルトは、部隊へと戻る。そして、ノモンハン事件が起こり、彼も戦場へと送られる。ソ連軍の戦車部隊に完敗し、帝国陸軍の機械化の致命的な遅れを赤裸々に露呈させてしまったこの戦闘の模様は、執拗に描写されるが、ついにウムボルトは蒙古の原野に斃《たお》れて、物語は終わる。

以上のようなストーリーと絡めて、東条英機や甘粕正彦らを含む数々の軍人、そして川島芳子や尾崎秀実《ほつみ》らが実名で登場し、事件の成り行きの背景を形づくる。主要登場人物は、ウムボルト、ジャムツ、ウムボルトの恋人の麗花など少数を除いて、ほとんどが実在の人物である。描写されるすべてのエピソードは、史実であるか、歴史考証に裏づけられたいかにも「ありそうな」ことであり、フィクションであるにもかかわらず、すぐれてリアリティの高い濃密な作品世界が構成されている。

正義をめぐって

日本国家に翻弄され、さまざまな経験を経た後ノモンハンの平原に屍をさらすことになるウムボルトの歩みは、ひとことで言うなら、彼自身が確信することのできる「正義」を求めての彷徨である。満洲における当時の情勢において主張され、実行されていたおよそすべての「正義」が、ウムボルトの前に現れ、そして彼はそれにコミットする。しかし、いずれの「正義」にも、彼はコミットしきることができない。

当初は抗日運動の先輩であったジャムツは、物語の初期においては、コミンテルンの指揮下にありながらも独自の判断・情勢分析を行ない、ウムボルトを拉致しようとしたソ連のエージェントを罵倒することも辞さず、主体性を持っている。しかし、ジャムツは物語後半では、単なるスターリニストになってしまう。それは、彼の思考図式において、善─悪の区分けがきわめて明快であり、明快でありすぎるためだ。

「科学的社会主義」、「歴史の必然性」、すなわち絶対的に客観的なるものに裏打ちされていると自称する「正義」のどうしようもないいかがわしさに比してみると、馬賊の親分である謝文東の闘いの動機、安彦の描く彼なりの道理は、あまりに主観的であるがゆえに、爽快ですらある。彼は自らの闘いの目標は、より正統な国家権力や秩序を打ち立てることなどではもちろんなく、ただ単に「張景恵（満洲国国務総理）と関東軍の司令官に詫びを入れさせること」だ、と言う。彼は、政治体制の正統性などに微塵も興味を示さない。この無思想な発想は、強固なアナーキズムの原理になりうる。謝文東の見るところ、「必然性」だの「道義」だのの「正しい」スローガンを必ず持ち出してくる「国家の正義」は、所詮はすべて偽物なのだ。土台国家に正義などない以上、戦争が正義によって裏づけられることなどあり得ない。けれども、闘わなければ生き残ることはできない。ゆえに彼の選択は本質的にモラリッシュなものだ。彼は、もっともらしい闘いの理由をすべて投げ棄てることによって、正義が「国家の正義」になってしまう以前のプリミティヴな感覚にとどまろうとしているのである。しかしながら、謝文東の最期は悲惨である。彼はほどなくして関東軍に投降を余儀なくされ、以後親日派として活動する。そして日本敗戦後、国共内戦のなか、「漢奸」として公開処刑される。それは、「正義」となることを拒む正義があまりにも無力であることを示している。

　それでは、安江仙弘大佐の「正義」をウムボルトはどのように受け止めるのか。安彦良和は、安江大佐の主導したいわゆる「河豚《ふぐ》計画」を「トロツキー計画」に対するアテ馬としてプロットのなかに取り込んだ。河豚計画とは、ドイツをはじめヨーロッパで迫害され難民化していたユダヤ人を満洲国に大量に移住させようとした計画である。満洲にはロシアを逃れたユダヤ人たちがすでに一定数居住していた。同計画は、安江のほか、犬塚惟重《いぬづかこれしげ》海軍大佐、そして日産コンツェルンの鮎川義介によって一九三〇年代半ばに構想され、一九三八年、近衛文麿政権下で「猶太人対策要綱」として（部分的に）具体化された。それは一石二鳥も三鳥も狙った企みであった。すなわち、ユダヤ人資本家を惹きつけることにより、満洲への開発投資を促進することが可能となる。そして、ほとんどすべての国々から国境を閉ざされ行き場を失っていたユダヤ人にとっては、満洲国は安住の地となりうる世界で唯一の場所となる。それは、その正当性に対して強い疑義が投げ掛けられていた満洲国の道義的な威信を高めることになるだろう。他方、日米の開戦の危機は当時刻一刻と迫りつつあった。満洲国がユダヤ人安住の地となるならば、金融とマスコミにおいて権力を持つ在米ユダヤ人は、政府に強烈な圧力を掛けるであろうから、開戦を防ぐことができよう、と見込まれた。

「河豚計画」という奇妙な名称は、犬塚大佐の次のような発言にちなむという。「これはフグを料理するようなものだ。もしユダヤ人をうまく料理できれば……つまり、ずるがしこい彼らの性格を監視し、彼らのエネルギーを日本のために利用することさえできれば、味も栄養もたっぷりの御馳走になる。しかし、もしちょっとでも料理のしかたを誤れば、日本の破滅にさえつながりかねない」（注9）。この犬塚の発言には、欧米の反ユダヤ主義におけるユダヤ人観が色濃く反映されている。そして、当事者たちのそれぞれの思惑において、道義と打算の比重は、かなり異なっていたであろう。結局のところ、ナチス・ドイツとの同盟関係は、計画の積極的な遂行を押しとどめた。これら事情を反映して、先述の「猶太人対策要綱」は、日本国内とその勢力圏内におけるユダヤ人の他民族との同等な地位を確認しながらも、資本家・技術者等の「役に立つ」ユダヤ人以外の「その他大勢」を大々的に受け入れることはしない、という方針を示したにすぎなかった。そして、その後の日独同盟強化と日米開戦とともに、河豚計画は最終的に葬られてゆくことになる。

「トロツキー」との面会の後、ウムボルトは犬塚に向かってこう言い放つ。「悲しい民族はユダヤ人だけではありません」、「大佐殿や安江大佐はユダヤ人を援けると言われますが、それはユダヤ人たちが金持ちで、日本にとって利用する価値があるからではないのですか」、と。なお、安江仙弘は、敗戦後、責任感からあえてシベリア送りになることを自ら選び、彼の地で世を去った。帝国陸軍には稀な倫理観を持った人物であった。それはさておき、ウムボルトが衝いているのは、個人が内面的に抱懐する正義が「国家の正義」を介して実現されようとするときに生ずる矛盾である。腐敗を甘受しなければこの世に在らしめられない「正義」——ウムボルトは、これにもまた自己を同一化することができない。

こうして我らが主人公は、「単なる文字の上での正義」、「正しいが無力な正義」、「力を持つが正しくない正義」を経験する。そして行き場を失う。ウムボルトの死は、単なる戦死ではなく、思想的、倫理的行き詰まりを表している。もちろんこの世界には「汚れなき正義」、「一切手を汚すことなく実現できる正義」などという便利なものなどどこにもありはしない。だが、正義への真剣なコミットメントは、実存的確信を必然的に伴う。思想の問題は常に、突き詰めれば、その内容よりも、それがいかに確信されるかにある。思想、あるいは倫理的理想が、個人の内面を越えて現実的な力を持ち、かつそれが国家に媒介されないでなされる、という事態はあり得るのか。このように問いを立てたとき、『虹色のトロツキー』において表の主人公たるウムボルトに対する影の主人公のごとき役割を与えられている石原莞爾に、われわれは突き当たるだろう。石原とは、実力によって正義を如何ともしがたく媒介してしまいそれを腐敗させる国家に国家それ自体を超えさせることによって（＝超国家主義）、正義そのものの実現を志した人物ではなかっただろうか。

石原莞爾の形象

旧帝国軍人のうちで、石原莞爾ほど盛んに語られてきた人物は稀であろう。陸軍始まって以来の才人と言われ、満州事変の首謀者、すなわち十五年戦争の火付け役にして、特異な「世界最終戦争」論のイデオローグ、熱狂的な日蓮宗徒であったのと同時に、アジア主義者でもあり、型破りの言動によって崇拝者と敵とを無数に生み出し、兵からは慕われた異能の将軍である。『虹色のトロツキー』に現れる石原の姿は、最初から魅力的である。彼は建国大学に講演に訪れ、学生たちに向けて、大学幹部やその他満洲国指導層、そして憲兵の面前で、次のような言葉を吐く。

聞くところによると、諸君等の多くは内地のいい学校をケッてわざわざこの建大を志望して来とるそうだな。なぜだ？　あ？　満州に行けば内地におるよりも出世が出来る、シナ人や満人をアゴで使っていい暮らしができる、と、そう思って来たのじゃないか……

残念なことに現今の満州にはそういうテの日本人がやたらと多くいる。日本人は他の民族よりも優秀だからいい身分につき……いい給料をとっていい暮らしをするのが当然だと思っているような大ばか者がいつの間にやらはびこっている‼　それもとるに足らん商売人や小役人共だけじゃない‼　総務庁！　関東軍！　そして協和会‼　上に立つ者が揃いも揃ってこのテの大馬鹿だ‼　その馬鹿者共が満州国人の内面を指導する（注10）などと言う。余計なお世話だ‼　知っての通り満州国は独立国である‼　独立国なら独立国らしく扱わんといかん！　ちがうか諸君！　現状では日系官吏共は法匪と呼ぶべきである！　関東軍は関東都督府！　満蒙開拓団は、ありゃあ土地泥棒だ！　満州国軍も強くなくちゃいかん！　そして将来関東軍と戦争しようというくらいになるのが一番いい！　そうなった時、さあどっちにつくか、満州国に生きようという者はよォく考えておくことだ。

これらの言葉は、咆哮と呼ぶにふさわしい。だが、当時の石原莞爾は、陸軍の権力中枢から完全に追い落とされ、無力化され、「荒野に呼ばわる者」と化していたのであった。

周知のように、石原は関東軍参謀として一九三一年九月の満州事変を企画実行し、一躍国民的ヒーローにまでなった。その後の石原の歩みを簡単に述べておくと、翌年八月に東京に呼び戻される。その後国際連盟臨時総会の日本代表随員を命じられた後、仙台で連隊長勤務を経て、一九三五年には参謀本部第一課長へと栄転を果たす。三宅坂に進出したわけである。その翌年2・26事件が勃発するが、統制派と皇道派のいずれにも属していなかった石原は、「皇軍相討つ」事態に恐れをなして決断不能状態に陥ってしまった軍中枢にあって、果断かつ強硬な態度を以ってこれを収拾した。これによりさらに評価を高めた石原は、陸軍の中核へと躍り出た。

2・26事件後成立した広田弘毅内閣は、陸軍の圧力によって一九三七年の一月には退陣を強いられる。かかる事態にあって、軍部を抑えられるとの期待感から、組閣の大命が宇垣一成《うがきかずしげ》(注11)に下される。しかし、宇垣に掛けられている期待の本質が何であるかを察していた陸軍は、陸軍大臣を出さず、組閣は断念される(宇垣流産内閣)。佐治芳彦によれば、陸軍内の指導者層の意見をまとめて宇垣内閣の実現を阻んだ中心人物は石原その人であった、という(注12)。宇垣の組閣断念により予備役陸軍大将の林銑十郎《はやしせんじゅうろう》が担ぎ出されるが、林は御輿にすぎなかった。ひとことで言えば、石原は林内閣を実質的に支配することによって、「世界最終戦争」を闘うための国家改造を目論んでいた。具体的には、石原は、十河信二《そごうしんじ》(注13)を組閣本部に送り込み、自らの立案した「国防国策大綱」や満鉄調査部の宮崎正義らが立案した産業開発計画を実行できる内閣を構成しようとした。そのメンバーは、陸相に推された板垣征四郎(注14)をはじめとして「満洲派」の面々によって固められていたのであった。

おそらくは、この瞬間が、石原莞爾が日本の権力中枢の掌握に最も近づいた瞬間であったのと同時に、彼の挫折の始まる瞬間でもあった。石原の目論んだ「満洲内閣」は、結局実現されなかった。「満洲内閣」＝「石原内閣」に対する反対は身内の陸軍から出てきたのだった。すなわち、当時陸軍次官にあった梅津美治郎《うめづよしじろう》らがこれを阻止すべく圧力を掛けたのである。林は妥協し、十河は組閣本部を去った。この経緯の事情を、佐治芳彦は次のように述べている。「彼ら

［＝梅津ら］は、まさかと思っていた石原の声望と実力に対して、嫉妬と危惧とを抱きはじめたのである」（注15）。あるいは福田和也は次のように分析している。

梅津、武藤らの幕僚派は、宇垣内閣阻止の時点までは、石原らと利害をともにしていた。だが、彼らは同時に、石原の独走をも看過することはできなかった。石原の計画は、日本を国防国家に変身させるだろう。しかしまたその独特の指導力、構想力は、幕僚派の存在基盤である、官僚的な統治システムまでをも、掘り崩してしまう可能性が高かった。

軍の中核であるエリートとさして深い交際がなく、人物と見れば位階や立場も顧慮せずにつきあう石原は、彼らの目から見て、到底信用できないように思われたのは当然だろう。梅津らが満州派への中傷として、「宮崎はアカだ」と言い触らした、と云った話は、その辺の機微をよく伝えているように思われる。（注16）

仮に林内閣が石原の意を体したものとなったとしたならば、中国との戦争の阻止という彼の企図が実現され、後の無謀な太平洋戦争への突入も防ぐことができたに違いない、とは言えないかもしれない。だが、こうした「歴史のイフ」はともあれ、この石原の挫折の瞬間が、戦前日本史のターニングポイントのひとつであったことは、確かであろう。この後の石原は、対中政策の転換——すなわち、威力による強硬策から連帯協力へ——と、計画経済によって重工業化を成功させ、軍事力を飛躍的に高めつつあったソ連への備えを整えることを唱えていたが、それはもちろん、陸軍の総意にはならなかった。そして一九三七年七月、盧溝橋事件が勃発し、現地日本軍は、なし崩し的に対中戦争を開戦してしまう。不拡大を力説する石原に対して、同僚・後輩の幕僚たちは、「貴方がやったのと同じことをしているだけだ」という反応を示したという。これに石原が反論するのは難しかっただろう。現地軍が中央政府と指揮系統を無視して独走的に軍事行動に走るという先例は、彼自身がつくりあげたものにほかならなかった。結局石原は、参謀本部作戦部長として三個師団派兵に不本意ながら同意させられ、結果として、日中戦争拡大の阻止に完全に失敗する。

そして、一九三七年九月、石原は、関東軍参謀副長に任ぜられ、東京を去って、新京へと向かうのである。この人事異動は、要するに左遷であり、陸軍の主流から石原が完全に排除されたことを物語るものであったはずだ。

『虹色のトロツキー』に登場する石原は、この時期の石原莞爾にほかならない。再び満洲の土を踏んだ石原を襲った感情は、激怒と絶望であった。「民族協和」「王道楽土」というスローガンは完全に形骸化し、ニキ三スケ（＝東条英機、星野直樹、鮎川義介、松岡洋右、岸信介）をはじめとする日本軍人、官僚、財界人によって政治経済は壟断《ろうだん》され、他民族は日本人の奴隷的な地位へと貶められていた。有名な東条英機（当時関東軍参謀長）との確執が本格化するのもこのときからである。石原は、単刀直入に「内面指導」の縮小撤回を要求したのであった。

『虹色のトロツキー』作中での建国大学での講演にあるように、当時の石原は、ことあるごとに満洲国の日本人支配層を面罵することを辞さなかった。こうした石原の言動を、一種の「負け犬の遠吠え」「深謀遠慮を欠いた短気」として否定的に見る向きもある。しかし、私は、石原莞爾が「異能の軍人」であるにとどまらず、言葉の本来の意味での思想家となっていったのは、まさにこの苦境においてではなかったか、と思う。というのも、石原の「民族協和」を追求しようとするアジア主義的な理念が果たしていかほどの真正性を持っていたか、言い換えれば、それが日本の帝国主義を覆い隠すための自己欺瞞ではなかったとなぜ言えるのか、という疑義は、これまでしばしば提起されてきた。山室信一は、満州事変を起こすに至る石原のヴィジョンについて次のように述べている。

石原や板垣らの関東軍参謀たちが満蒙領有を正義と主張したのは、「力こそ正義だ」というニヒリスティックな認識からだけではなく、むしろ彼らなりの中国および中国認識からもたらされたもののように思われる。すなわち、石原においては「支那人が果して近代国家を造り得るや頗る疑問にして、むしろ我国の治安維持の下に漢民族の自然的発展を期するを彼等のため幸福なるを確信する」（「満蒙問題私見」）との信念が満蒙領有を正義と捉える裏付けとなっているのである。（注17）

辛亥革命（一九一一年）勃発当時、石原は「ついに中国が目覚めつつある」と感じ、部下とともに万歳を三唱してこれを祝したが、その後の中国のうち続く混乱を目にして、中国における近代国家の成立可能性に疑念を抱くようになった。このような石原の認識から、満州事変決行後につくられるべき満洲の政体についての彼の見解も説明可能なものとなる。当初石原は、日本による直接領有を相当強硬に唱えていた。つまり、日本は満洲を併合せよ、ということである。

しかし、この見解は、満洲国の建国過程において、劇的に変化する。すなわち、直接領有から諸々の自治領・自治国等の形態を飛び越えて、独立国へ。かかる石原の「転回」をもたらしたのは、事変後に現地の民間有力者、「満州青年連盟」等の日本人の民間団体の会員に会って、彼らの新しい国家・新しい秩序をつくり出そうとする熱意に触れたことであった、と言われる（注18）。

この思想的転回が、本当のところどれほどの強度を持ちうるものであったのか、苦しい自己欺瞞にすぎぬのではないかという解釈は、この時点（事変直後）では、ありうる。再び山室信一の言葉を引くならば、彼は次のように述べている。

石原が独立国家案を積極的に支持するにいたったのは、現地中国人の政治能力を認知したからではなく、中央政府へ復帰した場合を考えて腰の定まらない各省政府を構成する中国人への不信感に発した瀬戸際の決断であったように思われる。もちろん、大勢からいって独立国家に決していたものの、石原にとっては各省の新政権関係者と関東軍幕僚とが相互に抱いていた猜疑心と不信感を払拭するためにこそ独立国家という形式が必要とされたのである。いわば退路を断ち切り、一蓮托生の運命共同体にいやおうなく持ち込むために独立国家案へ

踏み切ったというのが実情ではなかったのだろうか。（注19）

石原にとっての満洲は、そもそもは対米最終戦争の準備をはかるために獲得されなければならない空間であったわけだが、このような「リアリスティック」な立場は満洲国独立論にも受け継がれている、と推論されている。しかし、石原はあくまで狡猾な「リアリスト」であるという山室の推論が完全に正しいとすれば、満洲の地に再び立って後の彼の言動を整合的に解釈することはできない。石原莞爾の思想変遷の興味深いところは、それが凡人のそれとは正反対の道をゆくことにある。大抵の場合、人は高邁な理想を抱いた後、冷たい現実に出会って、「リアリスト」になる。石原の凄味は、彼の思想の歩みがその真逆の形態をとっているところにある。「リアリスト」としての石原が誕生させた国家は、彼にとって国家以上のもの（イデアルなもの）となった。ゆえにこそ、再渡満後の石原は、満洲国の腐り切った現実を真っ向から指摘し、軍官民の有力者たちを罵倒した。このときの彼にとっては、自分の立場が現実主義的な見地からして合理的であるかどうかなど、もはやどうでもよいことであったように見える。

一九三八年八月、体調不良もあり、石原は予備役願いを出し、満洲を去る。その後の石原の詳細について縷々述べる必要はあるまい、と思う。退役後の太平洋戦争下で取り組んだ東亜聯盟運動は、日本の外側から日本を変えることを断念するに至った彼が、内側からもう一度日本の変革可能性に向き合おうとした実践であったであろうことのみを、確認しておく。冷徹な計算によって開始された謀略が結果として呼び寄せてしまった正義は、石原にとって現実がどうあろうとも実現されなければならないものであり続けた。

「アジア主義」の本質

明治以来の日本のアジア主義の論理と実践の歴史の流れという観点から見てみた場合、満洲国は、いわばその廃墟にほかならないように見える。日本人の大陸進出の企てのなかでは最も華々しい、壮大な試みであったにもかかわらず、というよりもまさにそれゆえに、悲惨なのである。宮崎滔天《とうてん》にせよ、北一輝にせよ、そして石原莞爾も、大陸におけるナショナルな革命が日本の政体を変化せしめるはずだ、というヴィジョンを多かれ少なかれ共有していた。しかし、一九三〇年代には、すでにこうした期待の存在する余地はなくなっていたように思われる。アジア連帯の実現可能性に、言い換えれば、日本のナショナリズムと中国のナショナリズムの融合の可能性は、第一次大戦時の対華二十一箇条要求の時点（一九一五年）で最終的に消滅していた。満洲国が「廃墟」だというのは、それが掲げた理想がすでに失われた可能性に依拠していたからである。

周知のように、アジア主義は、最終的には「大東亜戦争の大義」として戦中日本の国是に据えられる。それは、明治維新以来圧倒的に欧米志向であり続けてきた日本の思潮において、初めて「アジア」が勝利した瞬間であった。しかし、言うまでもなく、それは原初のアジア主義思想の持っていた倫理性が実質的に完全に抜き取られるという、あまりに高価な代償を払ってのことであった。アジア主義は、日本にとっての「本当の友人」——それは決して見つからないのだが

――を探し求めると称することによって、侵略を欺瞞的に覆い隠す役割を果たすことになった。探し求められたのが、時に闘い交渉・妥協すべき相手としての敵でもなく、ライバルでもなく、時に裏切るかもしれない「かりそめの友」でもなく、「本当の友人」であったことが厄介なのだ。袁世凱《えんせいがい》や張作霖《ちょうさくりん》を利用して大陸での権益を拡大しようとしてきた日本政府のやり方は、純真なアジア主義者にとって唾棄すべきものであった。ゆえに、石原の仕組んだ柳条湖事件は、こうした前近代的権力者を通じて操作するという日本の古典的な大陸経営の方法をも爆破したのであり、アジア主義の思想的「勝利」の先駆けとなった、と言いうる。ついに日本は、アジアにおいて「本当の友人」を探し出すことに本腰を入れ始めたわけである。この友人は「本物」でなければならない。そして、このアジア主義的な考え方こそが、日中戦争を泥沼化させた大きな元凶であった。日本の大陸政策がアジア主義的思考へと転換したからこそ、欧米から支援を受けている蔣介石は、白人世界の傀儡であると見え、語らうに足る「本当の友人」ではなく、対話の「対手」になり得ないのである。そして、人が「本当の友人」以外を皆退けたときに残る話し相手は、鏡に映る自分の分身（日本の傀儡政権）だけである。

安彦良和の創造したウムボルトの形象は、日本が求めてきた「本当の友人」の姿にほかならないであろうか。部分的にはそうである。ウムボルトは、「王道楽土」「五族協和」を真剣に追求した日本人の若者たちと友情を芽生えさせ、石原莞爾と疑似親子的関係を成立させるのであるから。

しかし、石原が正義の追求によって事実上の反日に到達したのと同じように、既成のいかなる正義にも自己同一化できないウムボルトは、満洲国人(注20)としての正義を追求しようとした。その意味でこの二人は親子である。作者は、ウムボルトをノモンハンで殺してしまわずに、物語を続けることもできたかもしれない。もしもそれを行ない、ウムボルトが日本人にとって都合のよい——つまり、実のところ日本人の自画像にすぎない——「本当の友人」となり果てることなしに正義を実現させるとしたならば、そのときの筋書きは、どのようなものでありうるだろうか。それは、トロツキーを首領に戴いた満洲国が日本に攻め込む、というもの以外にはあり得ないように思われる(注21)。

こうした歴史への空想を作者は自らに禁じた。それは歴史に対する一種の倫理的な態度表明であるだろう。虚構の世界とはいえ、史実と完全に異なることを描いてはならないという禁欲であり、歴史の不動性を乗り越え得ないことへの自覚である。だが翻って考えるならば、この自覚は、歴史と化した満洲国についてわずかでも肯定的に語るのならば、それは異形的な想像力を飛び立たせる、ということでもある。安彦良和の歴史への禁欲は、動かし得ない歴史が生み出す想像物をいまの現実そのものへと解き放たなければならない、という倫理的要請にほかならないのである。

(注1) 丸川哲史は次のように述べている。「日本においては、学術界も含めていく度となく『満洲国ブーム』なるものが立ち上がる。もちろん、それは歴史的にとりわけ近代日本のモダニティーを探究する上で重要なモ

メントである、と言えよう。しかしどうもそれら『満州国ブーム』は一方で、日本人のナルシシズム的な構えによって成立しているように思えることがある。この地域において、満州国はわずか十五年の期間に過ぎない。その期間だけを孤立して扱い、その前後の繋がりを軽視する研究手法にはどうしても違和感がある。たとえば、『満州国はとてつもない日本近代の実験であった』とか、あるいはまた『満州国はこういった矛盾を抱えたため破たんした』とか……。いずれにしても日本人の脳内世界の話であるようにしか思われない。今動きつつある東アジアの流動的状況に対して、生産的な知を提供していないように思えるのは私だけであろうか」（丸川哲史『ポスト〈改革開放〉の中国 —— 新たな段階に突入した中国社会・経済』作品社、二〇一〇年）。

（注2）辻政信（一九〇二年—一九六一年?）は、当時関東軍参謀。石原莞爾に心酔。ノモンハン事件、マレー作戦等で作戦指揮。戦後国会議員。一九六一年に視察旅行先のラオスで失踪。

（注3）建国大学は、満洲国首都、新京（長春）にて一九三八年に開学。満洲国崩壊（一九四五年八月）とともに閉学。満洲国国務院直轄の大学。全寮制で学費は無料＝国費負担とされた。

（注4）実際の建国大学がこれらの理想をどれほど現実化できたのかということは、もちろん別問題である。歴史家の山根幸夫によれば、石原の構想が具体化される過程ですでに、すなわち、早くも設立の準備期間においてすでに、石原の抱いていた理想主義に発する構想は、変質を蒙っていた。『建国大学の研究 —— 日本帝国主義の一断面』（汲古書院、二〇〇三年）第一章を参照。同書は、建国大学における「民族協和」の実態を批判的に考察している。

（注5）講師候補者リストには、他にガンジー、胡適、周作人、パール・バック等の名が見える。山口昌男『「挫折」の昭和史』下巻（岩波現代文庫、二〇〇五年）を参照。山根幸夫の前掲書によれば、一九一九年の三・一独立運動の発起人であった崔南善は教官となったが、その立場は形式的なものにすぎず、実際に教壇に立った機会はごくわずかであった。

（注6）謝文東は馬賊の代表的リーダー。一九三四年の抗日農民暴動、土龍山事件などに参加。

（注7）安江仙弘（一八八八年―一九五〇年）は、陸軍きっての「ユダヤ通」であり、大連特務機関を率いた。石原莞爾とは陸軍士官学校の同期。「河豚計画」を構想。

（注8）興安軍とは、満洲国軍のうち現在の内モンゴル自治区東部にあたる地域を管轄した軍隊。モンゴル人を主体とし、日本軍人が教官として指導した。

（注9）M・トケイヤー&M・シュオーツ『河豚計画』加藤明彦訳、日本ブリタニカ、一九七九年。

（注10）満洲国における悪名高き「内面指導」を指している。関東軍が、表向き多民族によって構成されている満洲国の政府機関の運営を、陰に陽に「指導する」（つまり、実効支配する）ことを指す。

（注11）宇垣一成（一八六八年―一九五六年）は、陸軍大将。二度にわたって陸軍大臣を務め、加藤高明内閣当時の一九二五年には、「宇垣軍縮」を断行する。一九三一年に予備役編入。同年には、橋本欣五郎、永田鉄山らの軍人および大川周明ら民間人の企てた「三月事件」（クーデター未遂）によるクーデター後の首相に擬せられる。その後、朝鮮総督に就任（一九三六年まで）。

（注12）佐治芳彦『石原莞爾――甦る戦略家の肖像』下巻、日本文芸社、一九八八年。

（注13）十河信二（一八八四年―一九八一年）は、満鉄理事。戦後国鉄総裁。政治的辣腕をふるって東海道新幹線の建設を実現させ、「新幹線の父」と呼ばれる。

（注14）板垣征四郎（一八八五年―一九四八年）は、陸軍大将。石原莞爾と共に満州事変を実行。A級戦犯として刑死。

（注15）佐治芳彦、前掲書、下巻。

（注16）福田和也『地ひらく――石原莞爾と昭和の夢』下巻、文春文庫、二〇〇四年。

（注17）山室信一『キメラ――満洲国の肖像：増補版』中公新書、二〇〇四年。

（注18）佐治芳彦、前掲書、下巻を参照。

（注19）山室信一、前掲書。

（注20）驚くべきことに、法的な意味では満洲国人は、一人たりとも存在しなかった。同国の一五年の歴史において、ついに一度も国籍法が制定されなかったからである。山室信一、前掲書を参照。

（注21）それにしても、「日本・満洲に現れるトロツキー」というイメージは、一個の夢想にすぎないのであろうか。注目すべきは、トロツキーと交流のあったソ連通のジャーナリスト内藤民治が、トロツキーの日本亡命計画を実現すべく動いていた、と証言していることである。メキシコのトロツキーは日本行きに合意し、内藤は海軍の助力を得て、タンカーに乗せて連れ帰る計画であったという。にわかに信じがたい話ではあるものの、捨て措くにはあまり魅力的な話でもある。西島栄「トロツキーと会った日本人」:『トロツキー研究』第35号を参照。

終章　なぜ私たちは主権者であろうとしないのか

新型コロナ危機に関する興味深い世論調査のデータがある。世界展開しているPR会社の日本支社、エデルマン・ジャパンが発表した（二〇二〇年五月一四日発表、調査は同年四月中）ところによると、調査が行なわれた一一ヵ国（日本、アメリカ、中国、インド、サウジアラビア、イギリス、カナダ、ドイツ、韓国、フランス、メキシコ）のうち、日本だけで政府への信頼度が低下したという。また、信頼度そのものは四〇％で、これも一一ヵ国中最下位である。

本書ですでに言及したが、Kekst CNC社が二〇二〇年七月に実施した同様の国際世論調査の結果も興味深い。それによれば、アメリカ、フランス、ドイツ、イギリス、スウェーデン、日本の六ヵ国の元首のうち、コロナ対策について最も低い評価を受けたのが日本の安倍首相（当時）であった。最も高い評価を受けたのがドイツのメルケル首相（プラスの四二）で、ビリ2は米トランプ大統領（当時）であったが（マイナスの二一）、日本の安倍はトランプを一〇ポイント以上下回る断トツの最下位に沈んだ（マイナスの三四）。

要するに、新型コロナ危機に対する日本政府や政府首班の取り組みへの人々の見方は大変に厳しい。ただし、日本人の政府に対する信頼度の低さは、この緊急事態になってはじめて発見されたわけではない。平時においても、同種の世論調査が示すデータは、一般に日本人は政府や政権をあまり信頼していないことを物語っていた。

だからこう結論したくなるだろう。「一般に日本人は国家権力に対して不満を持っており懐疑的に見ている」と。もちろん、ミステリーが始まるのはここからだ。世論調査と投票行動から推測する限り、標準的日本人は、「政府も政権もダメだ」と思っているにもかかわらず、どういうわけか選挙になると正反対の投票行動を示す。「二〇〇九年の政権交代が失望しかもたらさなかったからだ」というような理由づけはあまりに皮相だ。民主党政権の政治における本質的な欠陥については別の著作（『永続敗戦論』および『戦後政治を終わらせる』）で論じたからここでは書かない。この八年余りの統治が常軌を逸した酷いものであったことは、本書で指摘してきた通りである。政治の質は、戦後のおそらくはどの時代よりも低下したのであって、それはまさに「信頼できない」ものであった。にもかかわらず、「平素から国家権力を懐疑的に見ている」はずの日本人が、なぜこの政治に支持を与え続けてきたのか。

昨年コロナ禍が始まってから現在までの世論調査の結果が示す変動に、この謎を解くカギが隠れているように感じられる。安倍政権の無能と不誠実に対する不満が爆発したかのごとくに政権支持率は低下し、安倍は退陣した。ゆえに、実質的には大衆の憤りに押し出されるかたちで安倍は総理の位を去ったのだったが、本書で述べたように、その辞め方は技術的に見事なものだった。最も重要な課題は、安倍に向けられた国民のささくれ立った感情を解きほぐすことだった。

それに失敗すれば、国民の怒りによって政府首班の座から押し出されたという事実が鮮明になり、世論に押された新政権は安倍の悪行の責任追及を後押しするかもしれない。その場合、安倍は塀の向こうに落っこちかねない。

その意味で、何やらしおらし気な表情を浮かべて辞意を表明した昨年八月二八日の会見の果たした役割は重大だった。「もう引っ込め、この馬鹿野郎」という雰囲気となっていた国民の気分は、「難病に耐えながら長い間激務を勤めてくれてありがとう」というものに変わった。退陣が決まった政権の支持率急上昇は、この転換を物語っている。

そして、菅政権はこの安倍政権最末期の高支持率を引き継いで発足した。だが、コロナ感染第三波が訪れ、数え切れないほどの失策が明らかになるなかで、支持率は急降下し、「ポスト菅」云々が早くも永田町の噂となっているわけである。

さて、コロナ以前には安倍政権を支持していたのに、昨年の春夏頃政権不支持に転じた人は、何を根拠に安倍政権を不支持に転じたのか。また、安倍不支持になり、あの辞意表明会見以降、支持に転じた人は、何を根拠に支持に転じたのか。また、菅政権を発足当初支持し、いまは不支持に転じた人は、何を根拠に不支持に転じたのか。

世論調査の数字の乱高下を見る限り、こうした設問は全く無意味であると言わざるを得ない。その時々の目の前の出来事に対する直接的な反応としての気分があるだけだ。こうした「主権者」の許で、まともなデモクラシーなど実現するはずがない。またこのような「主権者」に政権支持や支持政党を問う世論調査も、本当は意味がない。

問いは反転されるべきなのだ。すなわち、政権支持から不支持に転じたのならば、逆に政権不支持から支持に転じたのならば、かつて政権を支持したあるいはかつて政権を支持しなかった自分は、何を根拠に支持／不支持だったのか、かつての自分は何であったのか——この自らに振り向けられる内省の問いがない限り、主権者など存在しようがない。それがない限り、存在するのは、その時々のスペクタクルによって振り回される、換言すれば、広告屋と組んだ権力者がいとも簡単に操作できる群衆がいるだけだ。

「戦後の国体」の崩壊期がその最終過程に到達し、「統治の崩壊」が人々の生命や生活を直接的に脅かすに至ったいま、この「内省」を日本人は根底的に迫られているのだと思う。そしてその内省は、あの漠然とした、しかし強固な政治不信の根源に向き合うことを強いるだろう。

なぜ私たちは、私たちの政府はどうせロクでもないと思っているのか。その一方で、なぜ私たちは、決して主権者であろうとしないのか。この二つの現象は、相互補完的なものであるように思われる。私たちが決して主権者でないならば、政府がロクでもないものであっても、私たちには何の責任もない。あるいは逆に、政府はつねにロクでもないので、私たちに責任を持たせようとはしない。

だが、責任とは何か。それは誰かに与えてもらうものなのか。そして、ここで言う責任とは誰に対するものなのか。それは究極的には自分の人生・生活・生命に対する責任である。自分の人生を生きようとしないこと、自己からの逃避、一種の究極の自己喪失——本書でさまざまに論じてきた「否認」や「社会の喪失」において主体に生じているのは、こうした事柄ではないのか。

他方で、日本人の強固な政治不信、国家不信は、無意識的な歴史的記憶によって支えられているのだと思う。あの戦争のとき、国家は何をやったか？　迫り来る都市空襲を目前にして「都市から逃げるな」と命じて住民を閉じ込め、蒸し焼きにした。「精鋭」関東軍は、満州移民を見捨てて一目散に逃げ去った。戦後の時代も同じことだ。水俣病が発生したとき、国家・企業・大学の御用学者は、鉄壁のスクラムを組んで被害の原因を否認した。同じことが、福島第一原発の事故に際しても起きるだろうと疑われるのは当然のことだ。土壇場において、この国の権力は、虐げられた者を救おうとしないし、自らの過ちを進んで認めることは決してなかった。

ゆえに、日本人の根底的な政治不信は、ある意味で全く正しい。しかし、そのような政府しか私たちが持っていないこと、持たなかったことの責は、誰にあるのか？　アメリカか？　中国か？　どこを探しても見つかるはずがない。

内政外政ともに数々の困難が立ちはだかるいま、私たちに欠けているのは、それらを乗り越える知恵なのではなく、それらを自らに引き受けようとする精神態度である。真の困難は、政治制度の出来不出来云々以前に、主権者たろうとする気概がないことにある。安倍超長期政権に功績があったとすれば、そのことを証明してくれたことであった。そして、主権者たることとは、政治的権利を与えられることによって可能になるのではない。それは、人間が自己の運命を自らの掌中に握ろうとする決意と努力のなかにしかない。私たちが私たち自身のかけがえのない人生を生きようとすること、つまりは人として当たり前の欲望に目覚めること、それが始まるとき、この国を覆っている瘴気は消えてなくなるはずだ。

〈初出一覧〉

第一章　「戦後の国体」は新型コロナに出会った
日本史上の汚点としての安倍政権（「論座」二〇二〇年八月三〇日、九月一日、九月五日）
国民の自画像としての安倍／菅政権（「論座」二〇二一年一月二日、三日）
安倍政権とコロナ危機――三つの危機、三つの転換（「サンデー毎日」二〇二〇年五月三日号）
命令できない国家（「北海道新聞」二〇二一年一月一四日）

第二章　現代の構造――新自由主義と反知性主義
菅政権が目指す「反知性主義的統制」（「サンデー毎日」二〇二〇年一一月八日号）
安倍政権と新自由主義（「サンデー毎日」二〇二〇年八月三〇日号）
社会の消滅について――新自由主義がもたらした「廃墟」（「情況」二〇二〇年冬号）
高校野球と階級闘争（「信濃毎日新聞」二〇一七年九月二日）
「反知性主義」――その世界的文脈と日本的特殊性（内田樹編『日本の反知性主義』晶文社、二〇一五年）
泰明小学校アルマーニ問題が問いかけるもの（「信濃毎日新聞」二〇一八年三月三日）

第三章　新・国体論
「戦後の国体」の終焉と象徴天皇制の未来（「サンデー毎日」二〇一九年一月六日・一三日合併号）
原爆と国体（「中国新聞」二〇一八年一〇月二七日）
「拝謁記」と国体のタブー（「週刊金曜日」二〇一九年九月一三日号）

改元の政治神学──戦後民主主義と象徴天皇制の葬式(「週刊金曜日」二〇一九年四月二六日号)
平成最後の日に(「中日新聞」二〇一九年四月三〇日)
〈歴史〉以後としての平成時代(内田樹編『街場の平成論』晶文社、二〇一九年)

第四章　沖縄からの問い 朝鮮半島への想像力

沖縄と国体──犠牲と従属の構造(『DAYS JAPAN』二〇一八年一〇月号)
追悼・翁長雄志沖縄県知事──その闘いの意味、闇を切り裂いた言葉(「沖縄タイムス」二〇一八年八月二三日)
朝鮮戦争と戦後の国体(「情況」二〇一九年秋号)
戦後日本にとっての拉致問題(「情況」二〇二〇年夏号)
日韓・歴史意識の衝突とその超克(内田樹編『街場の日韓論』晶文社、二〇二〇年)

第五章　歴史のなかの人間

戦後七五年を直視する(「北海道新聞」二〇二〇年七月三〇日)
中曽根康弘の逡巡(「週刊金曜日」二〇一九年一二月一三日号)
西部邁の六〇年安保体験(「信濃毎日新聞」二〇一八年二月三日)
廣松渉の慧眼(進藤榮一・木村朗共編『沖縄自立と東アジア共同体』花伝社、二〇一六年)
アジア主義の廃墟に何が見えるか──『虹色のトロツキー』論(限界小説研究会議『サブカルチャー戦争』南雲堂、二〇一〇年)

白井聡（しらい・さとし）

思想史家。政治学者。京都精華大学教員。一九七七年、東京都に生まれる。早稲田大学政治経済学部政治学科卒業。一橋大学大学院社会学研究科総合社会科学専攻博士後期課程単位取得退学。博士（社会学）。『永続敗戦論――戦後日本の核心』（太田出版）により、第三五回石橋湛山賞、第一二回角川財団学芸賞などを受賞。その他の著書に『未完のレーニン――〈力〉の思想を読む』（講談社選書メチエ）、『国体論――菊と星条旗』（集英社新書）、『武器としての「資本論」』（東洋経済新報社）などがある。

主権者《しゅけんしゃ》のいない国《くに》

二〇二一年三月二五日　第一刷発行
二〇二一年七月一六日　第四刷発行

著者　白井《しらい》聡《さとし》
©Satoshi Shirai 2021, Printed in Japan

発行者　鈴木章一

発行所　株式会社 講談社
東京都文京区音羽二丁目一二－二一 郵便番号一一二－八〇〇一
電話 編集〇三－五三九五－三五一二
販売〇三－五三九五－四四一五
業務〇三－五三九五－三六一五

印刷所　株式会社 新藤慶昌堂

製本所　株式会社 国宝社

定価はカバーに表示してあります。

落丁本・乱丁本は、購入書店名を明記のうえ、小社業務あてにお送りください。送料小社負担にてお取り替えいたします。なお、この本についてのお問い合わせは、第一事業局企画部にお願いいたします。

本書のコピー、スキャン、デジタル化等の無断複製は著作権法上での例外を除き禁じられています。本書を代行業者等の第三者に依頼してスキャンやデジタル化することはたとえ個人や家庭内の利用でも著作権法違反です。複写は、事前に日本複製権センター（電話〇三－六八〇九－一二八一）の許諾が必要です。Ⓡ〈日本複製権センター委託出版物〉

ISBN978-4-06-521686-6